図書館内乱

図書館戦争シリーズ②

LIBRARY WAR

怒れるチビ。

堂《どう》上《じょう》 篤《あつし》

図書特殊部隊・堂上班班長
二等図書正

熱く激しい心を持つが、郁が関わった検閲事件後、冷静な性格になるよう努力している。

頑な少年。

手《て》塚《づか》 光《ひかる》

図書特殊部隊・堂上班班員
一等図書士

真面目で努力家。堂上を慕うあまり、郁が目障りだったが、いつしか同志の気持ちを持つ。

情報屋。

柴《しば》崎《さき》麻《あさ》子《こ》

図書館員
一等図書士

真の自分を隠し、八方美人に徹する。また、あらゆる情報に精通する。

笑う正論。

小《こ》牧《まき》幹《みき》久《ひさ》

図書特殊部隊・堂上班副班長
二等図書正

冷静沈着で、決して弱みを見せない。堂上の真の性格も見抜いていて、良き相談相手。

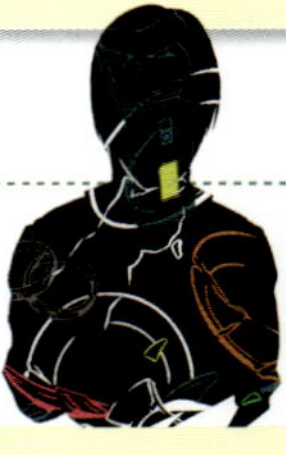

中《なか》澤《ざわ》毬《まり》江《え》

高校二年生
十八歳

小牧の幼なじみ。中三の夏に突発性難聴にかかり中途難聴者になる。小牧に憧れている。

part2 CAST

喧嘩屋中年。

玄《げん》田《だ》竜《りゅう》助《すけ》

図書特殊部隊隊長
三等図書監

無茶を無茶と思わない性格。郁の戦闘能力を高く買っている。稲嶺の良き補佐役。

折《おり》口《くち》マ《ま》キ《き》

『週刊新世相』記者

玄田の良き同志として、『メディア良化法』を批判。

稲《いな》嶺《みね》和《かず》市《いち》

関東図書基地司令
特等図書監

『日野の悪夢』の後、『メディア良化法』の検閲に対抗して、武装組織『図書隊』を創設。

手《て》塚《づか》 慧《さとし》

図書館員
日本図書館協会内の研究会
「未来企画」会長／一等図書正

手塚光の兄。図書館界の若きエリートとして活躍している。

熱血バカ。

笠《かさ》原《はら》 郁《いく》

図書特殊部隊・堂上班班員
一等図書士

高三の秋に図書隊員に助けられ、彼を『王子様』と慕い、図書隊に入る。

あの子が自由に本を楽しむために。

図書館内乱

図書館戦争シリーズ②

有川 浩

角川文庫 16778

目次

口絵イラスト／徒花スクモ
口絵デザイン／カマベヨシヒコ

図書館の自由に関する宣言

一、図書館は資料収集の自由を有する。
二、図書館は資料提供の自由を有する。
三、図書館は利用者の秘密を守る。
四、図書館はすべての不当な検閲に反対する。

図書館の自由が侵される時、我々は団結して、あくまで自由を守る。

一、両親攪乱作戦

Mission：親に戦闘職種配属を隠し通せ！

＊

保守的な両親に戦闘職種への配属を白状できぬまま関東図書隊へ入隊した笠原郁《かさはらいく》一等図書士。その抜群の身体能力で、メディア良化委員会の超法規的検閲と戦う最前線部隊である図書特殊部隊《ライブラリー・タスクフォース》に抜擢《ばってき》されたはいいものの、郷里の両親が勤め先の図書館を見学に来るという突発事態が発生。

両親に戦闘職種配属が発覚したら「卒倒確定」、「郷里へ強制送還の目もアリ」。入隊以来最大の個人的ピンチを切り抜けられるか笠原郁⁉

——というような次第で、十一月最後の連休の末日が郁のXデー初日となった。

＊

「ごっ、……ご無沙汰《ぶさた》してます、元気そうで何よりでっ……だね」

郷里の茨城から武蔵野《むさしの》の関東図書基地を訪ねてきた両親に、郁が独身寮の玄関で放った挨拶《あいさつ》がこれである。

「……何だ、ありゃ」

怪訝《けげん》な様子で呟《つぶや》いたのは、何気なくロビーに集まって見物モードに入っていた堂上《どうじょう》班＋柴崎《しばさき》の四名のうち堂上篤《あつし》二等図書正《としょせい》である。郁の所属する図書特殊部隊における直属の上官だ。

「親相手に噛《か》みましたが」

呆《あき》れた様子は図書特殊部隊で郁の同期となる手塚光《てづかひかる》一等図書士だ。堂上に答えたのか単純に突っ込んだのか、その淡々とした物言いがツボに入ったらしく吹き出したのは笑い上戸の小牧《こまき》幹久《みきひさ》二等図書正。堂上を補佐する副班長である。

「よっぽど恐いんでしょうよ、昨日寝ながらうなされてたもの」

しれっと暴露したのは柴崎麻子《あさこ》一等図書士、郁と同室の友人だ。部署は郁とは違って、基地に隣接する武蔵野第一図書館の図書館業務部の図書館員である。

「この季節に寝汗で夜中に着替えてたのよ、一体どんな悪夢見たんだか」

仲間が勝手な総評を加えているのも知らず、郁はいかにも堅そうな両親相手にしどろもどろで世間話（らしきもの）を続けていたが、やがて傍目《はため》に分かるほどびくっと背中を硬直させて一同のほうへ走ってきた。

「堂上教官！」

堂上を教官と呼ぶのは、教育隊で堂上が教官を務めていた頃の名残である。たいへんな勢いで詰め寄られて仰《の》け反《ぞ》った堂上の袖に郁がすがりつく。

「どうしよう、親が寮内見学したいって……！　部外者は立ち入り禁止って堂上教官から説明してください！」

「アホか貴様っ」

堂上は摑《つか》まれた袖を振り払いながら及び腰になった。

「うちには隊員の関係者が来たとき使える宿泊設備まであるんだぞ！　そんなデタラメな規則でっち上げられるか！」

「そこを何とか！」

「寮内の見学くらい大したことじゃないだろうが、どこでも案内してやれ！」

「イヤですいきなり差しなんて間が持ちません！」

郁は冗談事ではなく半べそだ。

「じゃあ柴崎一緒に来てぇー！」

「えーっイヤよそんな広報みたいな気の張る仕事」

「じゃあ教官が」

郁がもう一度堂上の袖を摑み、堂上はもう一度律儀に振り払った。

「つーかなお前、俺は上官だぞ！　案内してる間にうっかり上官としてのお前に対する評価を訊《き》かれたらどうすんだ⁉　俺はそのままを答えるしかないぞ、図書館業務に関しては物覚えが悪くてガサツで粗忽《そこつ》で見るとこなしって事実をだ！」

「ひどい、あたしそこまで見るとこないんですかァ⁉」

「落ち着け、評価しないとは言ってない！　しかしお前を評価できる分野は今回親御さんには言えんだろうが！」

あらゆる想定の作戦に対応するため、通常図書館業務から大規模攻防戦まで幅広く精通することが求められる図書特殊部隊において、郁の適性は極端に戦闘側に偏っている。戦闘訓練であれば男性隊員をも凌駕《りょうが》することがままあるほどだ。

然《しか》して郁の両親は、娘が戦闘職種に就くことに絶対反対の姿勢を示しており、郁は戦闘職種配属を親に隠し通してここまで来ているのである。

「ここで開示していいなら多少は誉めてやれるがそれでもいいのか⁉」

「絶対ダメ――――！」

「笠原さん、声でかい。聞こえちゃうよ」

横から忠告した小牧に郁がすがりつく。

「小牧教官……！」

「いいけど、もし俺に笠原さんの配属訊かれたら嘘は吐けないよ」

人当たりは柔らかいが、正論を貫くことでは誰よりも融通の利かない小牧である。自発的に諦《あきら》めた郁がちらりと手塚を見上げ、何も言わずに目を逸《そ》らした。

「……何だよその微妙に引っかかる態度は」

不本意そうな手塚に郁は唇を尖《とが》らせた。

「あんたがあたしに利するように動いてくれるなんて期待してないもん」

図書特殊部隊に新隊員から採用された同期として、何かと張り合うことの多い二名である。両者ともに我が強く負けず嫌いなことも一因だ。

玄関先では郁の両親が怪訝な顔でこちらを窺《うかが》いはじめている。それと目が合い、堂上は曖昧《あいまい》な笑顔で会釈を返した。

「おい、引っ張るのもう限界だ。ここは柴崎が付き合ってやれ」

ええー、と不満の声を上げる柴崎に郁が逆ギレ気味に詰め寄った。

「今度何か奢《おご》るから助けると思って付き合ってくださいてめえ！」

「奢るって何まで？」

「昼の外メシ一回！」

「デザート付く？」

「あーもう分かったわよッ！」

柴崎が渋っていたのは、どうやら条件を釣り上げるためだったらしい。いいように釣られてお前は、と口には出さず堂上は溜息《ためいき》を吐《つ》いた。

あーやっぱ柴崎に付き合ってもらってよかった。

寮内を回りながら郁は内心胸をなで下ろした。条件は少々高く付いたが、美人で外面《そとづら》がいい柴崎は部外者の案内役に適任だ。

母の寿子《としこ》も郁よりむしろ柴崎と話が弾み、寮内の設備についてあれこれ質問したりしている。

父の克宏《かつひろ》はむっつりと黙って後ろからついてくるだけだが、こちらは気難しいのが常態なので別に問題はない。

あたし柴崎みたいだったらよかったのかな、と楽しげに話をしている寿子を見ながら思った。華奢《きゃしゃ》で美人で見た目いかにも女性らしくて荒事も苦手。本性はちょっとあれだが、両親が好みそうな気の利いた会話もお手の物だ。

女の子は女の子らしく、危険な仕事に就くなんてとんでもない！　という今時びっくりするような保守的な両親の希望をことごとく逆に衝《つ》いた娘が郁である。

生まれ持った身体能力は喧嘩《けんか》っ早い三人の兄に揉《も》まれて鍛え上げられ、性格も生まれつきか兄妹喧嘩に明け暮れた結果か、勢いのみで突っ走る向こう見ずだ。

だって女らしいって適性要るのよ、あたし無理。と投げやりに思考を停止したとき、克宏が不意に問いかけてきた。

「どうなんだ、仕事のほうは」

「うん、まあ。ぼちぼち」

迂闊《うかつ》に話すとボロが出そうなので曖昧に流す。

「直属の上司っていうのはさっきの中にいたのか」

玄関先でのすったもんだのことを言っているらしい。

「うん、あの……ちょっと背の低いあの人」

「そうだろうな」

え、何で分かったの？　訊こうと思ったとき、通路の角からでかい人影が現れた。

「おおっ？」

こちらとぶつかりそうになって頓狂《とんきょ》な声を上げたのは玄田竜助《げんだりゅうすけ》三等図書監《としょかん》、図書特殊部隊の隊長である。

「玄田三監、こちら笠原一士のご両親です」

柴崎がすかさず機先を制し、玄田に口を挟ませず郁の両親に向き直った。「こちら玄田三監、私たちが入隊時からお世話になってる上官です」

いつものように隊長と呼ばないのは柴崎の配慮だ。玄田に自己紹介をさせないのも。

玄田は豪快だが細かいことを気にしない性格だ。郁の事情は事前に耳に入れてあるが、勝手に喋《しゃべ》らせるとうっかり口を滑らすことは充分あり得る。

どうもどうもと無難な挨拶が玄田と両親の間で交わされ、よし障害クリアと思ったところでふと思いついたように玄田が尋ねた。

「ご両親は宿泊はどうされるんですか」

——やばい！

郁と柴崎が固まったタイミングで、

「玄田三監！」

堂上が後ろから飛び出してきた。どうやらこうした事態を心配してついてきていたらしい。

「至急の用件があるのでこちらへ」

言いつつ玄田を引っ張って連れ出そうとするが、玄田は「まあそう急《せ》くな」と動かない。

「もしよろしかったら寮内に提供できる宿泊設備がありますので仰《おつしや》ってください、男女別部屋になりますがそれで良ければ……」

郁のキモチとしてはがくりと膝《ひざ》を突きたいほどだった。


結局両親は取っていたホテルをキャンセルし、寮に泊まることになった。

夕食はさすがに飛び込みの部外者の分はないので、外に食べに出かける。地の利がないのに放り出すわけにはいかないので郁も一緒だ。

近所を見たいというので取り敢《とあ》えず駅前まで歩く。

「この辺はまだのんびりした感じなのね」

寿子が辺りを見回しながら口を開く。武蔵境《むさしさかい》はまだ街中に畑などもかなり残っており、駅前を離れると牧歌的な雰囲気が漂う街だ。「これなら水戸のほうがまだ都会だな」と克宏も頷《うなず》く。その自慢げな表情がおかしくて郁は吹き出した。

「水戸は仮にも県庁所在地じゃん、比べるほうがおかしいよ」

話題が自分に絡まない世間話だと気が楽だ。こんなことしか話さなくていいなら親のこともそれほど苦手ではないのに。

「明日は仕事だから付き合えないよ、道覚えてね」

などと偉そうに道の説明をしていると、後ろから軽く自転車のベルが鳴った。

振り向くと小柄な少年が自転車を降りながら「笠原さん、こんにちは」と声をかけてきた。先日、基地付属図書館である武蔵野第一図書館の行事で知り合った地元中学生の木村悠馬《きむらゆうま》だ。

「ご無事で何よりです」

相変わらずの大人ぶった口調で悠馬はぺらぺら喋り出した。「『週刊新世相《しんせそう》』拝見しました、『情報歴史資料館』攻防戦。今は図書館のほうも大変でしょう、良化特務機関が都下で掲載号の検閲に躍起になってるんですって？」

「そうね、出動した部署は大変だったみたいねあたし関係なかったからよく知らないけど！」

悠馬の台詞《せりふ》に被《かぶ》せるようにまくし立てる。関係なかったというのは嘘ではない。だが悠馬は怪訝な顔をした。「え、でも……」

両親を背中にしーっというジェスチャーを入れるが通用せず「笠原さんも」と口走りかけたので郁は飛びかかるように近づいて口を塞いだ。

後ろにいるの両親なの、配属内緒にしてるのよっ。言葉足らずなその訴えで悠馬はようやく事情を察したらしい。目顔でこくこく頷き、

「――そうですよね、図書館員には直接は関係ないですからね！」

それもわざとらしいんだけどどうか！　口が回るとはいえ所詮《しょせん》はコドモだ。

失礼します、と挨拶を残して自転車を再び漕ぎだした悠馬に手を振る。気をつけて帰るのよ、と声をかけて両親を振り向くと、二人とも不審そうな顔をしていた。

あっさりしたものがいい、という両親のリクエストで駅前のそば屋に入り、お茶とおしぼりが出てきたところで寿子が口を開いた。

「ねえ、さっきの子が言ってたのは何なの。何だか攻防戦とか……」

あーやっぱり来たか、と郁は顔をしかめた。

「ああ、それはその……」

両親に特殊部隊への配属は伏せているし、郁は参加していない作戦だが、所属している基地がそんな戦闘に関わったと知れたら寿子は嫌な顔をしそうだ。

どう話したら一番ショックが少ないかな、などとこの期に及んで悪あがきを組み立てていると、克宏が横から答えた。

「小田原《おだわら》の何たらいう私立図書館の資料を関東図書隊で引き取ったとき、良化特務機関と戦闘になったって事件だろう。三週間くらい前か」

「あら、なァにそれっ」

案の定寿子が眉《まゆ》をひそめる。

「そんなのニュースでやってなかったわよ」

「新聞もあまり大きくは扱わなかったからな。週刊誌のほうはどこも大きく扱ってたぞ」

『情報歴史資料館』攻防戦。メディア良化法に関するあらゆる報道資料を体系的に収集・保存した『情報歴史資料館』の閉館に伴い、その全資料を関東図書隊が引き継いだ際、受け渡しを阻止して資料を押収しようとした良化特務機関と激突した事件だ。

メディア良化委員会の代執行組織である良化特務機関、そして図書隊ともに合法武装化組織であるため激突は大規模になることが事前から予想され、図書特殊部隊が全投入されるという異例の采配《さいはい》が振るわれている。

この全投入からは郁だけ外されたのだが、それはもう終わった話だ。

「何でも同じ日に図書基地司令を拉致《らち》して引き取った資料を破棄しろと脅迫した団体もあったらしくてな。メディア良化委員会の差し金じゃないかって雑誌じゃ追跡報道が続いてる」

ぎくりと郁は肩を竦《すく》めた。そちらのほうは郁も関わっている。拉致された司令に付き添っていたのだ。

たしか付き添った隊員の情報は出回ってなかったはず、と主要誌の記事を脳裏でさらう。

それにしても――

「お父さん、詳しいね……？」

口調はちょっと探るようになる。地元でもない図書基地の事件を、これほどチェックされているのは予想外だった。

まあ一応な、とか何とか頷いた克宏を「そんなことより」と寿子が遮った。

「図書館はそんなことがあって大丈夫なの、安全とか……何か危ないことに巻き込まれるようなことはないんでしょうね？」

うわ来た。こう来られると郁も頑《かたく》なにならざるを得ない。

「っていうか、図書館だし。検閲襲撃はもちろんあるよ。武蔵野第一は基地付属図書館だからよく狙われるし。けど非戦闘職種は戦闘に巻き込まない規定があるから」

配属を伏せている後ろ暗さで「だから大丈夫だよ」と付け足すことはできない。それに迂闊に嘘を吐くとボロが出る自分の不器用さも分かっているので、「戦闘職種であることを言っていないだけ」というラインにできるだけ逃げる。

「そんな規定が当てになるの？　検閲の戦闘って鉄砲とか使うんでしょ、もしも狙いが外れて当たったりしたら」

「ちゃんと避難用の部屋があるから。防弾になってるし」

「でも避難の途中で巻き込まれたりしたら……検閲が来そうなときは前もって休ませてもらうとかできないの？」

心配性の母親は郁を案じるあまりの発言だということは充分に分かるのだが、どこまでも郁のことしか考えていない視野の狭窄《きょうさく》が郁を苛立《いらだ》たせる。

「みんな同じ条件だから！　一人だけ特別扱いしてもらえないよ、仕事なんだから。さっきの柴崎だって検閲来たら上司の指示に従って対応するのよ」

「それはあの子はちゃんと覚悟してるんだろうけど」

お母さんそれものすごい地雷なんだけど！　ココロの中では悲鳴を上げたが、却《かえ》って実際の声は出なかった。口を開いたら怒鳴ってしまいそうで固まった。

よその子の柴崎はどうでもいいということを適当に取り繕いたいだけであたしの覚悟を理由にするな。柴崎が覚悟しててあたしがしてないとか何でアナタが勝手に決めつける。

ああもう昔からそうだ、ずっとそうだ。いつもいつも寿子は郁を自分の基準で勝手に量って、郁はそれが嫌で嫌でたまらなくて、しかし寿子は「愛しているから心配だ」という美しい理由で郁を反抗させないのだ。

今まで何度か言い返したこともあるし、性根を据えて喧嘩《けんか》をしようとしたこともある。それは郁にとって正当な叛旗《はんき》だったが、こんなに心配してるのにとさめざめ泣かれると自分が両親の理想の娘じゃないことが引け目になって何も言えなくなる。

お母さんはひらひらのワンピースが似合う女の子が欲しかったのだ。そんな僻《ひが》みが衝突する度折り重なって心はますますひねこびる。

そして駄目押しは克宏の「お母さんは心配してるのに何で分かってやらないんだ」だ。愛情を受け取ってやらないなんてと横から重ねて責められると、自分がひどい子供だと烙印を押されたようで打ちのめされる。

東京の大学に進学してから、正月くらいしか家に帰らなくなった。大学の四年目は親の反対が目に見えている図書館の防衛員を志願したので、説明するのが嫌で一度も帰っていない。兄とは東京で会うこともあったが、喧嘩三昧《ざんまい》でも（むしろだからこそ）郁を分かってくれているので「帰ってやれ」とは兄の誰からも言われなかった。

もういいかげん避けてることに気づいてよ。あたしのことは諦《あきら》めてよ。

「女の子なんだし顔に傷でもついたら」

「顔に傷がついたからって弾《はじ》くような了見の男と結婚するのはいいわけ」

以前手塚が教えてくれた反論をここぞとばかり投げ返す。手塚の側は郁の愚痴に対して純粋な疑問だったが感謝だ。

「そんな言い方……お母さん心配して、」

「いいかげんにしてよ」

傷ついた顔をするのが分かっているので顔は見ない。

「やめようよ。あたしだって久しぶりに会うのにお母さんたちと気まずくなりたくないのよ」

ああそろそろこの辺で「何で分かってやらないんだ」が来るかな、と思ったら克宏がやはり口を開いたが、

「やめないか、飯の前に」

止めた理由は定番とはズレていて間が抜けていた。しかし、どちらが悪いとも言わないのは郁には少し新しかった。

寿子はそれが少し不服そうだったが、それ以上は何も言わない。

注文した御膳《おぜん》が来て、ぽつぽつとぎこちない会話が再開される。

「いつまでいられるの？」

ややリップサービスを意識した質問には克宏が答えた。

「明明後日《しあさって》の朝帰る。有休消化も兼ねてるからな」

ということは実質的な攻防は二日か。

「せっかくだから観光してくるといいよ、荷物は寮に置いとけるしさ」

堂上は両親がいる間は班ごと図書館業務のシフトを入れると言ってくれたが、無理を聞いてもらうのは少しでも短いほうがいい。どこかに観光にでも出てくれたら訓練なり私服警備なりのシフトを入れられる。

「いや、今回はお前の働きぶりを見に来たからな。二日間しっかりと図書館を見せてもらう。施設の見学もしたいしな」

「でも、今ちょっとうちの図書館って情勢不穏だから。ほら、例の攻防戦絡みの週刊誌の記事で検閲が増えてるし、ゴタゴタするかも。良化法賛同団体のデモとかもよく来るし」

「だからこそ見届けんといかんだろう。そういうとき図書館がどう動くか見ておけばお父さんたちも安心できるしな」

誘導失敗。堂上教官すみません、と心の中で拝みつつ郁は冷たいそばをすすった。


郁に共有区のロビーに呼び出され、堂上はフリースを羽織って部屋を出た。

時間は八時だが郁が出て行ったのは七時も近くなってからである。随分慌てて帰ってきたなと思いながらロビーにたどり着くと、ちらほらくつろいでいる隊員たちに混じって人待ち顔の郁の姿があった。

「すみません、教官」

「気にするな。それよりもっとゆっくりしてくりゃよかったのに」

寮の門限まではまだ三時間近くを残している。

郁は珍しく困ったような気弱な笑みを浮かべた。

「間が持たないから」

立ち入る義理はないので曖昧《あいまい》に頷《うなず》き、「親父さんは」と尋ねる。宿泊が男子区画になるので、風呂《ふろ》や部屋の案内を堂上が引き受けることになっていた。

「あ、母と荷物分けてからすぐ来ます。それで……」

郁はばつの悪そうな顔になった。

「シフトの融通、二日お願いできますか。明日と明後日、二日見に来るって言うので」

その柄にもなくしおれた様子に調子が狂い「――お願いできますかも何も」と自分よりやや高い位置にある頭を軽くはたく。

「隊で了解済みの案件なのに今さら殊勝になるな、気持ち悪い」

「……人が遠慮とか慎みとか見せたのに言うに事欠いて気持ち悪いって何ですか！」

「似合わん芸をするなと言ってるんだ」

「芸って何それ――――ッ！」

いかんカンフルが効き過ぎたと顔をしかめたところでロビーに郁の父が姿を見せた。片手に小振りなナイロンのボストンを提げている。

「あ、親父さん来たぞ」

途端に郁が喚《わめ》いていた声を飲み込んで固まる。よほど恐いのか苦手なのか。落差がおかしくなるほど郁はイイ子の顔になって、堂上に父親を引き合わせた。

「父の克宏です」

郁の紹介で互いに頭を下げ合う。次に郁は父親を差した手のひらを堂上に向けた。

「こちら堂上教官。滞在中のことは全部お願いしてあるから、分かんないことがあったら指示頂いてね」

頂いてね、とか日頃の跳ねっ返りな様子からは到底考えられないお行儀の物言いで、堂上にとっては不自然極まりない。らしくない、ものすごくらしくない。

「……じゃあ教官、よろしくお願いします」

ぺこりと頭を下げて、郁は女子区画のほうへ戻って行った。

「教官、というのは何でしょうか」

来客用の部屋へ案内する途中、克宏はそう問いかけてきた。

「あなたは郁の上司だと思っておりましたが」

堂上は苦笑しながら答えた。笠原の、と呼び捨てかけて慌てて「笠原一士の」と言い換え、

「教育期間中に私が教官を務めましたので。その頃の癖が抜けないんでしょう」

ここで郁の勤務評価などを訊《き》かれたらどうしたものか、などと考えを巡らせながら説明すると、克宏は意外な方向へ話を滑らせた。

「娘は随分あなたを信頼しているようです」

はァ？　と遠慮会釈なく怪訝な声を上げてしまったが、克宏はそれには頓着《とんちゃく》しなかった。

「図書隊に入ってから初めて来たハガキにあなたのことが書いてありました。他の人のことも書いてありましたが、あなたの説明が一番長かった」

いやそれは、と別に言い訳することでもないのだが、何となく弁解しなければならない空気になる。

「教育期間中は相当絞りましたし、今も厳しくて口うるさい上司ですから。話題に事欠かないんでしょう」

「それも書いてありました。厳しくて恐いと」

まあそんなところだろう、と思ったらまた克宏は予想外へ飛んだ。

「しかし、尊敬できるそうです。あの子は意固地な性分なので、書き方は素直じゃありませんでしたが」

反応に困って曖昧に「そうですか」と相槌《あいづち》を打つ。あいつ一体何を、と内心で苦る。

「もう少し分かりやすく優しいともっといいと、」

「いや、もう」

何か考えるより先に手で遮っていた。非礼な仕草に慌てて詫《わ》びながら困り果てて頭を掻《か》く。

「ご容赦ください。それは笠原一士がご両親に宛てたことです。俺に向けては言っていないし、本人が言ってないことを俺が人の口から聞くのはフェアじゃない」

自称が俺になったことは言い終わってから気がついた。どうやら動揺しているらしい自分に動揺する。

すみません、と克宏が端的に詫びた。

「私も興味があったものですから、ご本人を目の前にしてつい口が軽くなった」

詫びられるようなことでもないので、堂上はまた追い込まれて頭を掻いた。平静に聞けないのはこちらの意識の問題だ。何を動揺しているのかと自分に舌打ちしそうになる。

「あなたがハガキの上司だとすぐ分かりました」

取り敢えず話はハガキの内容からは逸《そ》れたようだ。しかし今度は何を言い出すのかと気持ちはかなりの警戒態勢である。

「私たちが来たとき、娘が真っ先に助けを求めたのはあなたでしたな」

警戒していたのでこらえた。それにしても何で奴が俺を信頼してるとか、……慕ってるようなことをわざわざ指摘したがるのか、と内心大いに苦ったが――

ふと気づくと克宏は寂しげな自嘲《じちょう》の表情になっている。その様子で遅まきながら思い至った。克宏は自分たちが訪ねたときの郁の様子を「助けを求める」と言った。敬遠されていることを自覚していなければその表現は出てこない。

堂上の表情で察したことに気づいたのか、克宏は苦笑した。

「『いつまでいられるの』と言ってくれましたが」

それが郁の気遣った言い回しだということを悟っている表情だった。

「いつもの娘はどんなふうですか」

勤務評価なら態《てい》よく答える準備ができていたが、いつもの娘はという問いに胸を衝《つ》かれた。

一瞬ごまかすことを考えた。あの単純な娘が苦手な両親の前でどう態度を取り繕っているかということは大方想像がつく。

だが、ごまかされることを相手が望んでいるとは思えなかった。

「……元気はありますね。ややありすぎる。しかし跳ねっ返りというか、危なっかしいところも多々あります。向こうっ気が強いくせに変に打たれ弱いですが……」

本当はすぐ泣くと言ってしまいたいところだ。

「どれだけへこんでもそのままへこたれていることはありません。その点、非常にしぶとくて前向きです」

克宏は聞き終えて小さく笑った。私たちの前ではいつ頃からかかなり他人行儀なようです、とどんな思いでか呟《つぶや》く。

「……嘘ではないんだと思います」

考えなしに口が先に走った。

「ご両親にいい子だと思われたいんじゃないでしょうか」

うわ待て俺は一体何言ってんだ——と内心焦る。そんなことを勝手に推し量れるような関係ではないのに、
初対面の他人、それもうっかりすると自分の子供のような年代の若造に娘との溝を吐露してしまった男性に矢も盾もたまらなくなったというのは理由になるだろうか。また、過保護気味だが娘を思っていることは明白なこの父親とすれ違ってしまっている郁も見ていられない。

日頃あれほど無鉄砲で物怖《ものお》じしないのに親の前ではカチコチで、さっきもまるで似合わない気弱な表情を晒《さら》した。「間が持たない」と自嘲のように。両親に対してそうあってしまう自分を多分責めている。

だが口走ってしまった言葉をどう収めたものか経験値が足りない。分かってやってください、などとは分ではない。

「……すみません」

差し出た発言を詫びたところで案内する部屋の前に着き、ほっとした。

三週間前に起こった『情報歴史資料館』攻防、そしてそれに連動するかのようなタイミングで発生した関東図書基地司令の拉致事件の週刊誌報道は今が旬の状態で、メディア良化委員会側はこれを警戒して週刊誌検閲を強化している。

出版各社は増部数や配本の工夫で検閲に対抗しているが押収される数はやはり膨大で、世間では週刊誌を手に入れにくい状態が続いている。

メディア良化委員会の代執行組織である良化特務機関による検閲は、建前上は流通する前の媒体は取り締まらないことになっているが、取次段階で入る予備検閲で内容や配本状況などが筒抜けなので対抗するのはなかなか難しい。

駅売店やコンビニエンスストアなど、専門店ではないので検閲を免れやすい販売店では比較的安定して入荷するが、そうした形態の店舗では入荷数に限りがあり、書店では検閲が入る前にどれだけ売れるかのスピード勝負だ。

　この流通の速度について来られない購買層も多く存在し、自然とその層は図書館での閲覧に頼ることになる。図書館は全国的に週刊誌の購入部数を増やして対応しているが、当然それも良化特務機関の警戒対象になり、図書館への検閲も増加している。良化法賛同団体の抗議デモなどによる利用妨害も頻繁だ。

「……よりにもよってこんなときに」

郁はぐったりコタツの天板に俯《うつぶ》せた。克宏を堂上に預け、寿子と風呂《ふろ》を済ませてやっと一息吐ける自室である。

　寿子と差し向かいになるのは郁にとって最も重圧があり、風呂でも図書館の安全性について質問攻めにされてかなり気力を消耗している。挙句ちょっとした打ち身の痕《あと》などを見つけては「あらっこれどうしたの」と眉間《みけん》に皺《しわ》だ。まさか訓練で作ったとは言えない。どんな逆噴射となるか想像するだに恐ろしい。

「まあまあ、別にご両親も狙って不穏な時期に来たわけじゃないしさ。元々この連休で来るって言ってたじゃん」

　執り成しながら柴崎が労《ねぎら》いの意味でかお茶を淹れてくれる。すすりながら郁は「でもさぁ」とこぼした。

　二日とはいえ警備のシフトを外してもらわねばならないことは郁にとってかなりの引け目だ。両親に配属を言っていないのは郁の勝手な事情である。

「シフトを融通してもらう分は前後で帳尻合《ちょうじりあ》わせてんでしょ、気兼ねすることないわよ。他の隊員だってこの程度のことは融通利かせてもらってるんだし、ばれたときのことまで隊で責任持つわけじゃないしね」

それに、と柴崎が付け加える。

「あんた、事務方の覚えが壊滅的だし。そろそろ図書館業務に入らなくちゃ作業忘れるだろうからちょうど良かったって言ってたわよ」

「それ誰が？」

「堂上教官」

ああやっぱりね、と思ったところで柴崎は「――と、小牧教官と手塚」と続けた。

「全員かよ！」

「ついでにあたしも支持表明しといたわ」

「あたしの知らないところでよってたかって好きに見積もりやがって！」

「正確でしょ？」

しれっと刺されたとどめに返す言葉はなかった。事務方に適性がないのは事実である。

「ところでお母さんほっといて大丈夫なの？　まだ消灯までちょっとあるわよ」

「もー勘弁して、限界」

郁は腰を上げることを拒否するようにコタツに齧《かじ》りついた。風呂でもまた話がこじれかけて逃げるように帰ってきている。部屋番号は教えておいたので用があったら来るはずだ。

「まー確かにあのお母さんは難物よねー」

「……そう見える？」

「典型的な子離れできないお母さんって感じよね。そんで人当たりいいけど頑《かたく》なタイプ」

柴崎にしては論評が甘いのは、一応郁に気遣っているのだろう。いつもなら「頑な」どころではなく「人の話を聞く耳持たない」くらいは軽く言うところだ。

「あんたが逃げ腰になるのも分かるわ。善意の固まりなのがまた重いわよね」

不覚にもちょっとほろりと来た。逃げ腰になるのも無理はない、と他人に認められたことに。

「そーなのよ」

頷くと本当に泣きそうになって焦った。

「心配してくれてるのも大事に思われてるのも分かるんだけど」

重い、という表現は的確だ。迷惑だとか鬱陶《うっとう》しいとかは気持ちが認めることを躊躇《ちゅうちょ》する。

あの愛情を受け入れられない自分が悪いわけではないと思っても許されるだろうか。

「うわーん柴崎ぃ〜〜〜〜〜〜〜〜」

横からすがりつくと柴崎が郁の頭を軽く叩《たた》いていなした。

「よしよし、よくもまぁスポイルされずにここまで野放図に育ったもんよねあんたも」

「野放図言うな」

「ていうか、あのお母さんに一歩も退《ひ》かずに山ザルに育った時点であんたとお母さんて似てんじゃないの。強情なところが」

その指摘は大変に不本意だったがあながち的外れでもないような、——だとすれば郁が寿子の言うことを聞かずにこのような郁に育ったのも必然だったということで、それは自分が責められる筋合いじゃないと開き直れそうな気がした。

＊

久しぶりの図書館業務は細部は怪しいもののまだ何とか覚えていて、郁は胸をなで下ろした。

「二日とはいえせっかくの図書館シフトだ、きっちり作業反復して飲み込めよ」

通りすがりに声をかけた堂上に「ハイッ」とせめて元気よく敬礼を返したらすかさず呆《あき》れた声で「アホか貴様」だ。

「図書館員が敬礼なんかするか、そんなことじゃすぐボロが出るぞ」

「あ、そか」

慌てて敬礼を引っ込めると堂上はまだ何か小言を言いたげな様子だったが、「気をつけろ」と一言で収めて立ち去った。

敬礼はなし敬礼はなし、と何度か覚え込ますように手を握り込むと、配架図書を抱えた手塚が通りがかって顔をしかめた。

「せっかくシフト融通しても自爆しそうだよな、お前。大丈夫か」

「いっ……今のはちょっと、うっかりしてただけだから」

「お前の中にうっかりじゃない成分がどれだけあるんだよ」

うるさいわよこのプチ堂上、と郁は内心で吐き捨てた。事務方では郁と比べものにならないほど有能なこの同僚は、上官としての堂上に傾倒していることが常から分かりやすい。

「親御さん、十一時くらいに図書館来るそうだぞ」

「え、何で知ってんの」

「出がけに寮で親父さん見かけたから訊いた」

「うわ、感謝！」

いつ頃来るかの見当がついているだけで気持ちの持ちようが大分違う。

「あんた思ってたよりいい奴ね」

「何だよその謝辞とも思えない居丈高な謝辞は」

気を遣ってやるんじゃなかったとブツブツ呟きつつ手塚が書架へ去り、郁もワゴンに山積みになった返却図書を一山抱えて配架に取りかかった。


「笠原さん、来たよ」

両親が閲覧室へ現れたとき、声をかけに来たのは小牧である。入り口のほうを見ると克宏と寿子が辺りをあちこち見回しながら閲覧室に入ってくるところだった。大抵の利用者はすぐにカウンターに向かうか書架に向かうので、その物珍しげな様子は遠目にもかなり目立つ。実際は図書館が珍しいのではなく、娘の職場だから好奇心をそそられているのだろうが。

「じゃあ頑張ってね」

「え、小牧教官どこへ」

「俺は書庫作業入るから。ご両親と接触避けたいしね」

面と向かって配属を訊かれたらごまかさないと明言している小牧だ。だとすればそれは郁の事情を気遣ってのことだが、作業の不明点を一番質問しやすい相手でもあるので痛し痒《かゆ》しだ。

「ありがとうございます……」

礼を言いつつ表情が微妙になったためか小牧はおかしそうに笑った。そして、

「大丈夫、今日はよく動けてるよ」

日頃は穏和な口調で何気なく発言が手厳しい小牧だが、ここぞというときフォローが巧《うま》い。単純な郁には効果覿面《てきめん》である。

がんばります、と張り切った返事に連動して上がりかけた右手を途中で下ろす。——敬礼はなし。うっかりしたのを見られなかったかと辺りを窺《うかが》うが、幸い堂上は近くにいなかった。

ほっと溜息《ためいき》を吐《つ》くと「うっかり敬礼なんかしないようにね」とすかさず小牧に釘《くぎ》を刺される。バレバレだ。

「笠原、カウンター入ってー」

柴崎に呼ばれて見ると、貸出しカウンター側に順番待ちの列ができている。不思議なもので、並ばないときは全く並ばないのに一度混みはじめると利用者が集中する。

空いていた端末に手伝いに入るとすかさず両親が様子を見に来た。一応邪魔をしない気遣い

のつもりか離れた位置で見ているが、凝視しているのが分かりやすすぎる。うわどっか行ってよちょっと、

意識するまいと意識するほど、肩がカチコチに強《こわ》ばって手元もぎこちなくなる。いつもなら何てことなく通るバーコードの読み取りがなかなか通らず、コードの打ち込みに切り替えるが、何冊か打ち込んだところで入力を間違えた。流れでそのまま作業を確定してしまう。違う本の貸出し手続きを済ませてしまった体裁だ。

うわどうしよう、キャンセルってどうやるんだっけ？　郁の手際の悪さに待っている利用者も苛《いら》立《だ》った表情になってきてますます焦る。すみませんすみませんと何度も繰り返しながら、端末は空しくエラー音を響かせる。

と、

「何した」

肩の上から降った声に、郁はすがりつくように振り向いた。こういうとき「どうした」ではなく「何した」と来るのは堂上だ。

「あの、確定しちゃって、取り消し」

言葉足らずな郁の訴えに、堂上は画面を見たまま郁の頭を軽く叩いた。

「落ち着け」

その一言の他に何も言わない。だが肩の力が不思議と抜けた。そうだ、小牧教官だって今日は動けてるって言ってくれたんだから。

落ち着くと取り消し操作は指が覚えていた。そもそも最初に教わったときからミスは人一倍多かったのでどんな作業も人より多くやっている。

「お待たせしてすみません」

ようやく手続きを終えた本に返却日のメモを挟んで返すと、待っていた利用者は不機嫌そうながらも苦情は言わずに収めてくれた。

次の利用者からまたバーコード入力に戻したが、リーダーは調子が悪かったのが嘘のようにあっさり情報を読み取った。どうやら緊張してリーダーを押しつけ過ぎていたらしい。

何人か捌《さば》いてふと気がつくと、背中に立っていた堂上はいなくなっていた。大丈夫だと判断されたということなので却《かえ》って自信が湧く。両親はまだ見ていたが、もうそれがプレッシャーになるようなこともなかった。

貸出し待ちの列がなくなって、隣の端末から柴崎の声がかかった。

「ありがと、もういいわよ」

端末作業は郁にとって最も苦手な分野なので、これ幸いと逃げ出す。と、早速近づいてきたのは寿子だ。

「まあまあ、そうしてると何だか図書館の人みたいねえ」

それ、いつものあたしは図書館の人らしくないってこと？　とカチンと来てしまうのは前日からいろいろ積み重ねて僻《ひが》んでいるのが自分で分かるので口に出さない。寿子のほうに悪気がないのは明白だ。働いている娘の姿が単純に珍しいのだろう。

「まあ、適当に見ていって」

軽くあしらって離れようとしたら手で呼び止められた。

「郁、お母さん週刊誌見たいんだけどどれがいい？」

「え、どれっていうのは」

寿子は自分にだけ分かる論法を使うことが度々あるので、実家を出て久しい郁にはとっさについて行けない会話になることがある。「あれよ、あれ」と寿子はもどかしげに代名詞ばかり連発する。

「ほら、お父さんが言ってた……最近の図書館の事件の」

『情報歴史資料館』攻防戦から続いている週刊誌報道が読みたいのだということは分かったが、郁はぎくりと肩を強ばらせた。

「それなら『新世相《しんせそう》』が一番詳しいだろう」

横から克宏が口を添えて、ますます肝が縮む。最近の図書館騒動と関連した良化法批判報道の急先鋒《きゅうせんぽう》は克宏の言うとおり『新世相』なのだが、この雑誌は郁にとって最大の鬼門だ。『新世相』には玄田の昔なじみの女性記者が勤めており、郁は警備中の写真をしばらく前の号に載せられたことがあるのだ。写りは小さいものだし、わざとぼかして撮ってあるが、身内が見たらさすがに気づかれるレベルである。

玄田と直に情報のやり取りがあるので、攻防戦に関して『新世相』の記事が詳細なのは当然だが、問題はこの場合詳細すぎることだ。図書館側の事情にも多く踏み込んでいる。

攻防には郁を除く班の全員が参加しており、堂上が上司で手塚が同僚と両親に知られている現状で、この二人が攻防に加わっていることが分かるような内容があればアウトだが——確か隊員の個人情報はすべて仮名だったはず、写真も保安上の配慮で個人が特定できるものは使われていなかったはず、と毎回チェックしている記事を思い返す。

だ、大丈夫だよね。内心かなりどぎまぎしながら雑誌書架へと二人を案内する。

「あら、これね」

寿子はすぐ棚に気づいてバックナンバーを探しはじめた。「これかしら」と手に取ったのはいきなり郁の写真が載った号だ。表紙のアオリに図書館とあるものを探したらしい。

動揺が体を硬直させたのでとっさに引ったくる愚は犯さなかったが、どうやって取り上げたものかまったく思い浮かばないのは完全なパニック状態だ。

「いや、それは関係ないな。もっと後の号からだ」

口を挟んだのは克宏で、一連の報道が始まった号から数冊を抜き出して寿子に渡した。表紙のレイアウトだけで覚えているらしく、かなり読み込んでいるようだ。受け取った寿子は問題の号をあっさり手放し、郁はすかさずその号をバックナンバーの中に混ぜた。

「あら、『パセリクラブ』が全部あるのね。『婦人生活』も」

主婦雑誌のバックナンバーを見つけた寿子がはしゃいだ声を上げる。

「あ、うん色々あるからゆっくり見るといいよ」

「そうね、まずこれを読んでからにするわ」

寿子は『新世相』のバックナンバーを抱えて読書コーナーのソファに腰掛けた。克宏もほかの雑誌を見繕いはじめたので何気なくその場を立ち去る。

そして真っ先に探したのは堂上だ。閲覧室には姿が見当たらず、作業室を覗《のぞ》くと手塚と荷物を解《ほど》いている最中だった。後方支援部の定期便で納入されてきた新刊その他だ。

「堂上教官！」

切羽詰まった声に堂上と手塚がぎくりとした顔で振り返る。何だお前また、と眉《まゆ》をひそめた堂上にほとんど摑《つか》みかかる勢いで、

「『新世相』のあの号あたし借りてもいいですか!?」

「バカ！」

横から突っ込んだのは手塚だ。「何で先に借りとかないんだ！」郁の写真が載った号のことだということは説明なしで二人とも分かったらしい。

「だって忘れてたんだもの、随分前だし！　それにまさかここで『新世相』読むとか言い出すと思わなくて」

堂上は沈痛な様子でこめかみを押さえ、とっさのコメントがないようだ。

「……仕事中だけど、駄目ですか」

厳密に言えば、利用者に閲覧させないために本を下げるということは許されることではない。

「……ないが、図書隊員が一利用者として本を借りることは合法だし、その借り出した期間中は他の利用者にその本を供せないことも合法だから、」

堂上は小声でブツブツ呟き、やがて難しい顔で郁に問いかけた。

「ご両親はその号を読みたいと言ってるのか」

「いえ、読みたがったのは別の号で、今読んでるところです」

「で、お前はその号を読みたいんだな」

「え、別に……」

読みたいわけじゃ、と答えかけると堂上と手塚が同時に目を剝《む》いたので慌てて頷く。

「——読みたいです、激しく！　気になって夜も眠れません！」

「それなら休憩時間中に限って貸出し手続きを許可する。ただし、利用者と利用がかち合った場合は利用者優先のこと」

「はい、ありがとうございます！」

駆け出そうとした郁を堂上の厳しい声が追いかけた。

「今後は私的な貸出しは勤務時間外に済ませておくこと！」

建前上付け加えないわけにはいかない注意なので、郁は肩をすくめて「すみません」と返事を残した。

両親が昼食を一緒に食べたいというので、昼の休憩に入るときに『新世相』の該当号と自分の貸出しカードを柴崎に預けて貸出し手続きを頼んだ。本とカードは柴崎の帰寮の時に持って帰ってもらうようにする。

「あたしがいつも行ってるお店でいい？」

言いつつ正面玄関に向かう。通用口から出たほうが近いが部外者が一緒では通れない。

玄関の自動ドアが開くや、スピーカーで暴力的に音量を拡大された演説の声が耳を打った。とっさに顔をしかめてしまうほどで、もはや騒音だ。良化法賛同団体の抗議集会である。

「ねえ、この人たち何なの。来たときもいたけど」

寿子が耳を押さえながら訊いてくる。

「良化委員会のサポーターみたいなもんよ。良化法を批判している週刊誌を閲覧させるなって図書館に抗議してんの」

「あらまぁ、暴力団みたいな取り巻きがいるのね良化委員会って」

「お母さん、そんなこと大きな声で言っちゃ駄目よ」

今は演説がうるさくて相手に聞こえる気遣いはないが、寿子は良くも悪くも無頓着《むとんちゃく》なところがあるので聞こえる状態でも何の気なしに放言しそうである。

図書隊員の利用だけで保《も》っているようなカフェはタイミング良く空席が出てすぐに座れた。若い女性が好みそうな小洒落《こじゃれ》た雰囲気が克宏には少し居心地が悪そうだが、近所に昼食に適当な店はあまりない。駅前まで行ってしまうと郁が戻るのに忙《せわ》しくなる。

注文した日替わりメニューのセットドリンクを先にもらって飲みながら、寿子がさっそく口を開いた。

「雑誌も読んだけど、随分物騒なのねぇ図書隊って。さっきの玄関のところもあんなだし」

「うんまあ、時期が時期だしね」

とにかく時期が悪かったという理屈に逃げるが、寿子の追及は厳しい。

「あの人たちが図書館で暴れたりすることはないの」

一瞬ごまかそうかどうかと迷ったが、どうせ他の人に訊けば分かることだしごまかしたことがバレたときのほうがややこしい。

「暴力的な団体が来ることもあるよ。そういうのは警備で取り押さえて警察に引き渡すけど」

自分が取り押さえる側だということはもちろん言えない。

「ねえ、あなた図書館辞めたりとかは」

来ると思った！

「そういうこと言うならあたし帰るよ、二人で食べて」

言いつつ本当に腰を上げかけると、克宏が「まあ座りなさい」となだめ、寿子をたしなめた。

「郁は働いてるんだ、簡単に辞めろなんて言うものじゃない」

寿子は不服そうに押し黙ったが、郁の側も意外である。昨日は遮り方が微妙だったが、今日ははっきりと郁の肩を持ったように見える。昔はこういうときに郁を味方してくれたことなどないのだが、どういう風の吹き回しだろう。

就職したからかなぁ、と見当をつけてみる。堅物な克宏は当然会社でも真面目一本槍《いっぽんやり》な仕事人間で、仕事に関してはシンパシーが発生する余地があったのかもしれない。

寿子が膨れて微妙になった空気の中を、克宏がやや遠慮がちに尋ねた。

「郁は何で図書隊員になろうと思ったんだ」

何で今さらそんなこと、と怪訝に思ったのが顔に出たのかもしれない。克宏は「そういう話も聞いたことがなかったからな」と言い訳がましく付け足した。

そういえば、図書隊に入ることは勝手に決めて一方的に知らせただけだった。それはどうせ反対されるから無用な衝突を避けたつもりでもあったのだが、両親が傷ついたであろうことを改めて思い知らされ後ろめたくなる。

ぶつかりたくないだけで傷つけたいわけじゃなかった。

「……子供の頃から本が好きだったのと、」

それは表向きの理由で、直接的な理由は言うのが少し恥ずかしい。でも両親が傷ついていたのなら、それを今から埋め合わせられるなら言わねばならないような気がした。

「高校生の頃、図書隊員の人に助けてもらったことがあるの。近所の本屋さんで良化特務機関の検閲とかち合って、あたしの買おうとした本も取り上げられて。あたし、良化隊員からその本隠そうとしたから万引きの現行犯で警察に突き出すぞって脅かされて」

まあひどい、と寿子が怒ったように呟いた。こんな話に本気で憤ってくれるところは優しいお母さんだ。だが、

「あなたそんな目に遭ったなんて話したことないじゃない」

すかさず郁の手落ちにも話が横滑りするのが玉に瑕《きず》である。遡《さかのぼ》って説教されてもたまらないので言いそびれたと言い訳した。

万引き扱いでいいから本を持って警察に行く、と捨て身で抵抗したことはとても言えない。時系列を遡って卒倒しそうだ。

「それでその図書隊員が助けてくれたのか」

克宏の問いに頷きながら、どうにも気恥ずかしくて耳が熱くなる。何だかこれは初恋の話を親の前で白状させられているような、

「その人は階級が三等図書正だったんだけど、三正以上って書店で本を見計らう権限があるのね。それであたしが取り上げられた本や、他の本も取り返してくれて」

後に堂上に聞いたところでは、本当は見計らい権限は勝手に行使してはならないらしいし、見計らった本を融通するのも規則に外れているらしい。

それでも郁に取り上げられた本を返してくれて、彼は言ったのだ。

万引きの汚名を着てまでこの本を守ろうとしたのは君だ。

その言葉が運命だった。心も将来も鷲掴《わしづか》みにされた。——思い込みが激しいと言わば言え。追いかけずにはいられない背中だったのだ。

「まあ、まるで王子様みたいね。ちょっとドラマみたいで素敵」

寿子は素直に感銘を受けたらしいが、その感想に郁は思わず突っ伏しそうになった。

その三正を真似しようとして大失敗したとき堂上と口論になり、勢いで「あたしの王子様」などと口走ってしまったことは一生の不覚だが、

——あたしの言語センスのルーツはここか！

あるイミ母親に似ているのじゃないかという柴崎の意見が図らずも補強された形だが、他人の口から改めて聞くと「王子様」という単語は相当恥ずかしい。堂上の記憶に消しゴムをかけに行きたくなる。

「それで王子様には再会できたの？　何だかロマンスが始まりそうな話じゃない？」

うわここでロマンスとか来たか！　さすがにルーツはこっ恥ずかしさが一枚上だ。

「ないわよそんな話。大体あたし、その人の顔も覚えてないし。名前も聞きそびれたし」

「あらつまんない。でも探そうと思ったことないの？　その人のこと好きなんでしょ？」

すぐに話を色恋沙汰《ざた》に持って行きたがるのは連ドラ・ワイドショー好きな主婦の習性だが、

——お願いもう勘弁して！

五年前に一回会っただけだけど、あたしは今でもあの人に憧《あこが》れてるし尊敬してるし、あの人が好きです。

堂上に勢いで切った啖呵《たんか》が思い返されて我と我が身を打ちのめす。駄目だあたし、今度からもうちょっと物を考えて喋《しゃべ》ろう、などと到底守れるわけもない誓いを立てる。

「……とにかくそういう浮ついたことじゃなくて。その人のことすごく尊敬したから、あたしもその人みたいに本を守りたいって思ったのよ」

言ってしまってから内心ぎくりと臍《ほぞ》を噛《か》む。守りたい、というのはやばかったか？　防衛員の職種を連想させるかも、

「つまり、図書館で働く人になりたいって思ったんだけどね」

付け足してみると微妙に不自然で、そのまま流したほうがよかったかと更に気持ちがじたばたする。

だが、

「初めて聞いたが、いい理由だな」

克宏がそう言ってくれたのでほっと息を吐く。

もしもその人に会えたらお母さんにも教えてね！　という寿子の希望はちょうどやってきた料理を受け取りながら聞こえない振りで流した。

両親は夕方に引き上げ、その日は何とか無事に乗り切った。

＊

二日目、寿子のほうは既に図書館という空間に飽きたようで、雑誌を読んだりＡＶコーナーで映画を観たり、果ては図書館を出て近所を歩きに行ったりと、郁の動線にはあまり注目していない様子だった。

もともと郁の苦手意識がより強いのは寿子に対してなので、寿子の注意が逸《そ》れるとそれだけで気が楽になる。

作業が立て込んでいたせいで郁の昼休みがずれ込んだので昼食も別々だった。

「時間だったら融通してあげるのに、一緒に行ってあげれば」

柴崎は気を遣ってくれたが、油断するとまた辞めたらどうかなんて言われかねないので遠慮したい。

ストレスが軽減されたせいか今日はカウンター作業でもあまりミスをしないで済んだ。正確にはミスしても自分でリカバリーできたという意味だが。

ふと気づくと克宏のほうはたまに郁の作業を遠くから眺めたりしていたが、こちらの邪魔にならないようにと気遣っているらしく、それほど気にはならない。

やがて両親が館内にいることもあまり意識しなくなり、それは完全な不意打ちになった。

「すみませんが」

配架中の郁に克宏が他人行儀に声をかけてきたのは、夕方が近くなった頃である。

「今年の時事問題について調べたいんですが、何かありますか」

完全に虚を衝《つ》かれて郁は固まった。その丁寧な問いかけは、明らかに図書館員としての郁に質問をしている建前で、郁の仕事を量りに来ていることが分かった。

だが、克宏が試そうとしているのは利用者に適切な資料を紹介するレファレンス・サービスで、それもある特定の図書を出してくれというような簡単な要求ではない。

図書館業務に精通したうえで更に幅広い知識が必要になる、司書職の中でも特に高度な業務だ。利用者の要求は例えば「戦前の法令を調べたい」ということであったり「マザーグースでロンドン橋が落ちたのは何故？」ということであったり、実に多様で手強《てごわ》い。

そして、図書館業務が専門でない図書特殊部隊の中でも殊に事務方の適性が低い郁には経験が足りない分野でもある。

「あ、はい、ええと」

どうしよう、こんなレファレンスなんかしたことない。内心大いに動揺しながら、とにかく応対しなくてはと口を開く。

「時事問題ってどんなの」どんなのって何だアタマ悪い、と自分で自分に舌打ちしそうになりながら言い換える。「どんな分野のことですか」

「特にどの分野ということではなく、総括的なことを」

総括!? 総括って!? 自分があまり使わない言葉を返されてまた焦る。お父さんわざと堅い言葉使わないでー!

全体のまとめとかそんな意味でいいはずだと見当をつけつつ、

「要するに、今年の重大ニュースとかそういう感じですね？」

尋ねると克宏は頷き、郁も何とかリクエストのイメージを摑めた。

少々お待ち下さい、と手近の検索端末に駆け寄る。館内にある資料はすべてキーワード検索できるようになっている。

今年の重大ニュース。少し考えてキーワードはまず今年の西暦である『２０１９年』。書籍のタイトルにするなら年号の正化《せいか》より西暦のほうが多いはずだ。そして『ニュース』、『時事問題』と入れてみる。

果たして検索結果にそれらしい書名が上がってきた。『2019年・日本の総論』、『日本の時事2019』、『2019年を考える』……

「今年の時事問題をお問い合わせの方」

少し離れて待っていた克宏を敢えて他人モードで呼び、検索画面を見せる。

「この辺りではいかがでしょうか」

「では上から二、三冊ほどお願いします」

分かりましたと所蔵場所を確認すると書庫になっている。書庫から出すことを伝えて待ってもらい、書庫にリクエストをかける。書庫からは数分と待たず専用エレベーターでリクエスト図書が上がってきた。分厚いムックが三冊だ。今日は小牧を始めベテランばかりが詰めているのでさすがに早い。初めての書庫作業のときリクエストを取り消されるほど手際の悪かった郁とは大違いだ。

「お待たせしました！」

意気揚々と克宏に出庫した本を渡す。「重いので気をつけてくださいね」なんて気遣う言葉をかける余裕まである。

わぁあたしけっこう成長した？　などと悦に入ったのも束の間だった。本を受け取った克宏が一番上の一冊の目次を斜め読みして首を振る。

「これは去年の本だな」

「ウソぉ！」

思わず喋りが素になった郁に「ウソなもんか」と克宏も目次を見せる。目次に並ぶニュースのラインナップは確かに一年遅い。

そうか今年の分は来年の年号で出るんだ、と察して古い本の分類記号を確認する。三〇〇番台、社会科学。今年の分は閲覧室の同じ分類場所にあるはずだ。

「すみません、今すぐ今年の持ってきますからっ！」

何とか挽回《ばんかい》しなければと声がうわずった。一年遅い本をカウンターに戻し、社会科学の書架に走る。途中ですれ違った堂上に走るなと叱られ小走りに、だが目当ての棚には——

「ない⁉　一冊も⁉」

その系列の本は一冊も棚になかった。貸出し中か。いや違う。あんな分厚いムックが軒並み借り出されたにしては棚に隙間がまったくない。今年は購入していない？　馬鹿な。この傾向を一冊も入れないなんてあり得ない。まだ今年の分が出版されていない、ということであればあり得るか？

駄目だ、分からない。こういうときはどうする。——こうする。

「堂上教官！」

すれ違ったばかりなのですぐ追いついた。

「あの、父にレファレンスを頼まれて、今年の『日本の総論』とか『時事』とかが棚になくて、書庫に去年のしか」

脈絡の前後がめちゃくちゃな郁の説明に堂上は難しい表情でしばらく聞き入り、「去年のを出したんだな？」と確認した。頷くと「俺も行くから来い」と克宏の待つほうへ歩き出した。

「え、でもあたしが訊かれたからあたしがやらないと」

「アホか貴様は」

堂上はわずかに高い郁をやや見上げる角度で首を煽《あお》り、「もうレファレンスを一回ミスしたんだろうが、何度も繰り返したら利用者の図書館に対する不信を招く。親にはきちんとその旨説明しろ」

厳しいが確かにそれは道理で郁はしおれて堂上の後ろに続いた。克宏を見つけて堂上が会釈しながら歩み寄る。

「すみません、今年の時事問題系をお探しだそうで。館員が不慣れでご迷惑おかけしました」

言いつつ堂上が目線で郁を促し、郁も「すみません」と頭を下げる。

「私ではよく分からなかったので、分かる人に来てもらいました」

克宏は了承の意か黙って頷くが、抜き打ち査定は完全に失格だ。がっくり落ち込んだ気持ちが小さく肩を縮めさせた。

「年間の時事をまとめた書籍は年末にかけて多数が出版され、利用も集中するのでこの時期は特設コーナーを作って展示してあります」

言いつつ堂上が入り口近くの特設コーナーへ克宏を案内した。簡易書架で作ったコーナーに来年の年号を冠したムック類が並んでいる。

「『総論』や『時事』シリーズは貸出し中のようですね、やはり人気のシリーズですので」

書架を見ながらそう説明した堂上が郁に「確認」と小声で指示した。郁が近くの端末で情報を確認していると、克宏が重ねて堂上に問いかけた。

「他に何かお勧めのものはありますか」

「どういった傾向のものをお求めですか」

「総括的に一年の流れを追えるようなものを」

「軽く読めるようなものですか、それとも考証の詳しいものを？」

「では読みやすくてある程度の考証のあるものを」

堂上はその注文を聞いて、棚の本を何冊か順にめくった。数冊を見比べて比較的薄いものを二冊ほど勧める。

話が一段落するのを待って、郁はそっと口を挟んだ。

「確認取れました、両方貸出し中で予約も詰まってます」

「——ということですから、お父さんの場合は関東圏内なので予約を入れて越境貸出しも可能ですが、搬送に時間もかかりますし地元の図書館で借りて頂いたほうが……」

郁の確認したことを立てて話してくれている辺りが微妙にいたたまれない。

克宏は堂上の説明に満足したように頷き、堂上が勧めた二冊を持って読書コーナーへと立ち去った。

さて、と堂上が郁を振り返る。

「何した？」

いつもながらの問いかけに、郁は思わず肩を縮めた。克宏にレファレンスを頼まれた経緯《いきさつ》をできるだけ順序立てて説明する。

堂上は全部聞いてから「まず」と口を開いた。

「自信のない作業は分かる人間にコツを訊け。最初から俺に訊いてたらこの手の書籍は翌年の年号で検索かけることも特設コーナー作ってることも分かったはずだぞ」

経験が足りないことは仕方がないが経験が足りないことを取り繕うな。指摘はいつもどおりに手厳しい。

「それと書庫から本が来たときに目次くらいは確認しておけ。目次で内容の傾向は把握できるし、目的に合致しない本だったら利用者に渡す前に差し戻せる。利用者に渡したらその時点でレファレンスのミスだ。時間がかかるのももちろん良くないが、利用者に間違った情報を渡すよりはマシだ」

確かに郁も目次を見れば内容が古いことは分かったのである。確認を怠ったことが甘かったという事実は言い訳のしようがない。

「そもそも図書館員一人一人が全ての分野に対してエキスパートである必要はない。業務部の中でもレファレンスの得意分野はそれぞれだし、各自の能力を巧《うま》く使い合えばいいんだ」

そういうものなのか、とほっとしたのも束の間、しかつめらしいお説教が続いた。

「もっともお前はそれ以前の問題で、もう少し基本的な知識を身につける必要があるけどな」

たちまちうなだれた郁に「ただし」と堂上が付け加える。

「時事問題系の中でどういう傾向のものが欲しいのか聞き出そうとしたのはよかったな。まだ聞き取りは甘いが、レファレンスの基本は利用者のニーズを見極めることだ。経験がないなりにその基本をわきまえてたのは上出来だ」

フォローかもしれないが、その言葉にやや救われる。その浮上した気持ちが食らいつかせた。せめて少しでも教わりたい。

「あの、さっき父に勧めた本はどうやって判断したんですか？」

コーナーの本は数十冊にも及び、さすがにそのすべてを堂上が読んでいるとは思われない。そうでなくとも戦闘職種の隊員は体を休める時間が内勤よりも必要だ。

堂上は難しい顔で首を捻《ひね》った。

「要するに書誌学の応用なんだがな……」

多分それでピンと来る奴にはピンと来るのだろう、だが郁にはさっぱりだ。堂上も通じないことは読めていたらしい。難しい表情は説明が少しややこしいからのようだ。郁もそれを覚悟して姿勢を正した。

「図書の形態から内容を類推できるって理屈は分かるか」

座学でちらっとそんなことを聞いたような気もするが、その理屈は覚えていないので正直に首を横に振る。

例えばと堂上は棚からA５判のムックを一冊取った。タイトルは『ザ・２０２０—１００大ニュース決定版—』とある。

「一頁に詰められる字数の限度は、判型である程度決まってくる。一般的に四六判《しろくばん》なら一行は四〇文字前後、一頁は一八行前後。A5判もあまりサイズは変わらないし、ムックだから構成が変則的なことはあるとしても、四六判の基準がある程度通用すると考えていい。これで目次を見れば一つの項目について大体どれだけの文章量を割いてあるかの見当がつく」

実際に堂上の示した本は一五〇頁弱で全体の字数は一〇万八〇〇〇前後、目次や章扉で本文が削られることを考えると一〇万字前後の情報が詰まっていることになる。

この本は百件のニュースを扱っている体裁なので一つのニュースに対して約一〇〇〇字前後、四〇〇字詰め原稿用紙で約二枚半が費やされていると予想される。一つのニュースに四〇〇字詰め二枚半というのはあまり多くはない配分だ。

「つまり、この本は各ニュースの概要だけをさらったダイジェスト的な位置づけの本だということが分かる。ただし、その分内容は薄いからこの一冊ではちょっと頼りない。俺の個人的な意見としては『決定版』なんて大仰な副題付けるのは誇張気味だという判断も加わる」

ああ、だからさっき勧めなかったのかと遅まきながら納得。

「それから重要なのは目次。目次で内容が的確に把握できる本はよくまとまってることが多い。各項目の頁配分を見れば、その本がどこに重点を置いて作られてるかも分かる。後は出版社や執筆者の情報を付き合わせたり、索引や文献目録の処理を見るとその本のレベルがおおよそは摑める」

「その本はあんまり良くないってことですか」

堂上はあまりその本を評価していないようなので訊いてみたが、意外にも返事は「そうとは言い切れない」だった。

「例えばワイドショー的に一年のニュースをざっと把握したいということなら枚数的にも内容的にもこれくらい薄いほうが向いてるだろうしな」

だから利用者のニーズを聞き出すのが大事なんだ——という説明が実感として飲み込めた。例えば時事問題にあまり興味のない寿子だったらこちらのほうが読みやすいだろう。

「後はそのジャンルで定評がある代表的な本を読んでおけば判断基準も摑めるしな。この場合は『総論』と『時事』になるか。ちょっと変化球で『政経』シリーズ」

ああ、やっぱり代表的なところは読んでるんだ。内心恐れ入るが口に出したら「それくらい読め」と言われそうなので黙っておく。娯楽以外の本を読むのは苦手なのでそこを衝かれると穴だらけだ。

「やる気があるなら探し物をしてる利用者に臆《おく》さず声をかけてみろ。レファレンスはとにかく経験を積むのが一番だ、トレーニングと思って探させてもらえ。見つからなければ他の館員に助けてもらえばいい」

ありがとうございますと頭を下げ、郁は「ところで」と堂上に問いかけた。

「堂上教官、今何か読みたい本とかありますか」

いきなり飛んだ話題に堂上が怪訝に首を傾げる。

「……何で俺が今そんなことを答える必要があるんだ？」

「いや、いきなり利用者に声かけて手間取ってもあれかなって思って。教官が練習台になってくれたらいいなぁとか」

「そんなことは休みの日に柴崎とでもやれ！」

叱りつけた堂上が憤然と立ち去る。ああ、結構いいアイデアだと思ったのに、と勝手なことを考えていると、読書コーナーから克宏が戻ってきた。

「あのな……」

身内モードで声をかけられて郁が首を傾げると、克宏は思い出せない様子で言葉を巡らせた。

「お前の同僚の、あの、……」

「手塚？」

柴崎のことは友達と紹介しているので手塚だろうと誘導すると、克宏は頷いて肯定した。

しかし手塚が何だというのか。ますます首を傾げた郁に、予想だにしていない方向から痛打が来た。

「彼は堂上君に訊かなくても特設コーナーまで一発で連れて来たぞ」

内心でよろめいて、姿勢も少し傾《かし》いだ。

「……手塚のことも試したの⁉　あたしと比べるために⁉」

「仕事ぶりは同期と比べるのが一番分かりやすいからな」

克宏は悪びれる様子もなく、利用者としてレファレンス・サービスを利用しただけでもあるので実際責める筋合いもないのだが、

「お前も彼くらいやれるのかと思ってたんだが、ちょっと情けないんじゃないか」

「あんなのと比べるな！」

完全に逆ギレる。

「手塚はずば抜けてるんだってばっ！　新隊員で一番成績良かったんだからね!?　あたしが頭悪いの知ってるのにあんな化け物と比べないでよ！」

「じゃあ柴崎さんとだったらいいのか？」

「それも駄目！　あれも規格外！」

「何だ、お前以外は皆すごいんじゃないか。何でお前が図書館員になれたんだ、倍率も高いって聞くのに」

うわやぶ蛇った！　郁は凍りついたが、克宏は何の気なしだったようですぐに話が逸れる。

「だが、代わりの本の選び方は堂上君のほうがさすがに上手《うわて》だな。手塚君はちょっと絞り切れないところがあった」

「当たり前じゃない！」

さしもの手塚も堂上と比べられるのは気の毒だ。

「堂上教官、ああ見えてすごい優秀なんだからね。一年目の隊員があんなのすぐに追いつけるわけないじゃない」

「新米の分際で『ああ見えて』はないだろう」

渋い顔で注意した克宏が「しかしまあ」と漏らす。

「手塚君で追いつけるわけがないならお前はまだまだ当分無理だなぁ」

分かってるよそんなこと、と膨れて呟き、郁は顎《あご》を上げた。

「確かに、今は無理だけどっ。——でも、そのうち」

超えるんだから、とはさすがに親の前では息巻けなかった。

それに堂上教官があたしを認めてくれてるところもあるんだから——というのは、戦闘職種がらみのことなので言えないのが悔しかった。


両日ともに図書館に押しかけたデモの抗議集会などはうるさかったが、何とか大きな揉《も》め事もなく終わった。

郁としては最後のご奉公といった感じの夕食にも付き合い、やはりその席で寿子が郷里での再就職を仄《ほの》めかしたが、それは克宏がまた止めてくれた。

「ありがとう、お父さん」

基地への道すがら寿子には聞こえないように耳打ちすると、克宏は「仕事は仕事だからな」と気難しい顔で返事をした。

もしかして照れてるのかな、などと思うとちょっと親しみが湧く。

「周囲の人もちゃんとしてるし、お父さんはいい職場だと思う。頑張れよ」

なんてそんなことを言われると——ごめんねという言葉が喉《のど》までせり上がりそうになる。

嘘吐いててごめん。本当のこと言わなくてごめん。

反対されるから、心配かけるからという言い訳はあるにしても嘘を吐いていることに変わりはない。

「明日、仕事だから見送れないけど。気をつけて帰ってね」

せめてその言葉には精一杯気持ちを籠めた。

＊

消灯まで一時間ほどを残した二十二時、堂上の部屋を訪ねてきたのは克宏だった。

何かあったときのために部屋番号を教えていたので、その番号を頼りに来たらしい。

「お世話になりまして」

寮の案内などをしたのでその礼のようだ。

「いえ何も」

応対しながら初日に踏んだ勇み足が気まずくて目が泳いだ。克宏の側も何かを逡巡《しゅんじゅん》した様子で目を伏せる。

やがて、意を決したように克宏が切り出した。

「少しお話を伺ってよろしいですか」

克宏に改めて話を聞かれるような理由は思いつかないが、その折り目正しい様子には立ち話で済ませてはならない気配を感じ、堂上は室内へ来客を通すように体を開いた。

「どうぞ」

克宏も素直に招きに応じる。客用の座布団なんて上等なものはないので、コタツの出ている季節で助かった。

「何かお飲みになりますか」

間を持たせる意味も兼ねて訊いたが「いえ、すぐに」と固辞される。そしてその宣言どおり、話はすぐに切り出された。

「郁を図書隊員としてどう思われますか」

これ以上はないほど直球の質問とともに、克宏はまっすぐ堂上を見据えた。

初日に「いつもの娘は」とウェットな問いかけになったのとは打って変わった、意志の強い問いだった。態よく答えるつもりで初日に用意していた返事は、検討するまでもなく堂上の中で自発的に却下された。

克宏は郁が今日レファレンスで下手を打ったところを実際見ており、そのうえで敢えて堂上にそれを訊きに来たからには率直に答えるしかなかった。

「未熟です」

はっきりそう言うと、克宏は重ねて訊いた。

「それは手塚君と比べてということですか」

「いえ。手塚一士の上を行く新人はそうはいませんから。平均的な新人のレベルを鑑《かんが》みたうえで未熟です」

評価に手心を加えても今日の一件を見た以上は見抜かれるだろうから、重ねて率直に斬った。

特殊防衛員の図書館業務習熟度は基本業務内で支障を来さない程度とされており、どこまでを目指すかはほとんど本人の趣味に近い問題だ。レファレンスはすべて図書館員に振ると割り切っている隊員もいる。

レファレンスのアドバイスを求めた郁に「やる気があるなら」という前提をつけたのはそのためだ。だが、その基準を持ち出すわけにもいかない。そもそも基本業務もまだ怪しい。打って響かないことも多いし考えなしだし迂闊《うかつ》だし、——困った、減点評価ならいくらでも出てくる。

女性防衛員としては希有《けう》な身体能力に将来的に期待できる、と言えたらどれだけ楽だろう。最も評価できるポイントを封じて話さねばならないので、どうしても評価は否定的にならざるを得ない。

今はっきりと言えるのはこれだけだ。

「……ですが、本を守るということにかけては非常に純粋です」

純粋すぎて見ていられないようなことも多いが。教育期間中、規則さえ分かっていないのに書店の検閲に首を突っ込み、一士のくせに図書正以上の権限である見計らい権限を行使しようとしたことは今でも語り草だ。

止めるはずがうっかり釣られて郁の代わりに見計らい権限を行使してしまった自分にも表情が苦くなるが、

「本を守りたいという意欲なら、手塚一士にも負けないと思います。本を狩られる痛みには誰より敏感です。それが他人のことであっても自分のことのように悼むことができる濃《こま》やかさは得難いものかと思います。先だって、PTAに本を規制された子供たちとの交流がありましたが、そのときも子供たちの気持ちに一番寄り添っていたのは笠原一士でした」

悠馬たちが参加した図書館とPTAのフォーラムでの話だ。PTAに攻撃された子供たちをすかさず庇《かば》ったのも郁で、それもなりふり構わない懸命な切り返しだったからこそ相手の舌鋒《ぜっぽう》を封じられたと堂上は思っている。会場の中立傍聴者の共感を呼んだこともだ。理屈で論者を封じ込めようとしてもそれはテクニカルな論戦になるだけで、第三者の共感は得られなかっただろう。

郁でなければ、誰もあのタイミングで相手を圧倒することはできなかった。

「全員が笠原一士のようでも困りますが、笠原一士のような隊員が一人もいなくても困ります。そういった意味では、ある種のフラッグシップ的なモチベーションを持っていると言えるかもしれません」

というのはちょっと誉めすぎか。「私としてはそのモチベーションを少し抑えてくれたほうが安心できるんですが」と少し削っておく。

黙って聞いていた克宏が口を開いた。

「高校生のときに本屋で図書隊員に助けてもらったのが図書館を志望したきっかけだそうです。きっとその人に憧《あこが》れてるんでしょう」

予期せぬ攻撃に思わず突っ伏しそうになる。その図書隊員が実は堂上だということは郁本人はもちろん知らない。知らせる気もないし、事情を知っている連中には厳重な箝口令《かんこうれい》を敷いてある。入隊時のあのとんでもない面接内容は上層部には笑い話として広まっていたが、上層部と新隊員が接触することなどないので、箝口令は未《いま》だに有効に作用している。

基地司令の顔さえ直接対面するまで覚えていなかった郁は、五年前に一度会っただけの堂上の顔などもちろん覚えていなかったが、堂上のほうはずっと覚えていた。少なくとも入隊面接で一目見て分かる程度には。

郁が「王子様」の話を持ち出すたびに、そっちは覚えてないくせに何を、と苛立《いらだ》つ。

見計らい権限を隊員個人が独断で行使するのは規則違反で、堂上自身は当時の自分の行動を軽率だったと自戒している。その軽率な自分を後生大事に手本にされるのは自分の至らなさを晒《さら》し上げられているようでいたたまれない。

それでもそのときは介入せずにはいられなかった、というのは言い訳にしかならない。検閲に捨て身で立ち向かったあのときの郁を言い訳にするくらいなら図書隊員を辞めたほうがマシだ、とそんなことを思ってふと気づいた。

捨て身ということは後先考えないということで、未だにその後先考えない性格が健在だから見ていて苛立つのだ。あのとき腹を括《くく》って警察に行くと開き直ったように、今も腹が括れたら何かとんでもないことを決断してしまいそうな危うさが郁にはある。

そして部下になってみて痛感したが、郁には怪我をする前に怪我をするかどうか考える技能はない。そこがある局面では強さでもあるのだろうが、その危うさを行使する理由に昔の自分が使われるのはたまらなかった。

「郁は部下としてどうですか」

「大切です」

答えは自然に滑り出た。一瞬焦るが、設問自体が部下としてという前提だったのでおかしな答えではないはずだと自答する。

「まだ未熟ですが、いい図書隊員になると思います。素直に伸びてほしいですね」

そう言ってから最後に「もちろん手塚一士もです」などと言わずもがなのことを付け加えてしまうのが我ながら冷静ではなく、思わず顔をしかめる。

「ありがとう。あなたからお話を伺えて安心しました」

そう言って克宏は腰を上げた。部屋を出るのを堂上も廊下まで送る。

「郁をよろしくお願いします」

実直な挨拶を最後に立ち去りかけた克宏が途中で堂上を振り向いた。

「滞在中に出たゴミの類《たぐい》は部屋のゴミ箱にそのまま捨ててよろしいんでしょうか？　分別などは……」

「可燃ゴミはそのまま捨てていただいて結構ですよ。分別が分からないものだけよけておいてくだされば」

最後はやけに所帯じみたやり取りになった。

＊

両親が帰った日、郁は帰寮してから寮監に寿子が泊まっていた部屋の鍵《かぎ》を渡された。部外者を泊めた後はその関係者が部屋の始末をする。具体的には掃除と布団のクリーニング手配だ。

「ええと、父の使ったほうは」

「そっちは堂上二正が男子隊員に指示しておいて下さるそうだから」

あー、またお礼言っとかないとな、と頭を掻《か》く。両親が来たことで面倒をかけ通しだ。

ひとまず食事を終わらせて部屋に戻ると柴崎がもう帰っていた。

「よ。いろいろお疲れ」

その一言で気が抜けてその場にへたり込む。

「疲れた……」

「まあ無事に乗り切れてよかったじゃない」

「まあねー」

言いつつセーターとシャツを一息に脱ぐ。寿子が見たら無精するなと小言を言われるだろうな、というのはまだ警戒態勢が抜けきっていない。部屋着のトレーナーを引っ張り寄せて被り、下のジーンズは後でいいやとコタツに潜り込んだ。

「柴崎もありがとね、いろいろ」

「いいのよー、あたしは元はしっかり取らせてもらうから」

デザート付きで約束した昼飯のことだ。

「そんでご両親、あんたの仕事ぶりのほうは何て？」

「あー、おかんはけっこうどーでもよかったっぽい。二日目とかめちゃくちゃ暇持て余してたし。じゃあ来んなって感じだけど。おとんは手強《てごわ》かったな、抜き打ちでレファレンス吹っかけられてしかも手塚と比べられた」

そりゃきっついわ、と柴崎が完全に他人事《ひとごと》で笑う。

「手塚と比べられちゃたまんないわね、あれと張るのは同期であたしくらいでしょ」

「あんたもちょっと謙遜《けんそん》とか覚えろ」

「あら、充分謙遜してるわよ？　図書館業務が専門じゃない特殊防衛員なのにあたしと張るって言ってんだからすっごく認めてると思わない？」

「いや、その理屈明らかに謙遜違うし」

むしろ不遜極まりないが、それくらい言えるようになれたらと素直にその自信が羨《うらや》ましい。どれだけ経っても二人に追いつけるとは思えないが、それにしても今はお話にならない。

「ねえ、今度休みのとき暇だったら一緒に図書館行かない？」

なに急に、と柴崎が怪訝な顔をするのにやや決まり悪く答える。

「レファレンスの練習とかちょっとしたいなーって……」

そんなことは休みの日に柴崎とでもやれ。堂上に練習台を頼んで叱られたことは伏せる。

「別に特殊防衛員ってレファレンスにそれほど精通してる必要はないわよ。特殊部隊じゃ経験積むの時間かかるし、複雑なことは図書館員に振ればいいんだし」

「うん、でも……」

郁は歯切れ悪く食い下がった。

「手塚はできるのにあたしができないの悔しいし、……」

克宏に的確に本を選んでいた堂上は何だかすごく、──認めるのが悔しいがかっこよかった。自分もあんなふうになりたいと思ったことはどうしても口に出せない。手塚のように張り合う理屈はさすがに使えないので自分の中で整合を探してじたばたする。

だってあたし、王子様追いかける前にアレ超えるって決めたんだもの。敵を知り己を知ればって要するにそういうことで、

「上官を見習うのは当然の話でしょっ」

ふてたように吐き捨てた郁に、柴崎はにやにやしながら問いかけた。

「今さら憧れちゃったんだ？」

「ち、違っ……！」

「教官たちに？」

複数形にされて嵌《は》められたと気づく。

「──そうよッ！」

噛みつくように肯定した郁に柴崎は「まあ暇だったらたまに付き合ってあげるわ」とやはり

にやにや笑いだ。くそ、不思議の国のアリスにこんな猫が出て来なかったか。

　でもあんまり焦らないことね、と柴崎が付け加える。

「堂上教官と小牧教官には後の世代の人間がなかなか追いつけるもんじゃないから」

「何それ」

「あの二人、図書大学校の最後の代の卒業生なのよ」

　もっと「何それ」だ。

「図書隊が発足した十五年前、戦闘を前提にした組織化を憂えて辞めた司書が大勢出て、社会問題になったのよ。そのとき、優秀な隊員を早期育成するために図書隊が運営を開始した教育機関が図書大学校。在学中からＯＪＴで技能ガシガシ叩《たた》き込んで、後期の二年間なんか準隊員の扱いで実務にも携わってたって言うわ。卒業と同時に成績によって士長か三正に任命されるシステムで、あの二人は三正から始まったはずよ」

「うわ何それあたしが行きたかったー！　何で今ないのよ!?」

「目標の人員数が確保できたから終了したって建前だけどね。噂は色々とあるわよ、メディア良化委員会の横槍《よこやり》で潰《つぶ》されたとか、最初から十年で閉校することを条件に大学校としての開校を認めさせる政治的な取引があったとか」

　表情が硬くなったのは噂の二番目だ。

「図書隊が裏取引なんてするわけないって思う？」

　柴崎はむしろ郁を気遣う表情だ。その気の毒そうな表情で却《かえ》って何も言えなくなった。

「日野の悪夢からたった五年で図書隊を整備したのよ。綺麗《きれい》事だけじゃ無理だったでしょうね。あんた少し慣れたほうがいいわよ」

図書隊は正義の味方じゃないんだから、と柴崎もそれを言うのだろうか。入隊してから郁がもう何度も他の人から聞いたことを。

だが、柴崎の台詞《せりふ》はもっと辛辣《しんらつ》だった。

「お膳《ぜん》立てされたキレイな舞台で戦えるのはお話の中の正義の味方だけよ。現実じゃだれも露払いなんかしてくれないんだから。泥被る覚悟がないなら正義の味方なんか辞めちゃえば？」

鋭利な刃物のような言葉で——斬られた。甘ったれた自分を。

「ごめ……」

とっさに俯《うつむ》くと、コタツの上掛けの上に水が二粒転がり落ちた。三つ、四つ、五つと続く。

ごめんなさいって、誰に。柴崎に言うのはおかしい。そう思って途中で声を飲んだ。代わりにそうだねと言おうとしたら、柴崎が黙らせるように横から抱きついた。

柔らかくていい匂いがした。

「うそよ、ごめん。あんたはそうだねなんて言わなくていいわ、こんなこと。ちょっと意地悪言ってみたかっただけよ」

柴崎らしくないウェットさに却ってとまどう。

「あんた、純粋すぎてたまにいじめたくなるのよ。でももしそれであんたが物分かりのいい顔したら、あたしはきっとがっかりすんのよ。他のみんなも」

そうだねと言うなと言うので郁は考え考え口を開いた。

「……図書隊設立までに何があったとしても、あたしは今の稲嶺《いなみね》司令を尊敬する。図書大学校にどんな密約があったとしても、そこで勉強した堂上教官や小牧教官の意志が貶《おとし》められることにはならないと思うし、図書隊がどんなことになったとしても、」

汚名を着てまで君が守った。王子様は泥を被ろうとした郁にそう言った。

「汚名を着てまで守りたいものがあるから、図書隊員は隊と一緒に泥を被るんだと思う」

そうね、そのとおりだわ。柴崎は郁を抱きしめたままでそう言った。


「堂上二正」

残業を終えて帰寮した堂上の部屋を覗《のぞ》いたのは、来客用の部屋の始末を頼んでおいた後輩の士長である。

「片付けやっときましたよ」

「ああ、悪い」

「それでこれ、忘れ物かもしれないんですが」

言いつつ士長が堂上に渡したのは週刊誌だ。受け取りながら堂上は真顔になった。

「……どこに置いてあった？」

「ゴミ箱のそばに並べてありました。でもゴミ箱には入ってなかったので一応」

「分かった、こっちで処理する。ありがとな」

士長が帰ってから改めて表紙を眺める。『週刊新世相』だ。しかし最新刊ではなくかなり前の刊、それも堂上には殊に覚えのある刊だった。

覚えのある辺りをめくると、開き癖のついたそのページで紙の送りが自然につっかえた。

子供たちの参加した図書館のフォーラムに関する記事で、何枚か掲載された写真の一枚に郁が写っている。斜め後ろから立ち姿を撮ったもので、キャプションには『図書館を責め立てる集会を警備する隊員。彼女の胸中はいかばかりか』とある。

手違いで載せられて、郁が親に気づかれることを気に病んでいた写真だ。

何故これを持ってきたのか、そして何故置いて帰ったのか。

その葛藤《かっとう》は推し量れそうではあるが、敢えて堂上は考えなかった。それを量るのはそれこそ分ではない。ただ、自分に関係のあることだけわきまえておけば済むことだ。

どうやら何か思いを託されたらしいとだけ。それが堂上に届くかどうか、それはどちらでもよかったのだろうが。

やがて堂上は本を閉じ、本棚の中にそれを挿した。

二、恋の障害

＊

図書館の年末年始休みで金沢へ帰省していた柴崎《しばさき》が寮に戻ったのは一月四日、明日は図書館が始まる日取りである。

「ただいまァ」

「これお土産ね。地元のきんつば」

言いつつ柴崎が渡したのは小振りな包みが二つである。

「わぁ、ありがとー。でも二つもよかったのに」

「定番が二種類あるから両方食べたいかと思ってさ」

「食べたい食べたい。お茶淹《い》れるね」

お茶を二人分淹れるのも一週間ぶりだ。

「そんであんた、結局帰らなかったの」

「えー、だって十一月末にも会ったし」

「たった二日じゃないのよ」

部屋着に着替えた柴崎がコタツの定位置に潜り込む。柴崎がその位置にいるとようやく平常営業に戻る実感が湧いた。

「入隊してから一度も帰ってないんだから帰ってあげたらいいのに」

「だって閉館してても警備はあるしさぁ」

「言い訳」

柴崎が真実を衝《つ》く。年末年始はさすがに全隊員が閉館期間中に二、三日は休みが取れるようにシフトを組み立ててある。

「でも他の三人も一泊でしか帰ってないし」

「つーか他の三人は地元都内でしょ、それも小牧《こまき》教官なんか市内じゃないの。いつでも日帰りで顔見せできる距離じゃない」

「ねー、何で寮入ってるんだろうねー」

入隊して三年経てば希望者は退寮できる規則があるが、小牧も堂上《どうじょう》も実家が通勤圏内なのに寮を出る気配はない。

「利便性でしょ、戦闘職種だったら緊急出動もあるし非番に呼び出されたりするし。ていうかあんたは三年経ったら寮出たいって思うわけ」

「絶対やだ、めんどくさい」

図書隊の寮はあまり規則も厳しくないし、三正になれたら個室になる。図書基地配属で図書基地の独身寮を出るメリットは戦闘職種には少ない。玄田《げんだ》のように四十過ぎても居座っている者もいるほどだ。

「まぁうちのお正月は親戚《しんせき》が集まって賑《にぎ》やかだし、孫連れて帰って来る兄もいるから。あたしが帰らなくても文句言わないわよ」

正確には文句を言う暇がないとも言う。

「それよりお土産開けていい？」

言いつつ包みの一つをもう開けている。柴崎ももう一つのほうを開けた。

「へえ、緑のきんつばって初めて見た。抹茶？」

「うぐいす豆。あたしは小豆《あずき》のほうが好きなんだけど、こっちも人気あるから」

お茶で喉《のど》を湿した柴崎が小豆のほうを先に一つ開け、齧《かじ》る。郁《いく》もまず基本をと小豆をお相伴《あずか》に与る。

「うわ、すっごい小豆の味する。おいしー」

「明日職場にも持ってかなきゃなー。あ、堂上班にも買ってきてあるから持ってってね。それと後で寮内に配るの手伝って」

寮では親しい隊員の他は同じ階の隊員にお土産を配るのが通例になっている。

「え、全部きんつば買ったの？　重かったんじゃない？」

「そうなのよ。初めて帰省したからちょっと奮発しようと思ったら、問題はお金よりもむしろ重さでさぁ。笠原《かさはら》じゃあるまいしこんなの持てるかってキレて結局向こうでカートのボストン買っちゃったわよ」

「ちょっと待て、何でそこであたしをそーゆー形で引き合いに出す」

「たくましい笠原が好きだから」

語尾にハートマークが付きそうなわざとらしい声色に膨れると、部屋のドアがノックされた。

「笠原いるー？」

どうぞと声をかけると、顔を覗かせたのは同じ階の同期だ。「あ、柴崎ももう帰ってた？帰省のお土産配ってんだけど」

「あー待って待ってこっちも」

言いつつ柴崎が取り敢えず開けていた自分たち用のきんつばから二つ出す。同期はまだ全員二人部屋だ。

「ごめん、あたしからはないんだけど」

「知ってるって、帰らなかったんでしょ。警備とはいえご苦労なことだねー」

玄関先でお土産の受け渡しをして、相手はまた別の部屋に配るために出て行った。今日明日は寮内でそんなお土産の受け渡しが続くことになる。

長期休みが明けた後のお定まりの光景だった。


「あのきんつばってお前？」

手塚《てづか》に訊《き》かれたのは午後の館内巡回中である。朝イチで堂上に預けた柴崎からの土産を手塚も食べたらしい。郁も班にもらった分はもらった分で遠慮なく食べている。

「ううん、柴崎から。あたし帰省してないもん」

「そうか。柴崎に礼言っといて」

「おいしかったでしょ」

「そうだな、俺あんこモノ苦手なんだけど食えたし」

うーんそれはおいしかったのかどうか微妙な言い方では、とは思ったものの、あんこが苦手で食えたというのはこういう系統のお菓子が苦手な男子としては誉め言葉なのかもしれない。

「まだ残ってたらあたしももう一つもらおーっと」

全員が食べたら隊共同の茶菓子に回すと堂上が言っていたが、その分は早い者勝ちだ。

「もうないぞ、玄田隊長が全部食った」

「……って一人で⁉」

郁は思わず目を剝《む》いた。

「いくつ残ってたと思ってんのよ、あの人は全くもうっ！　せっかくいいお菓子なのにそんな牛みたいに食らっちゃってっ」

「牛ってお前、仮にも上官に」

「カンケーない、いいお菓子を大事に食べないのは犯罪！」

女って甘い物のことだと目の色変わるよな、と手塚はやや慄《おのの》いた気配である。

ぷりぷりして歩いていると、行く手の女子トイレから白いコートを着た若い子が出てきた。

そのコートのポケットからハンカチが落ちた。華奢《きゃしゃ》な背中は気づかず歩いていく。

そのまま閲覧室へと歩いていく。

「落ちましたよ！」

声をかけるが反応はない。少し距離があるので自分のことだと思っていないのか。

「ねえ、そこの彼女！」

「ってお前、ヘタなナンパか？」

「うっせえ！」

突っ込む手塚に吐き捨て、郁は彼女を追いかけた。途中でハンカチを拾って、

「ねえってば！」

何、無視されてんの？　と思ったら、横の通路から小牧が出てきた。女の子と追いかける郁を見て、自分が二、三歩走って彼女に追い着き肩を叩《たた》いた。気づいた彼女が小牧を見上げて、ぱっと表情を明るくする。小牧が何か話しかけながら郁のほうを指差すと、慌てたように郁を振り向いた。

その弾みで揺れたセミロングの髪は柔らかそうな猫っ毛で、その髪に隠れるように耳掛け式の補聴器が見えた。それ以外まったく普通の、――訂正。普通と一言でまとめるには少し美人すぎる。高校生くらいか、まだあどけない感じを残したアンバランスさが逆に魅力的だ。

追い着いた郁に小牧が口を添える。

「この子、耳が不自由だから。できれば顔を覚えて、用があるときは分かるように合図をしてあげて」

「あ、はい」

頷《うなず》いたものの、どう対応していいのかとっさに分からず戸惑った。補聴器付けてるってことは少しは聞こえるのかな。

「ええとこれ、」

曖昧《あいまい》に口籠《くちご》もると小牧がまた言い添える。

「普通にしっかり話して。補聴器で拾えない音は唇も読んで読解してるから」

すみません、と思わず彼女に向かって答えたのは妙な斟酌《しんしゃく》をしてしまったからだ。

「これ、落としましたよ」

心がけてはっきりと喋《しゃべ》りながらハンカチを渡すと、彼女は小首を傾げるような会釈で答えた。

そして上着のポケットから携帯電話を出してボタンを叩きはじめ——って、
何だこの超高速⁉

郁が啞然《あぜん》として見つめる中、ほとんど神業的な速度で彼女はボタンを叩き終わり、画面を郁に向かって見せた。液晶はメール作成画面で、

『ありがとうございます　気がつかなくてすみません』

「あ、いいえ」

郁とのやり取りを済ませると彼女はまた携帯を操作し、郁に見せたより少し時間がかかったそれは小牧に向けられた。読んだ小牧が笑って頷き、

「いいよ、また後でね」

言いつつ両手の親指と人差し指で作ったくの字を胸元で合わせ、それを左右に引き離した。

知らない郁でも手話かなと分かる。彼女は花の咲いたような笑顔で頷き、閲覧室へ去った。

「今の何て」

郁が小牧の仕草を真似ると、小牧は「もちろんって意味」と教えてくれた。

「何か面白い本教えてほしいって言ってたから、返事」

「小牧教官って手話できるんですか」

「簡単な単語くらいかな。彼女、手話はメインで使ってないからね。聞き取りに難があるから人前での会話を避けてるだけで、喋るだけなら普通に喋れるんだ。それに携帯もあるしね」

「あ、すごい速さでしたね。びっくりした」

「最近は聴覚障害の人のコミュニケーションツールになってるんだよ。交流会なんかに行くとおじいちゃんやおばあちゃんも使いこなしてるって。手話文化を持ってない人には聞き逃さずに言葉のやり取りができるから便利なんだろうね。携帯ならいつも持ち歩くし」

郁にとっては単に便利な道具である携帯だが、そうした人の声の代わりになれるという価値に改めて気づかされる。すごいじゃん携帯文化。

と、それはそれとして郁の好奇心は別の方向にそそられている。

「あの、彼女以外に覚えておいたほうがいい人っているんですか」

微妙に探りを入れてみると、小牧はそれをお見通しの笑顔だ。

「そんなの全員覚えとくなんて無理だよね。だからこれは仕事の命令じゃなくて個人的お願い。もちろん、彼女みたいな人の存在を日頃から意識しておいてほしいけどね。聴覚障害は外見で分からないから、蔑《ないがし》ろになりやすいんだ。本当は音で周囲の状況に気づけないのはかなり危険なんだけど」

気づいていなかった側面を指摘され、郁は大きく頷いた。——でもそれはそれとして。

「ご家族ですか?」

もう少し突っ込んでみるが、小牧は「違うよ」と笑っただけで立ち去った。

一段落するまで様子を眺めていた手塚が一人になった郁に駆け寄ってきた。

「何だったんだ?」

「いや、何か……小牧教官の知り合いっぽい。耳が不自由なんだって」

何かワケありみたい、と付け足したくなるのは柴崎の野次馬根性が伝染ったのかもしれない。だが、彼女に向けた小牧の笑顔は何だか特別のように見えた。


休憩で隊の事務室に戻ると堂上がいたので三人でお茶になる。

「あのぅ、」ちょうど小牧がいないのが切り出す踏ん切りになった。

「さっきの巡回中に耳が不自由な女の子と行き会って……小牧教官の知り合いみたいだったんですけど」

野次馬だな、と手塚が呆《あき》れたように言ったがやはり興味があるようで堂上の回答待ちの風情だ。ああ、と堂上も心得たふうに頷く。

「中澤毬江《なかざわまりえ》ちゃんだな。小牧の実家の近所の女の子だよ。昔から家同士が親しくてよく面倒を見てたらしい。妹みたいなもんだそうだ」

「あり得なーい! 本当に兄妹ノリだったら扱い粗雑だもん、喧嘩《けんか》で投げっぱなしジャーマンとか」

それはお前だけだ、と突っ込む声は堂上と手塚と二人重なった。

「俺も妹いるけどさすがにそこまでしたことないぞ」

呆れた口調の堂上に、手塚がやや考えてから「でも」と言を翻した。

「俺、こいつが妹だったらそこまでやるかも。本気で戦わないと逆に仕留められそうな気が」

「あたしのことはほっとけ！　それよりかわいい子ですよね、よく来るんですか」

強引に軌道修正した郁に堂上が頷く。

「週に一回は来てるんじゃないか。通ってる高校も近所だしな」

「それ、小牧教官に会いに来てたりして」

「少なくとも第一によく来るのは小牧がいるからだろうな。やっぱり親しい人間がいるところを利用したくなるんじゃないか？　図書館員じゃないからいつも会えるとは限らないけどな」

「あの二人、付き合ったりとかしてないんですか？」

わくわくしながら訊くと、堂上はまた呆れた顔だ。

「十歳年下だぞ、そういうことを思いつくほうが驚くわ」

「うわ、オジサン！　頭かたーい！」

言い放った郁に堂上はやや精神的によろめいたようだ。お前、と慄いたのは手塚だ。上官に何て暴言を、とでも言いたいのだろうが郁は頓着《とんちゃく》しなかった。オジサン要素をオジサンと指摘して何が悪い。

「高校生でしょ、小牧教官と十歳差って言ったらもう十七か八でしょ？　女の子を甘く見ちゃ駄目ですよ、あたしの高校なんか元教え子と結婚した先生とかいたもん」

それは極端な例だが、年上の男性に憧《あこが》れる年頃でもあるので郁の同級生でも大学生や社会人と付き合っている女子はそれほど珍しくなかった。高校生ともなればもう一人前に恋愛くらいできるのだ。――郁はその辺りは奥手だったが、一般論としては。

「あの子ゼッタイ小牧教官のこと好きですよ」

小牧に気づいて花が咲いたように表情を明るくした毬江は、同じ女子からは気持ちが分かりやすかった。それに小牧のほうも単なる妹分や近所の子扱いではなかったような気がするのに、何で一番親しい堂上が分からないのかと郁にはそちらのほうが不可解である。

堂上が言い訳口調で口を開く。

「そうは言ってもお前、中学生の頃から知ってる子にそういう発想は浮かばないだろ普通」

「あ、そんな前から知ってるんですか？」

「あの子が中学に上がった年に俺ら入隊してるからな」

そんなに前から通い詰めているのならそれこそ彼女の気持ちくらい分かりそうなものだが、それを鈍いと指摘すると更に傷つきそうなので胸に納める。

「昔は児童向けのイベントによく付き合ってもらったな。わらべ唄《うた》を教える企画で子供と一緒に歌ってもらったり」

「あ、すごい。補聴器付けてたら合唱とかもできるんですね」

郁が素直に驚くと、堂上はああそうかと説明した。

「耳を悪くしたのは何年か前だ、病気でな。今のはその前の話だ」

自分より年が若い者の不運を聞くとやるせなくなるのは、人間の本能のようなものだろうか。

郁が神妙な顔になると、手塚もやはり同じような顔をしていた。

「まあ、顔覚えたんなら何か困ってるようなときは気にしてやってくれ」

任せてください！　と胸を叩くと、お前は張り切りすぎると逆に不安だけどなと堂上は失礼極まりない懸念を呟《つぶや》いた。

＊

「小牧のお兄ちゃん」は毬江が物心ついたときには既に馴染《なじ》みの存在だった。

毬江の母親と小牧の母親が友人同士だったので、毬江どころか小牧が生まれるずっと前から家同士で仲が良かったらしい。

毬江が小さい頃は、母親たちが小牧に毬江を預けて買い物に行ったり映画に行ったりということもあったらしい。父親たちに預けるより小牧に預けたほうがよほど安心だったというから小牧は昔からしっかりした子供だったようだ。

物心つく前からそんなよくできた「お兄ちゃん」と親しんでいたので、毬江が同年代の男子を各時代で「子供っぽい」と嫌っていたのはある意味当然の成り行きだ。

男の子なんかすぐ叩くしバカだしいじめるし、小牧のお兄ちゃんのほうがずっとかっこよくてすてき。母親とのそんな話が実は小牧家に筒抜けだったことは、今思うと恥ずかしくて身が縮む。でも当時は何のてらいもなく「大きくなったら小牧のお兄ちゃんのお嫁さんになる！」なんてことを言えていたのだからすごい。

忘れもしない毬江が小学校二年、小牧が高校三年の秋に最初の失恋をしている。多分同級生の女の子と一緒に歩いているところを見かけた。

見つけた瞬間、体が強《こわ》ばって立ち尽くした。すると小牧が気づいた。

毬江ちゃん、と何の屈託もなく声をかけられたことにがむしゃらな反発を覚えた。

今にして思えばプライドを傷つけられたのだ。それまで毬江はいっぱしに小牧の恋愛対象に入っているつもりだったのに、他の女の子と一緒のときに毬江と行き会っても小牧はまったく動じていなくて、毬江を単なる親しい家の子供としか見ていないことを思い知らせたのだ。

近所の子なんだ、と小牧と釣り合う背のその彼女に説明するのも業腹だ。毬江の背は小牧の肩にも遠く届いていない。彼女の提げている学校指定の紺色のナイロンバッグも年上の象徴のようなアイテムで、自分が赤いランドセルを背負っていることがことさらに悔しかった。

もう女の子から女の人の領域に足を踏み入れかけているその彼女は、小牧とお似合いだった。後に思い返しても高校生らしい爽《さわ》やかなカップルだった。

小牧の隣が似合うのはこの年頃で自分は十年足りない。その引っくり返せない事実が妬《ねた》ましかったのだと今なら分かる。

「誰、これ」

つっけんどんに訊きながら小牧に気づかれない程度に彼女を軽く睨《にら》むと、彼女のほうも少し不愉快そうな表情になった。──その不愉快にさせたことがわずかながら気持ちを慰める。

彼女に自分を敵として──女として認識させたことが傷ついたプライドを少しだけ補った。

「学校の友達だよ」

そんな建前が見抜けないと思われているなんて。屈辱で頬に血が昇り、やり場のない苛立《いらだ》ちが沸き上がる。

「ふうん。彼女と仲良くね」

言い捨ててぱっと駆け出す。小牧が戸惑ったように呼びかけるが振り返らない。

だが、
ヤキモチ焼いてるのよ、かわいいわね。聞こえよがしな彼女の台詞《せりふ》はやり過ごせなかった。

「うるさい、バカ！」

振り返って怒鳴ると、小牧の表情が険しくなった。

「毬江ちゃん」

窘《たしな》める声は却《かえ》って毬江を逆上させた。そんなこと言っちゃ駄目だろう、なんて。わたしの前でそんな女と並んでるくせにそんなお説教聞かない。

その女がわたしを傷つけるためにそんなことを言ったことにも気づかないくせに。

「だいっきらい！」

投げつけた罵倒《ばとう》は自分でも悔しいくらいに子供で、そのことがまた自分を傷つける。後ろも見ずに走って逃げながら、涙がこぼれた。

次に会ったとき小牧は毬江を怒らずに、あんなこと言ったら駄目だよと諭した。

人を傷つけるようなことを言ったらいけませんなんてそんな大人が言いそうなこと！　それならわたしを傷つけた彼女はどうなの。悪い言葉を使わなかったら傷つけてもいいの。内心でそう反発したが、あのときの彼女の言葉が毬江を傷つけるためのものだったことは彼女と毬江にしか分からない。

あの人だってわたしに感じが悪かったんだもの。分かってはもらえないだろうが、そう抗弁する。小牧はそれについては否定せずに言った。

「腹の立つことがあったとしても、他人が見たら毬江ちゃんは道端で人にバカって怒鳴る子だ。俺は知らない人に毬江ちゃんがそんな子だと思われるのは嫌だな」

それは、毬江ちゃんはそんな子じゃないのにとか、そんな子にならないでほしいとか、色々含まれていることが分かって、結局ごめんなさいと言うしかなくなった。それに小牧は毬江に対して彼女を庇《かば》おうとはしなかったので、そこでギリギリ気持ちの折り合いをつけられた。

その彼女とは大学に入ってしばらくしてから別れたらしい。そして毬江は十八歳になるまでに同じ人に三回失恋をした。二度目は確か四年生、やっぱり最初のように癇癪《かんしゃく》を起こした。

我ながらいじましいとは思うが、いつだって同じクラスの一番かっこいい男の子より必ず上を行く人が身近にいるのだから、仕方がないと思う。

本をよく読むようになったのははっきり逆算できるが中学一年、十三歳の頃で、これは図書隊員になった小牧の影響である。関東図書基地に配属された小牧は武蔵野第一図書館での業務も多かったので、下心含みでよく通うようになった。閲覧室に入っているときなら本を勧めてもらう建前で甘えられる。

読み終わったら返しに行ってまた別の本を勧めてもらい、そのとき小牧の時間が空いていたら読み終わった本の感想を話したりする。そのとき時間がなくても、小牧が実家に顔を出したときに遊びに行って本の話をすることが多くなった。

それまで毬江からはテレビ番組や学校の話をすることが多かったのだが、同じ本の話をすると自分が大人になれたみたいで嬉《うれ》しかった。テレビや学校の話ではあきらかに毬江に合わせて聞き役に回っていた小牧だが、読書に関して一方的に話を合わせるようなことはなかったので、同じ本を読んでいても意見が食い違うことがある。その食い違う議論が大人同士になれたようで毬江の自尊心を大いに満足させた。

最初は小牧目当てで読んでいた本だが、小牧が忙しくて会えないこともあり、少しずつだが自分でも本を選ぶようになった。何度か話したことのある小牧の友達らしい小柄な男の人にも読みやすいものを教えてもらったり。最初は恐そうで少し苦手だったが、毬江が閲覧室にいると小牧の知り合いだからか気を遣ってくれ、顔なじみになった。

毬江が本を読むようになったときも小牧はもちろん喜んでくれたが、毬江が自分で本を選ぶようになるともっと喜んでくれた。小牧が目当てでということではなく、毬江が本当に読書を好きになったことが嬉しいらしい。

最初は児童文学から入ったが、小牧の影響で時代小説やミステリーも読むようになり、大人も読む本について行けるようになったことがまた小牧との年齢差を縮めたようで嬉しい。毬江からは逆にクラスで流行《はや》っているライトノベルのタイトルなども教えて、それはそれで図書館の仕事の参考になるようだ。毬江が好きだと言ったものは小牧も読んでくれたりして、子供の読む本だとバカにしないで話をしてくれるのがまた嬉しい。

「最近は小牧お兄ちゃんのお嫁さんになるって言わないのね」

小牧といっぱしに話をするようになった毬江を見て、母親たちが少し寂しそうにそんなことを言うこともある。そんなの。

本当にその人に恋をしていたら言えるわけがない。

やめてよ、もう子供じゃないんだから。毬江がそう恥じらう意味を、母親たちは多分もっと単純な意味に取っている。

三度目の失恋は毬江が図書館に通い始めた三年目の十五歳、中三の春だ。相手は同じ図書館の人らしい。母親情報で知ったときは一晩中泣き明かした。せっかく少し追い着いたのに。

その後は図書館からも足が遠のいた。さすがに小牧と顔を合わすのは辛《つら》かったし、職員の中の誰が小牧の彼女なのか知るのも恐かった。

そしてその足が遠のいている間にそれは起こった。

夏休み前に罹《かか》ったそれは、突発性難聴という病気だった。近所の病院では最初はっきりした診断がつかずに何度か薬を換えて、紹介された大きな病院でその診断がついた。

ほとんどの場合は片耳がある日突然聞こえにくくなる症状が現れるが、稀《まれ》に両耳を発症する例もあるそうで、毬江の場合はその稀な不運だった。最初の病院で分からなかったのも、両耳同時に発症する例がほとんどないから別の病気を疑ったためらしい。

結果的には、最初の病院でもたついたのが致命傷だった。

突発性難聴は発症二週間以内に治療を開始するのが望ましいということで、要するにそれは回復のリミットだった。そのリミットを過ぎてからの治療では回復の可能性が大きく下がり、一ヶ月を過ぎると治療してもほとんど効果はないという。毬江は最初の病院でそのリミットを既に消費していた。

右側は完全に聞こえなくなり、左の聴覚は何とか取りとめたものの補聴器がないと聞き取りができない状態になった。夏休みは補聴器の調整で丸々潰《つぶ》れた。

たった数週間前まで普通に聞こえていたのに。もしすぐに診断がついていたら。失ったものはほんのわずかな分岐で取り上げられたような気がして打ちのめされた。

学校の問題もあった。聴覚が残っているので、補聴器を付ければ普通学校にそのまま通えることになり、高校の志望も変えずに済んだが、不自由はあらゆる場面でつきまとった。

声の細い教師の授業は、席を一番前にしてもらっても慣れない補聴器では聞き取りづらく、聞こえないことを訴えるとそのときは声を大きくしてくれるがすぐ元に戻ってしまい、何度も頼むと教師も無意識にだろうが煩わしそうな顔になる。クラスメイトにも迷惑がられているのではないかと思うと、聞こえないことをあまり主張できなくなった。

同じように、喋《しゃべ》ることにも気後れするようになった。耳が不自由になっても喋ることは普通にできると思っていたが、まずボリュームの調節ができなくなった。静かな場所ならともかく、教室や街中など騒がしい場所で適切な声の大きさを選ぶことは補聴器があっても難しかった。大きすぎたり小さすぎたり、声の調節だけで友達との会話も滞る。

気を抜くとすぐに自分の耳で自分の声が確認できるボリュームで喋ってしまい、声が大きくなりすぎて周囲の注目を集めてしまう。意識して声を抑えると、今度は小さすぎて何度も聞き返される。そんなことの繰り返しだ。

それだけではない。内緒の話をしているときに誰かが近くに来たことを気づけず、そのまま喋って内緒を漏らしてしまうようなことが何度もあって、そのうちあまり喋らなくなった。

携帯のメール作成ならそんな失敗を防げるが、文章を作って回すタイムラグで会話を止めてしまうので、多人数のお喋りには向かない。

話が聞こえないときに「もう一回言って」と頼むのは、授業中より難しかった。多人数での会話は一対一よりさらに聞き取りづらいが、聞こえない度に会話を止めていると空気を壊してしまう。聞こえないまま曖昧《あいまい》に笑って合わせることが増えた。

聞こえないことを我慢していると授業も友達付き合いもつまらなくなって、学校も休みがちになった。すると、たまに登校しても友達はあまり毬江に話しかけなくなった。休みのせいで話題に常に遅れているうえ、耳が不自由な友達を輪に入れるのは面倒くさい。誰もが悪気なく億劫《おっくう》がった結果だった。毬江はその場にいても空気と変わらなくなった。

冬が来る前に完全に不登校になって、部屋に閉じこもってばかりになった。両親と相談して中学は一年休学することにした。無理して今年受験するより、耳の不自由な生活に慣れるための訓練をしたほうがいいという理由だったが、何もする気が起こらなかった。


小牧が会いに来たのはそんな頃である。それまでも頻繁に訪ねてくれていたのは知っていたが、毬江が会おうとしなかった。ただでさえ耳が聞こえなくなるという不運に遭ったのに、他の誰かと付き合っている小牧と会って傷つきたくなかった。

多分、両親の頼みもあったのだろう。小牧は母親の案内で毬江の部屋に来た。「お兄ちゃん来てくれたから」と母親はそれだけ言って居間に戻った。

「久しぶり」

もう前のように聞こえない。そのことに改めて打ちのめされた。毬江の耳の状態では補聴器で補正された声は音質が変わって聞こえるので、覚えている小牧の声のようには聞こえない。

両親の声が変わったことにはもう慣れたが、小牧の元の声がもう二度と聞けないショックは後追いでそのとき来た。

世界中で一番好きな声だったのに。

「俺、書いたほうがいい？」

訊かれて首を横に振る。声で返事をしたくなかった。休学するまでの間に声の会話には消極的になっていた。聞き取りが困難なことで他人を苛立たせたり、思わぬところで恥をかいたり、臆病《おくびょう》になった理由ならもういくつでも数えられる。

今では聞き取りが億劫で両親ともあまり喋らない。

代わりに携帯で返事を書く。これぱかりは状況に鍛えられ、手書きよりも早くなっていた。

『何の用』

つっけんどんな言葉に小牧は気を悪くした様子もなくポケットから取り出したものを見せた。携帯電話だ。――毬江と同じ機種の。

「俺も買ったんだ。まだ使い方覚えてないんだけど」

小牧はそれまで携帯電話を持っておらず、おばさんが寮の電話を取り次いでもらうのが不便だとこぼしていたのを毬江は知っている。

「毬江ちゃんのメルアド教えてくれるかな。俺のはこれ」

言いつつ小牧が自分のアドレスを書いたメモを渡す。毬江のアドレスを訊くのなら登録してからメールを送ってくれたほうが楽なのに、まだ使い方を覚えていないというのは本当らしい。

わたしのため？　などと訊いてもそうだよと恩に着せるようなことは小牧はきっと言わない。それでも泣きたくなった。

耳が普通に聞こえて彼女と幸せにやってる人になんか会いたくない、そんなひねくれたことを言ってやろうと思っていたのに。

こんなにされたら嫌な子になんかなれない。

毬江は小牧のアドレスを携帯に登録し、空のメールを小牧に送信した。着信音で慌てる小牧は初心者丸出しだ。

『こっちからメール送ったから』

メールの開き方が分からないようなので、ボタンや液晶を指差しながら手順を教える。毬江と同じ機種なので指示はお手の物で、小牧はそのために同じ機種を選んだはずだった。

「何も書いてないけど」

『アドレス登録用の空メールだよ　そのままアドレス登録できるから』

使い込んだ携帯はもう毬江の癖を覚えていて、かなりの長文でも素早く組み立てられる。

「ああ、普通のメールソフトと同じなんだね」

納得した様子の小牧はパソコンなら使えるらしい。登録のために開いたアドレス帳は、毬江のアドレス以外はまだ誰も登録されていないようだった。彼女がいるのに最初の登録を毬江に置いてあったのだと思うと嬉しくて切ない。

たどたどしい手付きで登録を済ませた小牧は毬江に向かって顔を上げた。

「早く慣れたいからメールもたくさん付き合ってくれると助かるんだけど、いいかな」

こんなのもう、頷くしかない。

「ありがとう。それからこれ」

そう言って小牧が自分の鞄《かばん》の中から出したのは、毬江が好きな長編シリーズの続きだった。図書館の蔵書だ。

「これ、お母さんに毬江ちゃんのカード預かって借りてきたから。読み終わったらメールして。続き借りて持ってくるよ。他にも読みたい物があったらメールで知らせてくれたらいいし」

小牧は宣言したとおりに、毬江がメールを入れると数日のうちに次の本を持って訪ねてくるようになった。基地と家が近いので、休日まで待たずに仕事の日でも勤務後に来てくれる。

読みたかったけどご無沙汰《ぶさた》していた作家の本で最初は釣って、そのうち小牧は各種の交流会や訓練教室にも毬江を連れ出すようになった。

手話や唇を読む練習にもまめに付き合ってくれるので毬江のほうも張り合いが出て、特に唇を読むのは一年間でかなり上達した。唇だけで読むのは無理だが、補聴器の補助に使うことで読解の助けになった。

そのおかげで両親や小牧となら普通に話せるようになった。他人との会話は相変わらず懸念や気後れが勝って消極的だったが、一時期は家でも喋らなかったことを思えば大進歩だ。

勉強も小牧が見てくれたので熱心になり、復学すると志望校のランクを上げて小牧の母校に願書を出せた。

小牧はその一年、余暇をほとんど毬江に付き合ってくれている状態で、彼女をほったらかしで大丈夫なのかなという思いがちらりとかすめることもあった。しかし、小牧が構ってくれることが嬉しくて、敢《あ》えてこちらから訊こうとはしなかった。

高校に合格してからしばらくして、やはり母親情報で職場の彼女とは別れたらしいと聞いた。否定されるのは承知のうえで「もしかして私のせい？」と訊いてみると、やはり否定された。

「彼女の転勤で自然消滅しただけだよ」

そして、「毬江ちゃんにそんなこと心配されるようになるとはね」と苦笑した。

四度目の失恋はまだしていない。

そして小牧に会うために図書館に通う習慣は高校二年になった今も続いている。特殊防衛員という職種の小牧はいつも閲覧室にいる訳ではなかったが、警備や訓練の途中でも手が空いていたら少しだけ毬江に時間を取ってくれる。

メールを入れてアピールするような真似は迷惑だからしないが、図書館の中をぐるりと一周してみたりすると会えるときは大体会える。それで会えないときは会えない日として、自分で本を借りて帰る。

さっきの女の人は部下なのかな、とハンカチを拾ってくれた長身の女性を思い出す。明るく快活な感じの人だった。彼女に向かって話す小牧は、毬江にいつも見せるのとは違う顔をしていた。仕事をしている男の人の顔だ。

別にお互い意識してる感じじゃなかったけど——と小牧が職場で関わる女性については必ずそこを穿《うが》ってしまう。一度は職場に恋人がいたことがあるから余計だ。

小牧を待って書架を物色していると、棚を整理しに来た女性が毬江の視界に入った。

「こんにちは」

長い髪が艶《つや》やかなその目立つ美人は、作業用エプロンの胸に柴崎という名札を付けている。今年入った職員で、初めて見かけたときはあんまり美人なのでしばらく心穏やかじゃなかったが、少し観察していると小牧より堂上にまとわりついているのが分かったので警戒が解けた。

小牧とは普通に仕事仲間として親しいらしく、小牧から毬江のことも頼まれているようで、よく声をかけてくれる。近づいてからこちらに口を向けてはっきり喋ってくれるので、大きな声を出してはいけない図書館でも言っていることが分かりやすい。

「また小牧さん待ち？　もう見つかった？」

訊かれて頷く。外では顔見知り程度の人にはあまり喋らない。

「よかったわね」

そうウィンクする柴崎は、何気なく小牧の図書館業務の日を教えてくれたりすることもある。どうやら毬江の気持ちに気づいているような節があるが、余計な茶々を入れたり変なお節介を焼いたりすることもないドライな間合いを保っている。このときも交わした言葉はそれだけであっさりと立ち去った。

何冊か本を見繕ったところで肩を軽く叩かれた。振り向く前に叩き方で分かる、小牧だ。

「お待たせ、もう借りたんだ？」

毬江は笑って頷き、携帯を叩いた。図書館のような場所は声の大きさを気遣わねばならないので、小牧と一対一でも携帯にしている。

『あとは小牧さんのお勧め待ち』

高校生になって小牧の呼び方を「小牧さん」に換えた。お兄ちゃんと呼んでいると子供扱いが端々に見えたので、もう子供じゃないという微妙な牽制《けんせい》のつもりでいる。

最初の失恋は小牧が高三のときで、そのときの小牧と彼女は毬江が今通っている高校の制服を着ていた。毬江は一年休学しているから年もその頃の二人と同じだ。

そこまでは追い着いた。

追い着いたことに小牧は気づいているのか、気づく気があるのか。たまに問《と》い質《ただ》したいような焦りを感じる。

「何かリクエストある？」

『新しい作家さん　開発したいな』

小牧は少し考え込む風情になった。毬江が好きな作風のラインを思い返しているらしい。

「――――って知ってる？」

挙げられた作家名は毬江の知らない名前で、元を知らないので巧《うま》く聞き取れなかった。小牧も字で見せたほうが早いと思ったのか、書架をいくつか移動する。着いた先で示された単行本の背表紙の作家名は、やはりあまり聞かない名前だ。

「あんまり有名じゃないけど、多分毬江ちゃんなら好きな感じだと思うよ」

『じゃあ読んでみる』

まずは試しに一冊。しかし何冊か既刊があったので、小牧が一番好きな作品を尋ねる。小牧は迷った様子もなく一冊抜いて渡した。タイトルは『レインツリーの国』。

『ありがとう　気に入ったらほかのも読むね』

それから前回に読んだ本の話などを少しして、次に帰ってくるのがいつか訊いた。

「母親情報でいつも筒抜けだろ、そんなの」

小牧は笑ったが、それでもポケットから手帳を出してめくってくれた。

「週末なら来週の土曜になるな、日帰りだけど」

『じゃあそれまでにこの本読んどくね　話すの楽しみにしてる』

いつもと同じようにささやかな約束を交わし、毬江のほうはやや名残惜しく手を振って帰る。小牧も笑顔で軽く手を挙げて、それはいつもと変わらない見送りの仕草だった。

＊

「ところでさぁ、中澤毬江ちゃんて知ってる？」

部屋で喋っているときに訊いてみると、柴崎はあっさり頷いた。

「小牧教官のお姫様でしょ」

「なーんだ知ってたのか」

つまんなーいと郁はふててコタツに俯《うつぶ》せた。たまには柴崎を出し抜いてみたいが柴崎の情報網には死角というものがないのか。

でも野次馬話ができる相手を確保したのは別の意味で楽しいのでまた起き上がる。

「ね、あの二人ってちょっと感じよくない？　うちの男ども全然この辺響かないんだけど」

「あー、あの二人はねえ。朴念仁《ぼくねんじん》の師匠と弟子って感じだし」

柴崎もその返事なのでやはり自分の見立ては堅かったと内心ガッツポーズだ。

「彼女のほうはゼッタイ小牧教官のこと好きだよね！　小牧教官のほうはどうなんだろ、気になる～！」

「あ、くれぐれも小牧教官に余計なこと言わないでよ。あの二人、あたしの長期ウォッチ物件なんだから」

「何それ」

「ああいうのは黙って推移を見守るのが面白いのよ」

しれっとそんなことを吐《ぬ》かす柴崎はつくづく人が悪い。

「うわー、あたしあんたには絶対好きな人とか気づかれたくない」

「あんたの情報は敢えて要らんわ、どうせだだ漏れだし」

「嘘ッ!?」

まさか王子様のことを言っているのかと血相変えると、柴崎がからかうように笑った。

「ほーら分かりやすい」

どこまで何をからかっているのか、探ると逆にボロが出そうで郁はかなり努力して沈黙した。触らぬ神に祟《たた》りなしとはこのことだ。

「あたしもウォッチングの仲間入りしようかな」

当面の話題だった小牧のことに逃げると、柴崎は追撃まではしなかった。

「毬江ちゃんのほうは分かりやすいんだけど、小牧教官はシッポ出さないわよねー。あの人、タヌキだから」

「あ、柴崎的に小牧教官ってそういう評価なんだ」

「食えない男よねー」

知らない者が聞いたらまるで悪口のようだが、これは柴崎としては一目置いている表現だ。

「あの人とはシッポの取り合いしたくないもの、このあたしが」

ああ、女タヌキだから。というのは口に出したら皮肉が三倍くらいになって返ってくるので胸に納める。

「柴崎なら小牧教官みたいなタイプってどうなの？」

「絶対あり得ない。恋愛で自分みたいな奴と関節取り合うのごめんだわ、ゴンズイ玉みたいになってワケ分かんなくなるのがオチよ」

あっさり切った柴崎が郁に向かってにっこり笑いかける。

「だから恋愛対象ならむしろあんたみたいなタイプが好きよ」

「……今あたしをしれっとバカにしたろ」

「誉めた誉めた、手放しで誉めた。あんたが男だったらあんたと付き合ってもいい」

「吐かせ！」

そんなバカ話をしたのが仕事始めの最初の週末で、週が明けて半ばのころ話題にした張本人に思いも寄らぬ事件が降りかかってきた。

＊

良化特務機関の襲来は今までにないパターンだった。

近隣への封鎖措置など交戦準備の一切ないままに、良化特務機関の車輛は何と真っ昼間から武蔵野第一図書館の駐車場に乗り入れた。その車から良化特務機関の制服を着た隊員が降りるまで、図書隊側はその来館に気づかなかったほどである。

駐車場の警備から最初の一報が入り、隊内は蜂の巣をつついたような騒ぎになった。利用者が溢《あふ》れかえる図書館でまさか事前措置なしに戦闘にはなるまいが、敵の目的が読めない。

防衛部の緊急配備で第一図書館側の警備数はわずか五分の間に二倍に増員され、玄田の指示で特殊部隊からも手隙の班が全投入された。

一見すればただ警備人員がいつもより目立つというだけの配置だが、内外の気配は一触即発に張り詰めている。

そのピリピリした空気の中、良化特務機関の部隊はいっそ悠然とした足取りで正門を潜った。

「閲覧室に向かってる、回り込むぞ」

堂上の指示で班は通用口側から閲覧室に先回りした。私服警備中だったので制服の隊員より利用者を刺激しなくて済む。

閲覧室へ入るや柴崎が郁のそばへすっ飛んで来た。

「状況は？」

「まだ全然。警備のほうも大混乱よ、増員だけはしたけどそれ以上は」

郁が答え終わるより先に、良化部隊が閲覧室に踏み込んできた。利用者たちに動揺が走り、低いどよめきが沸く。検閲が始まると思ったのか利用者の何人かが持っていた本を書架に置き、ほかの利用者にもそれが伝染した。検閲で利用者が罰せられることはないが、良化特務機関は高圧的な団体として市民に認識されているので警戒したのだろう。

一行を率いていた隊長が室内を睥睨《へいげい》し、大声で呼ばわった。

「図書館長と小牧幹久二等図書正を出せ！」

動揺したのはむしろ小牧以外の者だった。郁と手塚は思わず小牧を振り向いてしまい、堂上ですらはっきり分かるほど肩が強《こわ》ばった。

カウンターの中からも図書館員たちが小牧を注目してしまい、その視線で良化隊員たちにも小牧が認識できたようだ。

良化隊員たちの視線を受けて小牧は一向に怯《ひる》む様子もなく、いつもと変わらない静かな表情で一歩前に踏み出した。

「図書館長は！」

恫喝《どうかつ》が身についている声に、副館長の秦野《はたの》がカウンターの中から答えた。

「すぐに呼んできます。児童が怯《おび》えるので声を荒げないで頂きたい」

そして秦野は自らカウンターを出た。弱腰で保身主義の館長代理は、電話だけではこの突発事態に動こうとすまい。

堂上がとっさのように柴崎の腕を摑《つか》んだ。

「司令と隊長を」

低い指示に、柴崎がその場をするりと猫のように抜け出した。去ったのは作業室のほうで、内線で稲嶺《いなみね》と玄田への連絡を入れる気だろう。

どちらが先に来るか。展開が読めないなりに郁にもそれが鍵《かぎ》であることが分かった。

結果として玄田は間に合ったが稲嶺は間に合わなかった。

玄田は良化隊員たちを目で威嚇しながら堂上班に合流し、堂上に「どういうことだ」と小声で尋ねた。しかし誰もそれには答えようがない。

青い顔でやってきた鳥羽《とば》館長代理に秦野副館長が付き添い、小牧と一緒に並ぶ。指名の二人が揃ったところで良化部隊の隊長が口角を歪《ゆが》めるように笑った。

そして懐から出した書類を開き、まっすぐ掲げて読み上げる。

「正化三十二年一月十五日！　良化第237号、良化査問会出頭命令書！　容疑者、小牧幹久二等図書正！　上記の者に未成年者及び障害者への人権侵害の疑いが報告された事由につき、査問会への即刻の出頭を命ずる！」

「ちょっ……どういうッ、」

とっさに小牧の前に飛び出そうとした郁を堂上が片腕だけで押さえ込んだ。片腕だけで完全に郁の動きを止めるほど圧倒的な力だった。「騒ぐな。司令を待て」その低く押し殺した声は堂上こそが誰よりも憤りたいのをこらえていることが痛いほど分かり、鎮まるしかなかった。

お願い、司令早く！　とは言え、図書基地の司令部庁舎から車椅子の稲嶺がやってくるにはある程度の時間がかかる。

「武蔵野第一図書館は直ちに小牧幹久二等図書正の出頭に便宜を図れ！」

要するに小牧の身柄を引き渡せということだ。

「そ、それは……」

鳥羽の声は動揺も最高潮でうわずっている。秦野がそのうわずる声を制するように答えた。

「小牧二正の所属は関東図書基地です、武蔵野第一図書館には小牧二正の処遇を決定する権利はありません」

副館長を援護するように玄田も野太い声を張った。

「呼び出しがあまりにも一方的で突然だ、小牧二正の直属の上官として事実関係を調べる猶予を要求する」

だが、良化部隊の隊長は秦野と玄田を完全に無視して鳥羽に言い放った。

「武蔵野第一図書館が基地付属図書館である以上、図書基地司令不在の場合は図書館長に発令権が認められるはずだ！」

「基地司令は今こちらに向かっているところだ」

「我々は即刻の回答を要求した！　現在ここに基地司令が不在であることは、我々の関知するところではない！」

郁を押さえ込む堂上の腕がますます強ばった。それはもはや郁を制するためではなく自分の怒りをこらえるためで、郁は思わず堂上の腕に手を添えた。

「直ちに小牧二正を引き渡さない場合、武蔵野第一図書館ぐるみでの人権侵害容疑として検討するがいいか⁉」

その恫喝もやはり鳥羽に向けてだ。明らかにどこが弱点か見抜かれている。

「駄目です、向こうの手だ！」

秦野がもはや怒鳴るが、鳥羽はヒステリックに喚《わめ》いた。

「私には図書館を守る義務がある！」

てめえが言うな！　内心で口汚く罵《ののし》った郁を代わったようなタイミングで玄田が言い放った。

「アホウ！」

あまりにも遠慮のなさすぎる罵倒《ばとう》は、鳥羽以外のすべての図書隊員を代弁していた。

「小牧を渡せばどのみち図書館まで容疑をねじ込まれるのが分からんのか！」

だが鳥羽は状況の遠望を拒否した。

「武蔵野第一図書館館長代理として小牧幹久二等図書正の出頭に便宜を図るっ！」

為《な》されてはならない悲鳴のようなその宣言に、良化隊員が小牧の腕を荒く摑んで引っ立てた。

小牧はそれでもまだ静かな表情のままで堂上を振り向いた。

「実家には黙っててくれないか。心配かけたくないから」

その心配をかけたくない中に入っているのであろう、——むしろその人を案じさせたくないための頼みに郁の我慢は焼き切れた。

「待ってよ！　その容疑って毬江ちゃんのことでしょ、だったら何かの間違いよ！　だって」

「よせ！」

堂上がほとんど抱き止めるようにして良化隊員に追いすがろうとする郁を止める。手塚も横からそれを助けた。

と、良化隊の隊長が郁に脅すような声を投げた。

「みだりに被害者の名前を出したら貴様も人権侵害の容疑で連行するぞ！」

ブッツリ太い何かが頭の中で切れた音が聞こえた。

「上等だテメエやってみろォ！」

ブチ切れながらも頭の片隅でかろうじての計算は済ませていた。ここで一悶着《ひともんちゃく》起こして時間を稼げば——稲嶺が到着すれば、まだ状況を引っくり返せるかもしれない。

だが、
ばしっと頬を打つ音が弾《はじ》けた。自分の頬でだ。打ったのは——堂上だ。

郁が一瞬呆然《ぼうぜん》となった隙に、良化部隊側へ堂上が口を開く。

「行ってくれ。部下は指導しておく」

どうして。このまま手放すなんて。小牧教官なのに。頬に痺《しび》れる痛みより、溢れて行き場のない思考に翻弄《ほんろう》されて涙が溢れた。

良化部隊はそのまま小牧を連れ去った。

しんと静まり返った閲覧室で、鳥羽がそそくさと動こうとした。それだけは見過ごせるか。

「どこ行く気⁉」

鳥羽がびくりと竦《すく》んで立ち止まった。

「あんたの——あんたのせいで、小牧教官っ……！」

涙で詰《なじ》る言葉がつっかえる。

「何の権利があったのよ、あんたにッ！」

今度は誰も郁を止めようとはしなかった。

「……わ、私は図書館を守るために……小牧二正が問題を起こした以上、良化委員会に協力的な姿勢を見せて図書館の公正さを」

「あんたの口が図書館のためを語るな！」

あんたがそれを語ることだけは許さない、

「あんたなんか……っ」

息が過呼吸のように忙《せわ》しくなっていよいよ何も言えなくなった。

なだめるように肩に掛けられた手を郁は払いのけた。堂上の手だと分かったが、今その手を素直に受けることなんかできない。

たまりかねて閲覧室を飛び出し、しばらく走ったところで警護と来た稲嶺に行き会った。

「笠原君」

呼びかけられて立ちすくむ。状況を訊かれているのだと分かったが、

「小牧教官が、」

そこでいきなりつっかえた。その先はいくら頑張っても声が出ない。声の代わりに隙あらば嗚咽《おえつ》が漏れようとして、どうしようもなく走って逃げた。稲嶺は呼び止めなかった。


稲嶺が閲覧室に入ると、室内は利用者も含め異様な空気で凍りついていた。

玄田がすぐに駆け寄り状況を説明する。それを一通り聞いた稲嶺は鳥羽館長代理を見据えた。

稲嶺と合った視線を泳がせた鳥羽に、

「早まりましたな」

鳥羽の目はますます泳いだ。稲嶺と直接には対峙《たいじ》したことがあまりない鳥羽だ。

「関東図書隊は直ちに事実関係の確認に入ります。その結果如何《いかん》によってはあなたもこのままで済むとは思わないで頂きましょう。現時点ですでに私を待たないあなたの越権行為は大きな

問題となります。図書隊の指揮系統を外部の圧力によって乱すなど前例がありません。あなたの館長代理としての適性を問われることになるでしょうな」

　静かだが揺らぐところのない宣告に、鳥羽はがくりと肩を落とした。

＊

　裏庭の植込みの陰で膝《ひざ》を抱えて丸まっていると、頭の上から声が降った。

「どこに埋もれてるんだ、風邪引くぞ」

　見上げなくても堂上だと分かったので郁は顔を上げなかった。

「もうちょっと泣いてる女が行きそうな場所にいろ」

　どうやら大分探したらしい。郁の前に腰を落とし、手が郁の頭を軽く叩いた。

「悪かったな」

　殴ったことを言ってるのだと分かった。そんなことはどうでもいい。堂上がどうしてあの場で殴ったかなんて分かっている。

　それでも。

「何で止めたんですか」

　それだけは責めずにいられない。詰るように堂上を下から睨《にら》む。

「時間稼いだら稲嶺司令が間に合ったかもしれないのに」

「間に合わなかったかもしれない」

堂上はただ淡々と答えた。

「奴らも館長代理の言質を取って撤収を焦ってた、下手に食い下がったらお前まで執行妨害で連行されたかもしれない」

「そんなの覚悟してました！」

「だからだ」

静かな声に却って反駁《はんばく》の出鼻を挫《くじ》かれた。堂上が少し顔をしかめる。

「お前が腹を括ったらそこまで括ることくらい分かってる」

ずるい。——今そんな言い方。郁が顔を伏せると、堂上は「むざむざ二人も敵に渡せるか」と不機嫌そうに呟《つぶや》いた。

「小牧教官、どうなるんですか。査問会って……」

「前例がないからよく分からんが、恐らく良化法の拡大解釈でメディアへの取り締まりの権限を個人に適用したんだろう。出頭命令書に小牧の階級があったから、小牧幹久個人としてじゃなくメディアを公共資産として運用する公職従事者に対する取り締まりという建前だ。小牧に意図的な人権侵害行為を認めさせて、最終的には図書隊への容疑に拡大する腹だろうな」

一番気にかかることを敢えて後回しにされたことに不安が募った。それに認めさせてというのはどういうことだ、そんな自白強要みたいな。

堂上は郁の眼差《まなざ》しを避けるように目を伏せた。

「メディア良化法の運用に関して外部監察機能はない。当事者が適用不服を親告するしかないが、身柄を確保された状態ではその親告も不可能だ。現状では帰還は難しい」

郁はしばらく懸命に考えた。考えても考えても具体的な事態が飲み込めない。

「……要するに小牧教官はどうなるんですか」

「敵は小牧を監禁して今後の展開に都合のいい証言を取ろうとするだろうな。密室での査問だ、行き過ぎた行為があっても証拠がなければ立証は難しい。加害者が組織であればなおさらだ」

「まさか暴力とか、」

「それなら負傷が証拠として残る。いっそそうしてもらったほうがありがたいくらいだ、病院にでも担ぎ込まれてくれたら回収できるからな」

不安の渦巻いていた胸が一気に冷えた。暴力があったほうがマシだと堂上が言ってのける程の、――精神的圧迫を受けるということだ。

「図書隊からは第三十一条の情報提供権で対抗することになる。図書隊員への圧力は情報提供権の侵害として解釈できるからな」

そんな顔するな、と堂上が笑った。

「既に隊が今回の件の事実確認に動き出してる。助ける側がへこんでてどうする」

あんたこそ、――そんな顔で笑わないでよ。八つ当たりのような苛立ちがその不器用な笑顔にこみ上げる。そんな痛々しい顔で。自分が代われたらよかった、なんて考えてることが痛いほど分かるような顔で――

あたしを安心させるために笑わないで。

「教官こそ」

煽《あお》るように顎《あご》を上げる。「元気出してください」

ああ、何だってこんなときに突っかかるような態度でしか物が言えないんだろう、あたし。

自分が歯痒《はがゆ》い。

堂上は苦笑しながらもう一度郁の頭を叩いて腰を上げた。それはありがとうと言われているような気がした。

*

要するに伝言ゲームのような次第だったらしい。

毬江の通う高校での話だ。休み時間に毬江が小牧の勧めで借りた本を読んでいて、級友と話をしたらしい。

それ面白い？　どこで借りたの？　そんなたわいのないお喋りで、毬江のほうは第一図書館で知り合いに勧めてもらったというようなことを何の気なく話したようだ。

それから後、毬江の知らないところでまたたわいなく毬江のその習慣が話題になったらしいが（たぶん毬江の密《ひそ》やかな恋心も悪気ない興味の対象だったのだろう）、そのとき誰かが毬江の読んでいた本に難を挙げたらしい。

「でも、中澤さんが今読んでる本ってさ……」

小牧の勧めで毬江がそのとき読んでいた本が『レインツリーの国』だ。新人作家の恋愛小説で、ヒロインが難聴者という設定だった。

「中澤さん耳が悪いのに、難聴のヒロインの本を勧めるなんてちょっと無神経じゃない？」

潔癖な年頃特有の正義感がその集団の中で加速したことは想像に難くない。弾劾すべきものを発見したときの少年少女は純粋なゆえに頑《かたく》なだ。「中澤さんがかわいそう」そんな話が生徒たちのコミュニティを瞬く間に渡り歩き、教師や保護者の耳元もかすめ、どこのパイプからか分からないがメディア良化委員会の知るところとなった。

そうなった以上、メディア良化委員会がその噂を利用しないわけがない。武蔵野第一図書館は都内の公共図書館の中枢とも言える位置づけで、しかも関東図書基地付属図書館だ。検閲に抗《あらが》う敵対組織を攻撃するには絶好の口実である。

かくて、武蔵野第一図書館の図書隊員による未成年身体障害者への人権侵害行為という容疑が生み出された——

「ってことらしいわね」

郁にかいつまんだ柴崎は、学校司書とのネットワークを使ってそんな曖昧《あいまい》な内情をその日のうちに探り出してきた立役者の一人でもある。

「質問書なんか仕立てると事が重大になって相手も口が重くなるからね。個人で人脈持ってる奴らでそれぞれカマかけて、情報突き合わせてまとめた状況がそれ」

その状況はすでに関東図書隊の上層部に上げられ、対策が話し合われているところだ。稲嶺以下、玄田や堂上も話し合いに加わっている。その推移は気になるところだが、小牧と同じ班とはいえ郁と手塚はヒラなのでそんな話し合いには出席できず、定時に上がらされている。会議の結果次第では堂上班には進捗《しんちょく》の招集がかかるだろうから、寮に戻ってすぐ風呂《ふろ》や食事は済ませている。

「毬江ちゃん本人やご両親はこの状況知らないらしいわよ、何しろ本人を慮《おもんぱか》って回った正義の噂だから」

鼻で笑った柴崎は常になく険のある物言いだ。もともと毒舌ではあるがこんなに厭味《いやみ》のある口調で喋ることはあまりない。

「嫌いなのよね、あの年頃の純粋さを盾に取った正義感って。自分の価値観だけで世の中全部量れると思ってるあの無意識な傲慢《ごうまん》さとか、悪気なく上から被《かぶ》せてくる押しつけがましい同情とか。まったく世界に対して自分が一体どれほど重大だと思ってんだか、自意識が肥大しすぎて脂肪肝にでもなれそうな勢いね」

「う、でも……」

郁は歯切れ悪く水を差した。

「そういう年頃ってあるじゃん……」

ずけずけぶった切る柴崎の発言が何気に刺さるのは、それがそう遠くない過去に自分も覚えがあるせいだ。

友達を振った相手の男子に皆で抗議しに行ったとか、今思い出すと恥ずかしさのあまり奇声を上げてかき消したくなるような、ナナメ上に突っ走った正義感。今回の毬江の周辺のそれも本質は同じだ。

公序良俗という社会的に大きな名分でよりヒロイックに酔っぱらっているだけで。

「なァに、昔の自分と重ねて辛《つら》くなっちゃった？」

にやにや笑いで尋ねる柴崎に、思わず口がへの字になる。と、柴崎は不意に投げやりな表情になった。

「心配しなくてもあたしも同族嫌悪ってやつよ」

表情と同じくらい投げやりに言い捨てた柴崎の気持ちは分かる。

若さが過つことにつけ込んだメディア良化委員会のやり口はフェアではない。

そのフェアでない思惑に利用されるような迂闊な浅はかさは確かに自分もかつて持っていて、未《いま》だに自分の中に眠っているもので——だからこそそれを正義や良識のように振りかざす大人未満の彼らに苛立つのだ。

郁の携帯が短く着信を鳴らした。メールの着信で堂上からだ。

『三十分後　第三集会室　不都合な場合折り返すこと』

余計な文言が一切ない辺りがいかにも堂上らしい文面だ。

「話し合い終わったみたい」

「集合どこって？」

「三十分後に第三集会室」

「あたしも行こーっと」

言いつつパジャマに着替えていた柴崎が部屋着を出しはじめた。

「ってあんた、部外者でしょーが」

「あたしも情報収集には貢献したんだから話聞く権利くらいあるわよ」

こういうときの柴崎の言い分は大抵通るので、郁もそれ以上は突っ込まなかった。


進捗には欠けた小牧を除く班の三名と玄田、そして柴崎が集まった。各部署には明日の朝礼でそれぞれ会議の内容が報告されることになる。

郁が柴崎から先に聞いていた状況がまず堂上から報告され、その後を玄田が引き継いだ。

「容疑自体が風評から派生したようなあやふやな話だから、出頭命令に不服申し立てして法廷に引っ張り出せば必ずこっちが勝てる。しかし、そのためには当事者である小牧の親告が必要だ。図書隊で代行しようにも小牧の委任状が要る。図書隊からの交渉はメディア良化委員会に対して小牧の身柄の返還を要求するところから始まることになる」

「それ、返してもらえるんですか」

率直な郁の質問には誰もすぐに答えなかった。やがて堂上が珍しく言いづらそうな様子で口を開く。

「メディア良化委員会はおそらく、査問会の組織を別立てにして一任する形で委員会の本業務から切り離してる。間の連絡が巧《うま》くつかない、事実誤認があるとかの建前で回答を引き延ばすだろうな。法務部の交渉力次第ということになる」

法務部は今日の業務終了までに面会要求と返還要求を提出し、交渉のチャンネル自体は既に開いたらしいが――

「取り返すまでに小牧が向こうの意に添う証言を取られたら痛いな」

玄田が難しい顔で腕を組んだ。

「え、でも法廷で争ったら勝てるんでしょう？　ならいっそ早く証言して戻ってくれたほうが……強要された証言なら後から撤回できるんじゃないですか？」

「正しく勝とうなんて思ってる敵なら苦労はせん」

玄田の言を理解し損ねて首を傾げた郁に、柴崎が横から口を添えた。

「つまり、最初から図書隊に泥つけんのが目的なのよ。後で引っくり返されるのは承知のうえで小牧教官の証言使って『関東図書隊の人権侵害』を告訴する腹だわ。最終的に敗訴になっても、図書隊が人権侵害容疑で告訴されたって事実を人の記憶に残せたらいいのよ」

そこまで言われたら郁にも理解できた。

熱しやすく移ろいやすい一部の報道は、図書隊の人権侵害という刺激的な要素だけを喧伝《けんでん》し、裁判が長引けば風化に任せてその後のフォローアップはほとんどしないだろう。

メディア良化委員会は単に裁判を長引かせるだけで図書隊のネガティブキャンペーンを展開できるという筋書きだ。

「きったねェ……」

無意識に郁は吐き捨てた。そんな卑怯《ひきよう》なやり口に仲間が使われようとしているかと思うと、はらわたが煮えくり返るようだ。

ふと気づくと、進捗が始まってから一度も発言していない手塚は心なし青い顔で頑なに口を引き結んでいる。あちらも相当煮えているらしい、と郁は勝手に共感した。

「査問会の場所が分かればな」

この場合、玄田の言う査問会の場所とは小牧が監禁されている場所と同義だ。

「場所さえ分かれば強引に踏み込んで小牧をかっさらっちまえばいいだけなんだが」

「……そういうのはアリなんですか」

「向こうだって査問会の根拠なんか怪しいもんだ。証言も取れてない状態じゃ告訴もできんし、図書隊とメディア良化委員会の抗争は司法不介入が暗黙の了解だからな。よしんば訴えられるとしても、不法侵入だの器物損壊だの単純な容疑のほうが人権問題でネガキャン張られるよりよっぽどマシだ。何なら俺が判決食らってやる、うちの法務部も執行猶予をかすめ取るくらいの才覚はあるだろうしな」

どこの山賊かというような理屈に、堂上が渋い顔で「くれぐれも外では言わないでくださいよ」と窘《たしな》めた。

「あれっ、ちょっと待って」

全員に注目されてから思考の引っかかりをそのまま口走っていたことに気づく。まあいいや、と郁はそのまま続けた。

「小牧教官を取り返すには当事者の親告が必要なんですよね？」

ものすごく短絡した解釈に、取《と》り敢《あ》えずは誰も水を差さない。

「人権侵害容疑に関する当事者だったら、毬江ちゃんもそうじゃないんですか？　毬江ちゃんに人権侵害の事実そのものを否定してもらえば、」

「駄目だ！」

堂上が言下に却下した。

「相手は未成年だぞ、図書隊の問題に巻き込めるか！」

堂上の激烈な反応は、その否定の剣幕とは裏腹に郁の提案が有効である可能性を認めている。

「どうしてですか、これは毬江ちゃんの問題でもあるでしょう？」

「本人に何らいわれのない問題の責任を問うつもりか！　あの子のせいで小牧が連行されたとでも言いたいのか⁉」

さすがに呆《あき》れて開いた口が塞《ふさ》がらない。どこまで朴念仁なんだこの男は、

「バッカじゃないの、誰がそんなこと言いました⁉」

郁も頭に血が昇って噛《か》みつく。堂上が先に頭に血を昇らせているのだから堂上が悪い。

「好きな男が窮地に落ちてんのよ、自分の望んでない勝手な理由で！　そんなこと耐えられる女なんかいるわけないでしょ⁉　そんなの知りたいし助けたいに決まってんじゃない！」

堂上が一瞬怯《ひる》んだ、しかしすぐに立て直す。

「それはお前の勝手な見立てだろうが！」

「朴念仁は黙っててください！　恋愛の見立てで女に敵《かな》うと思ったら大間違いよ！」

柴崎が横からするりと手を挙げた。

「それに関してはあたしも笠原を支持かなァ」

その援護に勢いづいて、郁は更に畳みかけた。

「大体自分だったらどうなんですか⁉　好きな女が自分をダシに窮地に陥れられたら、そんな状況黙って見てられるんですか⁉」

堂上がどこかを刺されたように言葉を詰まらせ、一瞬郁から目を逸《そ》らした。

言い負かしたか⁉　思わず身を乗り出すと、堂上は再び顔を上げて郁を睨んだ。

「小牧は俺に知らせるなと言ったんだ！　彼女も含めてだ！」

完全に冷静さが吹き飛んだその頑《かたく》なな表情に、郁もいいだけ乗せられた。

「……だからそれが勝手だっつってんのよッ！　何ソレ心配かけたくないとか男のプライド⁉　あんたらそんな傍《はた》迷惑なもん捨てちまえっ！」

うわ、言うこと。と柴崎の完全に面白がっている呟きが耳に入ったが、気にかけている余裕はない。

「あたしだったらそんなの絶対我慢できない、最初に教えてもらえないほうがずっと傷つく！　知らないとこで黙って勝手に痛めつけられて、それを後から知らされる女の身にもなってみろってのよ！」

「——人が見てても勝手に窮地に陥ろうとするお前が言うな！」

堂上は怒鳴ってから我に返ったように息を止めた。きつく眉根《まゆね》を寄せたその顔に思わず怯む。良化部隊に喧嘩を売ろうとしたことを引き合いに出されたことは取り敢えず分かった。

「こんなときに人の揚げ足取るようなこと言わなくても……」

「うるさい！」

ってあんたもその会話放棄の罵倒《ばとう》はどうなのよ！　憤然とした郁に、

「小牧に頼まれたのは俺だ！　お前は口出しするな！」

一方的な宣言で堂上は足取りも荒く席を立ち、集会室を出て行った。

叩きつけるようにドアが閉まってからしばらく、呆気《あっけ》に取られた空気の中を毒気を抜かれたように玄田が呟いた。

「……まあ、面白い見せ物だったがな……」

見せ物のもう一人の主役として残された郁は肩を縮めた。何なのよちょっと、ここでキレて飛び出すのは普通はあたしの役目じゃないの!?

「あんたってたまに天才よね、大の男をあそこまで追い詰めるとはただごとじゃないわ」

柴崎の呆れ声に合点が行かず、唇を尖《とが》らせる。追い詰めたって何をどのようにだ。結局最後は一方的な言い逃げだ。

「図書隊としては法務部の交渉、特殊部隊としては小牧の所在を割り出したうえで実力による奪還を当面の目標とする」

うわその山賊の理屈は決定か！　と口に出して突っ込める人間はこの場にいない。

進捗《しんちょく》を解散するまで、結局手塚が一度も口を開かなかったことが奇妙に郁の印象に残った。

＊

小牧が連れ去られて二日が経過したが、法務部にも特殊部隊にも進展はなかった。

法務部は予想のとおり、メディア良化委員会と査問会の連絡のもたつきを理由にして回答を引き延ばされ、特殊部隊は小牧の所在を特定できない。

堂上は時間の経過とともに表情が険しくなり、誰も迂闊《うかつ》に触れないような状態だ。中でも郁は、先日の大激突以来お互い意地になって声も交わしていない。

金曜日となったその二日目の晩、

「もうそろそろリミットよねー……」

部屋で柴崎がそう呟いた。郁もびくりと肩を竦《すく》めた。

連れ去られた日から数えたら三日目である。小牧の安否は心配なところだった。

「向こうは小牧教官の証言を取れるかどうかが鍵《かぎ》だからね。暴力以外のあらゆる手段で心身を疲弊させて圧迫にかかってるはずだわ。査問なんて実態は吊《つ》るし上げに決まってるし、休憩も与えられてるかどうか。まともな人間ならそろそろ神経やられる頃合いね」

帰って来ないのは持ちこたえているということだが、それだけ状態が悪くなっているということでもある。

「……ねえ」

この三日、ずっと考えていたことを郁は口に出した。

「毬江ちゃんに協力してもらうわけにはいかないのかな？　確かに図書隊からは部外者だけど、小牧教官とはあたしたちよりも親しいのよ」

何より当事者だしね、と柴崎も頷く。

「あたし、ずっと思ってたんだけど――自分をダシにして小牧教官が陥れられたって知ったら、毬江ちゃん傷つくだろうし、それを心配して小牧教官が頼んでったのは分かるんだけど」

頼まれた側のことはまだ色々悔しいので口に出さない。

「でも、それ毬江ちゃんからしたらどうなの？　傷つけたくないって男の側の都合じゃない？　もしあたしだったら、こんなことで好きな人が最悪のシナリオに巻き込まれたら――もう絶対好きとか言えなくなるよ」

君のせいじゃないとか言われてもそんなものは絶対自分のせいだと思う。君のせいじゃないと言われてあたしのせいじゃないなんて思える女はその男のことが好きじゃないのだ。

そして、相手がその事件に巻き込まれている限り引け目は消えない。更にはその事件が相手の経歴に何らかの傷を残したら？　その傷を残した原因にされた自分が、一体どのツラ下げて好きですなんて言えるというのか。

「何にも言ってないうちから好きな人を諦《あきら》めなきゃいけなくなるかもしれないのに」

恋に破れるならせめて気持ちを伝えて振られたい。自分をダシにされて好きな相手を傷つけられて、そのうえ何か言う前に恋そのものを取り上げられるなんて。

「そんなの許せない」

こっちは恋をしたらそれだけ想っているのに——あの男と来たら！　怒りが再燃して思わず仏頂面になる。

あんたもそうよ、絶対。心配かけたくないからとかカッコつけて人が知らないとこで勝手に危ない目に遭うのよ、あんたって絶対そういう奴。

勝手に窮地に陥ろうとするお前が言うな、とか——少なくともあんたが見てる前で危ない目に遭おうとするあたしのほうがよっぽどマシってもんじゃないの!?

「相変わらず乙女回路全開ねー、あんた。冷却水足りてる？」

柴崎の呆れた声に首をすくめる。今はちょっと足りていないかもしれない。

「でも今回ばかりはその乙女理論に賛成。すぐに救出できりゃよかったけど、いいかげん黙ってたらシャレになんないわ。ハイティーンの女子侮りすぎよ、あの二人」

せっかくのウォッチ物件だいなしにされちゃかなわないしね、と嘯《うそぶ》くところが柴崎らしい。

「あんた明日午後から半休取りな、あたしも取るから。毬江ちゃん家《ち》に行くわよ、土曜日だから午後から捕まるはずだわ」

「え、でも毬江ちゃんの家分かるの？」

「あたし小牧教官の実家の住所知ってるもの、年賀状出す建前で一通りアドレス集めたから。二人の家ってホントに向こう三軒両隣の圏内らしいし、行ったら見つかるわよ。中澤って家がその近辺だけ何軒も集まってるようなこともないでしょ、田舎じゃあるまいし」

小牧教官、毬江ちゃんに言うなって口に出して言ってないしね。そう付け加えた柴崎は、実は仲間内で一番悪辣《あくらつ》かもしれなかった。


消灯の前に携帯を持って部屋を抜け出した手塚は、ロビーから人が捌《さば》けるのを待って玄関を出た。ポーチの常夜灯の下で、ある電話番号を液晶に呼び出す。

もう数年間使っていない番号だった。それでも目が忘れていない数字の並びをしばらく眺め、やがて襟から忍び込んだ冷気がぶるっと肩を震わせた。

上着を着てこなかったのは意志を強制するためだ。

ままよと発信する。電波を探す探信音に続いてコールが鳴った。三回数えたところで回線が繋《つな》がる。

「……俺」

相手は懐かしそうな声で手塚を下の名前で呼んだ。

「うちの隊のこと、知ってるだろう」

できる限り力を抜いた断定に、否定は返ってこなかった。まずは最初のゲートは突破。

「俺の上官が良化委員会に連行された。査問会が行われてる場所を知りたい」

一息に畳みかけ、

「分かるんだろう。——兄さんなら」

相手は手塚が焦《じ》れるほど長い間沈黙し、やがて——

お前が俺を頼るのは久しぶりだな。

いっそ朗らかなほどにそう言った。手塚にとっては弄《なぶ》られているとしか思えない声音だった。

＊

小牧の連行から四日目となった土曜日、堂上は出勤前に郁からの病欠の電話を受けた。

数日ふて腐れていた手前か病欠を願い出る声はしどろもどろで、具合が悪いんだなと尋ねると別に状態までは訊いていないのに説明してしどろもどろだ。最終的には「生理痛です！」と一方的に宣言されて電話を切られた。

特殊部隊は丸ごと小牧の捜索に動いているので、いつもと違ってシフトを補う必要はない。ただ、受け持った電話での作業にいざ手塚と二人で取りかかると、手塚が無駄口を叩かず作業に集中するだけに小牧を奪われている現状を改めて思い知らされた。

意固地になっていると何かと意地の張り合いになり堂上を苛立《いらだ》たせる郁だが、いないとなると思い詰める自分に歯止めが利かない。

査問会が非合法に近い強引な方法を取っている以上、管轄をまたいだ行動は失敗したときの状況の収束が難しくなるので、都下で活動を完結しているはずだ。良化委員会が少しでも関係している施設や機関を洗い出し、防衛部の協力も得て随時偵察を行っているが進展はない。

利用記録が残るので避けるだろうという読みから民間の貸し会議室や研修施設は最初は除外されていたが、それも昨日からしらみ潰《つぶ》しに当たっている。堂上たちに割り振られたのはその問い合わせだ。

手がかりは小牧が連行された日、もしくは翌日から同一と覚しき団体の連続した利用があるかどうかだけだ。とにかく利用状況を手に入れて読み解く以外にないのだが、これは気の遠くなるような地道な作業だった。

昼を回って二時間ほど経っただろうか。隣で作業をしていた手塚が自分の携帯を取り出した。マナーモードでメールが入ったらしい。それを確認した手塚は堂上に向き直った。

「堂上二正、少し構いませんか」

時間を取ってほしいという態度だったので、手塚の希望のままに事務室の外へ出る。手塚は廊下で堂上に自分の携帯を見せた。液晶のメール画面には品川区の臨海の住所が記されている。

「小牧二正の居場所です」

低い声に堂上は思わず手塚の顔を見据えた。手塚は目を伏せたまま顔を上げない。

「情報元は言えません。そういう条件なので。証拠は出せませんが、確実性の高い情報です」

使うなら一方的に信じろと、──そう言っている。手塚がそんな無理な理屈を要求したことは今までない。

きつく唇を引き結んだその硬い表情をしばらく見つめ、堂上はゆっくり頷いた。

「──分かった。ひとまず玄田隊長に上げて判断を願う」

手塚の強《こわ》ばった頰の線からほっと力が抜ける。

そのときだった。

「堂上教官ッ！」

休んだはずのその声に振り向くと、私服の郁が駆けてきて──その後ろに、柴崎に伴われた制服姿の毬江がいた。

──お前という奴は！

「枕から頭も上がらないほどの生理痛はどうした⁉」

逆上のあまり男が口に出しづらい単語を力の限り怒鳴ってしまい、手塚が横でぎょっとしたが今さら取り返せない。

郁は声に叩かれたようにびくっと竦み、しかし傍まで来て言い訳をまくし立てた。

「柴崎が午後から半休取れって言ったんだけど、あたし巧《うま》く抜け出せる自信がなくて、いっそ朝から病欠にしちゃおうと思って一番突っ込まれにくい理由に」

「アホか貴様は！　誰もそんなことは訊いてない！」

皮肉に決まってるだろうがバカが、と吐き捨てて今度は柴崎を睨む。

「お前ともあろう者が何をこんな短絡バカに乗せられて、」

「お言葉ですが」

柴崎がしれっと切り返す。

「建前に拘泥する男組織のほうが今回はよっぽどバカだと思いましたんで。繊細な年頃の女性をあまりにも蔑ろにした方針に対する問題提起と思ってくだされば幸い？　みたいなー」

「――小牧は言うなと言ったはずだ！」

「堂上教官は頼まれてたけどあたしたちは頼まれてませんし？」

人を食った柴崎の受け答えは、うっかりすると郁のバカさ加減よりも腹が立つ。室内からは騒ぎを聞きつけた隊員たちが様子を見に顔を覗《のぞ》かせた。

毬江が堂上の前に踏み出した。俯いて携帯を叩き、組み上がった文章を堂上に見せる。

『私は知らせてもらえてよかったです　怒らないでください』

いいだけ怒鳴ってしまったので補聴器でも堂上の声は聴こえたらしい。毬江に訴えられると矛を引かざるを得なかった。

「……中澤毬江さんの件も合わせて玄田隊長に指示を請う！」

これでいいんだろうと言わんばかりに郁を睨むと、郁は遠慮なしの満面の笑みで余計に堂上の神経を逆撫《さかな》でした。

堂上班から報告されたという形になった住所は、裏付けを取ると、来年度開設予定の法務省由来の研修施設であることが分かった。

上位組織の施設であることに加えて、開設前なので施設情報が開示されていなかったために探索から漏れた結果だった。開設前であれば非公式の利用になるので利用記録も残らない。

「小牧がここにいる可能性は非常に高いと上層部も判断した」

玄田の説明に隊の一同が沸く。そのミーティングの席には柴崎もちゃっかり同席していた。

「また、中澤毬江さんは風評の当事者でもあり、小牧と懇意であることから本人たっての希望で奪還に同行することとなった」

その一言で隊員が一斉に毬江を注目して、毬江が目に見えて慄《おのの》いたので郁は手振りで視線をしっしっと追い払った。

「見るな、減るから！」

俺らが見たら減るのかよ、と先輩隊員たちが膨れる。

「敵は卑劣なやり口で小牧を奪った！　我々は協力者の心意気に感謝しつつ、正しいやり口で小牧を取り返しに行こう！」

四日を待たされてストレスのかかっていた隊を、玄田のその檄《げき》が解き放った。

＊

査問とは名ばかりの精神的拷問に等しかった。

車での移動中は目隠しをされて一切の景色を見せられず、どうやら東京港の臨海らしい地域の真新しい施設に連れ込まれ、窓を厳重に閉め切った一室で小牧は延々尋問を受けた。

一人を数十人で取り囲み、詰問口調の怒号を浴びせられ続けることを尋問と呼べるなら、の話である。

答えようとするとその端から言葉尻《ことばじり》を取られて話がねじ曲がり、それは本題に戻る気配すらない。受け答える意志を力尽くで潰されることは、覚悟はしていたものの相当の苦痛だった。

事情を説明する意志もなさそうだったが、叩きつけられる罵倒の断片をつなぎ合わせて大体の筋書きは分かった。

聾唖《ろうあ》者に難聴の登場人物が出てくる本を勧めるとはけしからん、人権侵害だという難癖だ。毬江がこの件に何らか巻き込まれて不利益を受けていないかそれだけが気にかかり、意志の疎通を遮断する壁のような人々に向けて根気強く何度も質問を発した。

まともに回答を寄越そうとしない人々の罵倒から苦労してまた断片をかき集め、大変な時間をかけて毬江がこの一件を知らないということだけは確信を得る。それだけで恐らく半日以上は消費した。

その間、小牧に休息は与えられていない。こちらも休んでいないのだからそちらも休むなと、しかし相手には交替要員が山程いて数時間ごとに少しずつ顔ぶれが入れ替わっているのだから公平ではない。寄せ手は常に疲れを知らない状態だ。

ともあれ毬江は巻き込まれていないことが分かって安堵《あんど》する。このような薄汚い策略にあのいとおしい子供が関わらされていないことをこの状況で感謝した。

小牧にとって必要な情報はそれだけで、それさえ分かれば後はもうどうでもよかった。敵の目論見《もくろみ》は読めている、図書隊は既に回収に動いてくれているだろうし、小牧の任務はそれまで敵に言質を取らせないことだけだった。

「図書隊法務部の立ち会いがあるまで質問への回答を拒否します」

その宣言でまた吹き荒れた罵詈雑言の嵐をやり過ごすのにまた数時間。そろそろ時間の感覚もおかしい。時計は最初に取り上げられている。遮光カーテンの隙間からわずかに差し込む光でとっくの昔に夜になっていることだけは分かっていたが、朝までの時間は見当がつかない。休息は要求すれば退けられるだけだと分かっていたので不休のままでただ耐えた。トイレは定期的に連れて行かれたので、その度に手洗い場で水を飲んでおく。食事どころか水もろくに与えられていない。現代日本でこんな状況が発生して自分がその渦中にいるということが現実感を奪い、あらゆる感覚が麻痺《まひ》しはじめた。

何も聞こえなくなるときがある。意識が聞き取りを放棄しているためか。

恐らく夜が明けたが、まだ休息は許されない。相手は既に顔ぶれが一巡して元に戻っている。やたらと眠気が襲いはじめて意識が途切れる瞬間が増えた。日頃は一日二日の徹夜は堪《こた》えないが、行動を極度に制限されて詰問にさらされ続けているストレスからの逃避のように、意識は隙あらば減衰する。

がくりと舟を漕《こ》いだとき、顔に水をかけられた。口に入った味で冷めた緑茶だと分かった。小牧にお茶は出されていない。査問委員の飲み残しだろう。

ここまでやるか。

これほど人間扱いされないのは生まれて初めてだ。その状況がおかしくて均衡を失った笑いが漏れた。その笑ったことを不謹慎だとまた絡まれる。

舟を漕いでは水で起こされるのを何度も繰り返し、その日が暮れる頃、完全に意識を失った。

気を失ったに近い眠りだったようだ。目覚めは穏やかではなかった。強引に叩き起こされて、周囲の状況も把握できないうちにそこらで買い集めてきたような食事を与えられ、元の部屋へ引っ立てられる。休まされた部屋が同じ施設の中だということしか分からない。

それからは食事と睡眠だけは配慮されるようになった。殺したらまずいという節度があっただけまだよかったと、本気でそんなことを感謝した。

本気でそんなことを感謝せねばならないような状況だった。

しかし精神的には更に追い詰められた。休息で感覚が一時的に回復するのが辛《つら》かった。

疲労の極限まで追い込まれると単なる騒音に変わってくれる罵声がいちいち理解できる状態に戻るのがきつい。

特に毬江を盾にこちらをあげつらう論法には無心ではいられなかった。

お前たちにあの子の何が分かる。

あの子がどんな子で何を好きか、お前たちが俺以上に分かるのか。どんな本で泣いてどんな本で笑ったか、どんな物語が好きか、そんなことはあの子以外なら俺が一番知ってるんだ。

あの子はあの本を純粋に楽しむに違いないのに、その感性をどうしてあの子を知らないお前たちが否定できる。

俺があの子を悪意で損なっただと。笑わせるな。

こんな状況に俺が耐えられるのはあの子のお陰だというのに。

毬江のことでなければ途中で挫《くじ》けた。

執拗《しつよう》に毬江への人権侵害を認めさせようとするこの連中をここまで突っぱねていられるのは、ただその思いがあるからだ。

あの子が自由に本を楽しむ権利も感性も誰にも否定させるものか。

「あんたたちのやり口は正当じゃない」

査問委員たちが蜂の巣でもつついたように激昂《げっこう》し、がなり立て、しかし小牧にとってはもう相手に聞こえるかどうかはどうでもいい。

「俺に負けを認めさせたかったら正論でやってみろ」

もはや小牧にすら自分の声が耳に届かない。

「俺は正論以外には絶対に屈服しない」

融通の利かない正論はずっとそのためだ。

懸命に慕って追いかけてこようとするあの子のために、小牧は誰にも恥じることのない正論を守らねばならなかったのだ。

だから図書隊員として正論を守る。毬江の意志を無視して、毬江の感性を否定する論法には、決して膝《ひざ》を屈するものか。

あの子が自由に本を楽しむために。

そのために、毬江に対してだけ正義の味方でいられたら、
それ以外のことはどうだっていいのだ——

後はそっちが勝手にすればいい。叩きのめして俺が言いなりになると思うならそれも好きに。

俺はもうどうでもいい。

投げやりに状況を放棄したとき、
ガラスの割れるけたたましい音が罵倒者たちの声を圧した。

ドアを振り向くと見知った仲間が押し入っており、郁の足下に砕けた皿の破片が散らばっていた。

一瞬静まり返った委員たちが再び口々に詰《なじ》る声を上げると、郁は小脇に抱えた箱の中から次々に割れ物を取り出しては床に叩きつけた。立て続けに重なるガラスや陶器の割れる剣呑《けんのん》な音に、さすがの委員たちも口をつぐむ。

「……もういい！」

堂上に突っ込まれて、郁はようやく食器を割るのを止《や》めた。「まだいっぱいあるのに。百均で一万円も突っ込んだんですよ」郁の持ちきれない分は手塚が持たされているようで、相手の声を音で圧倒するための割れ物は自前で持ち込んだらしい。

予想外の登場方法だったが、ああ来てくれたと小牧はほっと息を吐《つ》いた。

玄田が一歩前に踏み出る。「騒がしくて失敬」というのは盛大な皮肉だ。

「声をかけても気づいてもらえないんじゃないかと心配だったもんでな。そんなわけで、関東図書隊ここに推参だ」

「お前たち一体何の権利があって、」

詰る声が沸騰するより先に、郁が食器の箱を逆さに引っくり返しながら床に叩きつける。

＊

再び委員が黙らされた隙に玄田が話を続ける。

「権利の話をしはじめたら泥仕合だから割愛してやる。むしろこっちは貴様らの査問会に正当性を証明できるかもしれん人物を連れてきたんだ、感謝してもらいたいくらいだな」

まさかと思ったら、一行の背から柴崎に伴われて毬江が姿を現した。思わず堂上を見据えると、堂上は気まずい顔で片手で詫《わ》びてきた。

毬江は小牧を見つめて一瞬泣き出しそうな顔をしたが、すぐ唇を引き結んで委員たちに顔を上げた。

「貴様らが小牧にかけた人権侵害容疑の当事者だ」

玄田の説明に続いて、

「小牧さんにどういう容疑がかかってるのか教えてください」

毬江がはっきりとそう言った。

知らない人間との会話に消極的な毬江が人前で喋るのを見るのは、小牧にとっても数年ぶりのことだった。

委員たちが目に見えて怯《ひる》む。誰も答えようとしないので、玄田が小牧に振った。

「小牧、答えろ。このお歴々はどういう容疑をお前に被《かぶ》せた？」

「……聾唖者に難聴者の登場する図書を勧めたことが甚だしく被害者への配慮に欠ける、とのお話でした」

「聾唖者って誰のことですか？」

毬江がすかさず切り込む。これだけはっきりと日本語を操る毬江は、少なくとも聾啞の定義には当てはまらない。

「いや、それは聾者と言い間違えて」

くぐもった声が毬江には聞き取れなかったらしい。付き添っていた柴崎が持っていた手帳にその台詞を書いて見せ、

「聾者って誰のことですか？」

読み終わるや毬江がまた突っ込む。

「みなさんは聾者と中途失聴者と難聴者の区別もついてないのに、どうして私がその障害者として差別されたと分かるんですか？」

聴覚障害者にとってそのカテゴリーは自身のアイデンティティに関わる重要な違いがある。

主には言語の問題だ。日本語獲得以前に聴覚障害を負い、手話を思考の第一言語としているタイプの聾者と、日本語獲得後に聴覚障害を負い、日本語を思考の第一言語としているタイプの中途失聴者や難聴者では、持っている文化やコミュニケーション方法そのものが違う。

しかも、そのカテゴリーは外的な条件で部外者が一律に区別できるものではなく、当事者が選択的に変更することさえできるのである。どのカテゴリーに属するかは重大な個性の選択だ。ことに聾は、アイデンティティの表明として聾という言葉が使われるくらい独自の文化圏を形成している。

毬江は自分を日本語獲得後に聴覚障害を負ったという意味での中途失聴者であり、難聴者で

あると位置づけている。意志疎通は発声による会話と筆談（の代わりの携帯メール）が主だ。

「私は小牧さんに勧められた『レインツリーの国』という本を楽しんで読みました。私がこの本を楽しんだことが差別されたことになるんですか？」

真っ向から問い質す毬江に委員たちは誰一人答えない。その表情はバツの悪さを通り越し、いっそ苦々しげですらある。自分たちの思惑に沿わなければ担ごうとした御輿《みこし》にさえ不愉快を隠そうとしない身勝手さだった。

「私がこの本を楽しんだことを何で差別だなんて言われなきゃいけないんですか？　せっかくの楽しかった気持ちが台無し。私にはあなたたちが一番私の耳のことを差別したがっているとしか思えません。だって私はこの物語の主人公にすごく思い入れして読んでたのに」

毬江の声が不愉快そうな人々に向けて高ぶる。

「障害を持っていたら物語の中でヒロインになる権利もないんですか？　私みたいな女の子が恋愛小説の主役になってたらおかしいんですか？　私に難聴者が出てくる本を勧めるのが酷《ひど》いなんて、すごい難癖。差別をわざわざ探してるみたい。そんなに差別が好きなの？」

ああ——何て強くなったんだろうね、君は。毬江の声を聴きながら小牧は目を閉じた。

本当はこんな知らないオジサンたちの前で喋るのは好きじゃないのに、君はこの人たちから俺を守ってくれるんだ。

「あなたたちが差別を大好きなのは勝手だけど、私たちのことはほっといてください」

そこまで懸命に毅然《きぜん》とした声を保っていた毬江が、耐えかねたように小牧に駆け寄った。

椅子に座った小牧の首っ玉にしがみつき、すすり泣く声が小牧の耳朶《じだ》を打つ。

「心配かけたね。ごめん。ありがとう」

補聴器を付けているほうの耳に話しかけると、毬江が泣き声で訊いた。

「私のことだと思っていい？」

あの本のことだと分かった。耳の不自由なヒロインが幸せな恋をする話だ。

毬江と境遇が似ていて、小牧も読んだときから毬江を重ねていた。この子がこの物語みたいに幸せな恋をできたらいいと、――相手役を自分に重ねられるほど図々《ずうずう》しくはなれなかったが、

「もう子供に見えないから困ってるよ」

白状して小牧は毬江を抱きしめた。そして、――ああ、結局彼女の言う通りだったな。一つの記憶が蘇《よみがえ》る。

彼女と別れたの、もしかして私のせい？　高校に入学した毬江にそう訊かれた。彼女の転勤で自然消滅したと答えたが、後半は嘘だ。

聴覚にハンデを負った毬江にできる限りの時間を尽くすことは、小牧にとってはそれ以外の選択がないほど当たり前の選択だったが、恋人のほうはそうではなかった。

最後は相談ですらなく「ごめんね」と決めたこととして切り出された。

あの子に尽くすあなたを尊敬したかったけど、私にはやっぱり無理みたい。どうしてあなたがそこまでしなくちゃいけないのってずっと思ってた。

中学生に嫉妬《しっと》なんて下らないと思う？　でもあなたはあんまりあの子のことしか見ないから、想像がついちゃったのよ。

あの子に何かあったら、あなたはいつでもあの子を優先するんだろうなって。これから先もずっと。たとえ私たちが結婚したとしてもずっと。

子供だと思って甘く見てるでしょう。でもすぐにあの子は綺麗《きれい》になるわよ。私のほうも無理なのよ。これからどんどん綺麗になっていくあの子を、何かある度にあなたが私より優先するとしたら、私はそれを許せないのよ。

障害があるんだから仕方ない、かわいそうなんて思えない。障害があろうがなかろうが、あの子は私にとっては恋を張り合う相手だし、私のほうが分が悪いのも見えてるんだもの。

まあ見ててご覧なさい。あと三年よ。あと三年もしたらあなたもあの子が子供に見えなくなって困るから。


別れるときの言葉は正確な呪いのように時間を刻んでいたようだった。


小牧と毬江に男二人を付けて先に退室させ、玄田は査問会の面々に向き直った。

「もう後はあんたがたが馬に蹴《け》られろみたいなバカバカしい話なんだがな」

玄田が遠慮なしに良化委員会の道化ぶりをあげつらう。

「図書隊としては、中澤さんを巻き込んでこの一件を大袈裟《おおげさ》にすることは望んでいない。我々がこの施設へ乗り込んだことを不問にすることと、先日の連行を不当措置として撤回する公開可能な詫び状で手を打つがどうだ?」

「あ、待って待って」

郁が横から手を挙げる。

「割ったお皿の片付けもお願いしてください」

相手には選択の余地のない交渉だった。委員の代表が苦虫を嚙《か》みつぶしたような顔で頷く。

「すまんが聞こえるように返事をしてくれるか」

妥協しない玄田に舌打ちをしながら代表が怒鳴った。

「分かった!」

「柴崎、録《と》ったな」

委員たちがぎょっとする前で、柴崎が胸ポケットに挿していたUSBレコーダーを出した。録音ランプを確認してOKサイン。「バッチリです」

「あんたがたにとってもこちらが訴訟にしないという証言の記録だ、文句はないな?」

一方的に玄田は宣言し、

「詫び状は一週間以内と期限を切らせて頂く。これも異存ないな?」

と更に条件を付け加えた。

引き上げるときに郁が残った食器の入った箱を床に置いた。

「これ差し上げるので、よかったら使ってくださいね！」

親切ごかした言い草に、委員たちがますます苦々しげな表情になった。

＊

メディア良化委員会からの詫び状は、簡単な事情の説明を付けて都下の全図書館の掲示板に発表され、職員の連行が事実無根の嫌疑によるものだったことが周知徹底された。

事情説明は毬江に配慮して当事者名を伏せ、経緯《いきさつ》も簡略化したものだったが、それでも毬江の噂を回した生徒たちには察せられたらしい。直接の友達は毬江に謝りに来たそうだ。

メディア良化委員会は多感な年頃の生徒たちにとって圧制者の印象が強く、その良化委員会に自分たちの理屈が利用されたことは彼らのプライドを傷つけたらしい。毬江に対して「同情してやったのに」と逆噴射する反応は、少なくとも毬江の周囲では出ていないようだ。

「それに私、いっこダブってるから。みんな私にはちょっと遠慮があるんです」

毬江は図書館に来たとき郁と柴崎にそんなことを話した。同い年だったら逆に反感を買ったかもしれないのでよかった、と一年遅れていたことをポジティブに捉《とら》えた理屈だった。

閲覧室で喋らないのは相変わらずだが、それ以外の場所なら堂上班と柴崎、そして玄田には声を出すようになった。小牧以外の男性陣には挨拶《あいさつ》程度だが、郁と柴崎には少しお喋りしたりする。知らない人ではなくなったということだろう。

だが、小牧とのことは郁も柴崎も触れなかった。二人でいるときの空気は明らかに変わったが、何しろこういうのは推移を見守るのが粋というのが柴崎の心得なので。

ただ、郁は堂上に向かっては一度勝ち誇った。

「ほーら、あたしの勝手な見立てじゃなかったでしょう。毬江ちゃんに知らせたの正しかったと思いません？」

うるさい、と堂上は不機嫌極まりない表情で吐き捨てた。

いつもならそれにカチンときて更にやり返すのだが、そのときは急に不安になった。回収時の小牧の憔悴《しょうすい》しきった様子を思い出し、それはごく自然に堂上に重なった。

この人も同じ状況にぶつかったらああなる人だ。そう思ったらするりと言葉が滑り出た。

「黙ってどっか行かないでくださいね」

怪訝《けげん》な顔で見返されて「だから、心配かけたくないとかで黙って窮地に陥ったりとか」そう付け加え、それは好きな相手に心配をかけたくないという前提の問答だったことを思い出し、慌てて更に付け足す。

「堂上教官は部下に心配かけられるかとかそういう意地を張りそうなので！」

うわやばい、変なこと言いはじめちゃった。失言を焦って顔が赤くなる。何でだ、意固地な上官を心配したかっただけなのに。

「あたしは教官が見てないとこで窮地に陥らないように努力するので、教官もって、これもおかしいこれも。

堂上も「部下の前を選んでお前のようなドジを踏めってことか？」と渋い顔だ。

「そういうことじゃなくて！」

巧《うま》く言葉が見つからなくて焦《じ》れる。

「心配なんです！」

思い余って怒鳴ってしまい、ますます頬が上気した。堂上が真顔で郁を見つめ、逃げるように目を伏せると、

「……イヤな世の中になったもんだな。何ら失態があったわけでもないのにお前に心配されるキャラに成り下がるとは」

すごい皮肉がカウンターで来た。成り下がる！　言うに事欠いて成り下がるって！

噛みつく気力も失《う》せた郁に、堂上は「一応心がけておくけどな」と素っ気なく言い置いた。

三、美女の微笑み

三月三十一日付けで鳥羽《とば》館長代理は更迭された。小牧《こまき》の査問にまつわる騒ぎの責任を取った形である。年度の切り替えを待ったのは稲嶺《いなみね》の温情ということらしい。

そして四月一日付けで新館長が武蔵野第一図書館に赴任した。

*

「え、館長なの？　館長代理じゃなくて？」

話を聞いた郁《いく》は目をしばたたいた。ランチをつつきながら向かいで頷いたのは、例によって事情通の柴崎《しばさき》だ。

「本人が復帰を断念したって」

昨年の夏から体を壊して休職中だった元の館長の話である。鳥羽は元々その代理として着任していた。

「元々ストレスが健康に跳ね返るタイプだったからね。良化委員会と丁々発止の役職だし重圧もきつかったんじゃない？　無理するタイプだったから余計にねえ」

「ああ、ねえ」

在職中から何かと体の不調を抱えて大変そうだった様子は、あまり元館長と接点のなかった郁にも印象深い。

「田舎に帰って家業の農家を継ぐそうよ」

「あー、いいんじゃないの？　いっそそういう図書館と全然関係ない仕事のほうが」

「農家なら少なくとも検閲でキリキリすることはないだろうしね」

といささか無責任に元館長を偲《しの》び、郁は気になるところを尋ねた。

「そんで後任はどんな感じなの？」

新館長の江東貞彦《えとうさだひこ》特等図書監の話である。鳥羽がハズレだっただけに後任人事は気にかかるところだ。前は図書館側の人事は特殊部隊にあまり関係ないように思っていたが、先日の小牧の件のように思わぬところで迷惑を被ることがあると身に染みた。

行政人事で失態があった兼ね合いか、今回の江東新館長は図書隊人事である。

「何かけっこう若いんだって？　副館長とそれほど年変わらないらしいじゃない」

郁のところにもそれくらいの噂は伝わっている。

「やり手はやり手らしいわね、その年代で元は一監なわけだし」

館長に就任している間は基地司令と権限を釣り合わせるために階級は特監に繰り上げられる。しかし一時的な人事となる行政人事ならともかく、図書隊内で二階級を繰り上げると組織運営に色々と差し障りが出るので、図書隊人事で館長に就任するのは一監が通例だ。

「四十代で一監てすごいよねー」

副館長の秦野《はたの》が四十代半ばで二監である。その年代での二監なら昇進はかなり早く、一監というのはむしろ異例だ。

「あーでもよかった、行政人事じゃなくて」

行政人事で足下をすくわれたことが何度もあるので、郁も多少は派閥について考えるところが増えている。

稲嶺や玄田《げんだ》が原則派であるため特殊部隊は隊の気質自体が原則側に寄っており、郁も基本的な思考は自然と原則派に準じていた。

「そうねえ、一応新館長は行政派じゃないらしいけど」

柴崎の論評が微妙に耳に引っかかって訊《き》き返す。

「一応って何?」

「原則派でもないらしいわ」

郁が思わず首を傾げると柴崎が見抜いたように突っ込んだ。

「あんた図書隊員は全員原則派だと思ってるでしょ」

「……違うの?」

そうした派閥話に疎い郁は、行政由来の職員は行政派、図書隊由来の職員は原則派と大雑把に分けて考えていた。

行政派はそもそも図書館の独立性を制限し、行政コントロールの下に置くべきとする考え方である。図書隊員が図書館の原則と独立性を重視する原則派を支持することは、郁には当然のことのように思われた。

「そうでもないわよ、図書館の独立性を守るってことはそれだけ責任も増すってことだからね。特に図書館の自由法を執行してたら責任を取るべき範囲は拡大するわ。いざというときの責任分担に備えて行政に権限や予算のコントロールをある程度は明け渡すべきって考え方もあるし、もっと日和《ひよ》った考え方もあるわね」

「日和った考え方って？」

「責任や判断は行政に任せて、図書館は上から定められた範囲で貸出業務だけしてればいいって奴らも山程いるってことよ。逆に責任の分担を嫌って原則派を支持する行政人員もいるし」

ええー、と鼻の頭にシワを寄せた郁に対し、柴崎は澄まし顔だ。

「そんな連中でも原則派は原則派。民主主義社会じゃ頭数に貴賤《きせん》はないわ、純粋だろうが打算だろうが一は等しく一でありがたいことじゃないの」

清々《すがすが》しいまでの割り切り方に郁も思わず笑ってしまう。

「副司令だってあれ叩《たた》き上げの図書隊員だけど行政派でしょ」

「へえ、そうなの？」

「そうよー、何か問題起こったら必ず稲嶺司令と対立してるし」

副司令は彦江《ひこえ》光正《みつまさ》一等図書監である。稲嶺よりもやや狷介《けんかい》な印象の五十代後半の熟年だが、日頃はあまり目立たない。顔覚えの悪い郁が思い浮かべた顔は、自己採点で再現率75％というところである。

「ただし行政派はどうしても行政側に担ぐ御輿《みこし》がないとまとまりにくい傾向があるわね、行政側と足並みを揃えるっていうのが建前だから。鳥羽代理が送り込まれたのもその辺の兼ね合いだろうし」

目立たないのは御輿を担いでいるからでもあるだろう。ということは担ぐ御輿がなくなったからしばらくおとなしいのかなと分からないなりに見当をつけてみる。それとも司令部内には他に立てられるような人材がいるのだろうか。

「派閥問題に踏み込むのを嫌ってその辺避ける人ももちろんいるしね」

行政派ではないが原則派でもないという新館長はそのクチか。

「でもまあ行政派じゃないなら取《と》り敢《あ》えず安心だよね」

単純にそう安堵《あんど》した郁に柴崎が難しい顔をする。

「一概にそうとも言い切れないけどね。鳥羽代理の腑抜《ふぬ》けっぷりは派閥とか関係ない域に到達してたし。行政派だって大迷惑よ、小牧教官の引き渡しに関する失態は」

「だって新館長やり手なんでしょ？」

まさかやり手の一監が鳥羽の二の舞を踏むとは思われない。

「切れる奴は味方なら頼もしいけど敵だと恐いわよ。例えばあたしが敵なら恐いでしょ？」

「よく言うわ」

「ま、どんな人かはこれから観察って感じじゃない？」

そこで話題が一段落して、郁は「ところで」と話を変えた。

「明日の昼休み何時から？」

図書館の休憩時間は業務側にしろ警備側にしろシフトの問題で時間帯は設定されていない。

「十二時」

「あ、じゃあ一緒にお昼食べようよ。あたしも十二時なんだー」

予定がズレなかったらね、と柴崎は頷《うなず》いたが、翌日の昼は結果として一緒にはならなかった。

＊
「柴崎さんておいくつなんですか」

「今二十三ですが」

「あ、二つも年下なんだ。しっかりしてるから同い年くらいかと思ってた」

一体何なのよ、このお見合い状態は。柴崎は向かいに座った青年を傾けたコーヒーカップの縁から窺《うかが》った。いつもは食後にするコーヒーだが、間が持たないので先に持ってきてもらっている。いっそ「ご趣味は」とか訊くかこっちから？　などと投げやりな考えが頭をよぎる。

同僚の女子が俳優の誰だかに似ているとか言っていた。柴崎にはとっさに思い浮かばないが、見てくれは確かに悪くない。いかにも裏のなさそうな明朗快活な、――言ってしまえば顔だけ、みたいな。

カップの縁から目が合い、相手が微笑んだ。柴崎も会釈でコーヒーをすする。

こういうタイプちょっと物足りないのよねえ、と思ってしまうのは日頃顔を合わせている男が揃いも揃って一癖あるからか。堂上《どうじょう》に小牧に手塚《てづか》、若いところに絞っただけでも何かと癖の強い奴ばかりである。

昼休みって何時からですか？

本を借り出しながら探りにもなっていない直球の探りに色めき立ったのは同僚の女子たちで、柴崎が返事をするより先にあれよあれよと休憩時間を算段されて送り出された。

いつ誰が受けるっつったのよ、と柴崎としてはやや中っ腹だが、中でも特に送り出しに熱心だった女子の一人を思い浮かべ、

――まあ無理もないか。とか思っちゃうところがあたしも厭味《いやみ》な女よね。

そんなことを思っている自分を俯瞰《ふかん》で眺めている自分に嫌気が差す。

ていうかどうしたもんよねこの状況、と内心ぼやくと相手が「いつもこのお店に来るんですか」と尋ねた。

答えようとした矢先にドアベルがけたたましく鳴った。思わず店中が振り向いた音色に柴崎も振り向き、「……このバカ」と思わず小声で呟《つぶや》く。

ドアベルがついているのを忘れていたのか思い切りドアを開けてしまい、自分で立てたベルの音に固まっているのは郁と、――おそらく郁に付き合わされた手塚である。手塚のほうは郁より先に柴崎に気づき、軽く肩をすくめて詫《わ》びた。

まったくもうこいつらと来たら、日頃そんなに使わない店なのにわざわざ探してまで来るし。というのは巻き込まれた手塚には不当な評価だが。

郁も気づいて「てへっ」と笑う仕草でごまかしながら離れた席へ座った。気になって覗《のぞ》きに来たくせに話は聞こえない距離を保つ辺りが微妙な節度の保ち方で、野放図なくせに妙に純情

な郁らしいことである。

こういうとこかわいらしいのよね、こいつ。と苦笑して少し気持ちがほぐれた。

「いつもってわけじゃないですけどね。この近辺でお昼御飯に使えるお店なんて限られてるし、二、三軒適当にローテーションって感じです。基地の食堂使うことも多いし」

最後に付け加えたのは、いつも外で食べるわけじゃないという微妙な牽制《けんせい》だ。

「やっぱりご迷惑でしたか」

軽い溜息《ためいき》を耳敏《みみざと》く気にかけられ、柴崎は笑った。

「いえ別に。ただ、戻ったら冷やかされるだろうなって」

言いつつ柴崎は郁と手塚の座った辺りを何気なく窺った。部署の違うこの二人の耳に届いたということは既に噂は大きく煽《あお》られている。それで何か困るというわけではないが、露骨でちょっとウンザリするわね。柴崎は手持ち無沙汰《ぶさた》にまたコーヒーをすすった。


「何話してんだろねー」

お冷やに口をつけながら柴崎のテーブルを窺う郁に、手塚がつまらなさそうに受け答えた。

「話聞きたいんならもっと近くに座ればよかっただろ」

「だってそんなの悪いじゃん」

口を尖《とが》らせると手塚は呆《あき》れ顔だ。

「覗きに来てる時点で一緒じゃないか」

「だって、相手がどんな奴か見たかったんだもん。でも盗み聞きはやっぱりね、柴崎も乗り気だったら悪いし」

女の倫理協定って基準が分かんねえ、と手塚はぶつぶつ言った。「俺こういう野次馬みたいなこと嫌なんだけど」

「だって柴崎のことよ！　あんただって知らない仲じゃないんだしさ、相手が変な男じゃないか心配じゃないの？」

「そりゃ夜中に変な奴に拉致《らち》されたとかならな。でも昼間のメシ屋だろ。奴が初対面の相手に隙見せるとも思えないし何でわざわざこんな……」

手塚は野次馬に付き合わされてあくまで迷惑そうだ。

約束どおり柴崎を昼飯に誘いに行ったら、業務部の同期によってたかって事情を聞かされた。利用者の男性にランチを誘われたとのことで、それはぜひ相手を拝まなくてはと後を追ったのである。手塚を巻き込んだのは一人ではちょっと気後れするので景気づけだ。

「顔はまあカッコイイのかなぁ、あたしの趣味とはちょっと違うけど」

だろうな、と手塚の分かったような相槌《あいづち》に怪訝《けげん》な顔をすると手塚は「いや何となく」と言葉を濁した。

「何かね、最近よく来る人なんだって。目立つから女子はみんな知ってた。柴崎目当てだったんだねーって大騒ぎ」

「女ってつくづくそういう話題好きだよな」

「えー、男だってそんな変わんないでしょ」

「俺は興味ない」

「あんたみたいな特殊例のことは訊いてない」

郁がぴしゃりとやっつけると、手塚は一般例を思い浮かべる努力はしたようだ。

「……まあ、柴崎は人気あるよなやっぱり。あいつ外面いいからな」

「外面は鉄壁よねー」

「だから今日の一件は気になる奴けっこういるだろうな。同じ部署でも狙ってる奴がいるから。今頃やきもきしてるんじゃないか」

ああそうなんだ、と言いつつ柴崎なら別に意外でもない。

「でも現時点では思いっきり営業用よね、あの顔」

郁の振りに手塚も柴崎のほうを窺い、「だな」と頷いた。

「利用者だから邪険にもできないって感じじゃないか」

「あんまり乗り気じゃなさそうだよね、周りに乗せられちゃったかな」

「そういうタイプか？」

「意外とその場の空気壊すようなことができないんだよね、柴崎。周囲が盛り上がっちゃって『行ってきなよー！』とかなったら断れないタイプ」

手塚は意外そうな顔だ。柴崎は手塚や堂上班には当初から地を出しているので、そんなふうに流されるところが想像できないのだろう。

「あたしたちにはあんなふうだけど、すごく空気読むよー。ちょっと気ー遣いすぎってくらい。特に女の子には濃《こま》やかだよ」

「ふうん。まあ分からんでもないっていうか……」

微妙に納得した風情の手塚は、また柴崎の席を窺った。

「相手どんな奴なんだ？」

「なーんだ、やっぱり気になるんじゃない」

「そりゃここまで来た以上は変な奴じゃないかどうかくらいは気になるだろ。あいつうちの班の予備構成員みたいなもんだしな」

「さっき柴崎なら心配ないみたいに言ったじゃん」

「心配ないのと心配しないのは別の話だろ」

素直に心配すればいいところを男は妙な理屈が多い。

「まあ、ぱっと見てすぐ分かるほど変な奴なら周りの子も無責任に送り出さないと思うけどね。柴崎に口止めされなかったら聞いた話とかまた教えるわ」

そう言うと手塚はまた「いや別にどっちでもいいけど」と微妙に突っ放した。

あさひなひかると名乗った字面は図書カードの記名で知っていた。朝比奈光流だ。

「僕のこと覚えてますか？」

別に嘘を吐く必要もないので柴崎は頷いた。

「索引の方ですよね」

「ああ、はい。使い方覚えました、重宝してます」

朝比奈ははにかんだように笑った。

二ヶ月ほど前だったか、百科事典の場所を訊かれたのが声を交わした最初である。百科事典の棚に案内するといきなり本巻を調べようとしたのでつい声をかけた。

先に索引を使われたほうがいいですよ。

朝比奈は怪訝な顔をしたが、これは別に一般利用者としては珍しい反応ではない。百科事典は調べたい言葉を直接引けばいいと思っている人間は意外と多い。

索引って何ですか。

その質問もそれほど物知らずというわけではない。百科事典に索引があること自体知らない利用者は珍しくないし、知っていても目次みたいなものだろうと思っている向きがほとんどで、百科事典のコーナーで真っ先に索引巻を使うのは一般利用者としてはかなりの通だ。特に最近はインターネットによる検索が一般的になっているから、索引の使い方を知っている若い人間は稀《まれ》である。

これです、この一番最後の巻。百科事典はどれも最後に必ず索引巻がついてますから。

え、でも直接調べるからいいですよ。

言外に面倒くさいという気配を漂わせた朝比奈に柴崎は尋ねた。

何をお調べになりたいんですか？

口で説明するよりも実演したほうが早い。

焚書《ふんしょ》です。

あら図書館で物騒なこと、と思いつつ百科事典の該当巻を抜き出す。

直接焚書って引いてみてください。私は索引を調べます。

はあ、と微妙に要領を得ない顔で朝比奈が本巻を引き、柴崎も索引を引く。

終わりましたよ。

焚書の項目を開いた朝比奈に柴崎は索引巻の同項目を見せた。

はい、関連項目。これはそっちを調べただけじゃ出てこないでしょう。

索引で「焚書」の関連項目は「禁書」「ナチス」「焚書坑儒」「始皇帝」などがあった。

索引から調べるとこれらの項目にも焚書に関する情報が出てることが分かります。見出し語を直接引いたらその項目だけで終わりですけど、索引からだと関連主題も引っかかるので多角的な調べ方ができますよ。関連項目からまた手がかりが広がりますしね。

へえ、と朝比奈は素直に感心した様子だった。

百科事典ってこうやって使うんですね。知らなかった。

照れ笑いの申告に柴崎も笑った。

最近は知らない方のほうが多いですから。餅《もち》は餅屋、本は図書館員ということで、いつでもご利用ください。

その後よく訪れるようになった朝比奈は柴崎を見るとたまにレファレンスを頼んでくるよう

になったが、それもそう頻繁ではなく露骨な気配もなく、柴崎にとっては顔見知りの利用者という位置づけだった。

こんなふうに誘われるのは完全に予想外である。

「よく来られますよね、図書館。お仕事関係の調べ物か何かですか」

こちらからも何か話しかけないと悪いかと半ば義務感で尋ねる。接点がまったくないので、それくらいしか訊くネタがない。それに相手は少なくとも柴崎の名前と職業を知っているのに柴崎の側が名前しか知らないというのも不公平な話だ——というのは情報屋の本能として。

「ええ、あの」

朝比奈はぱっと気まずそうな顔になった。

「行政問題の研究をしている方の助手のようなことをしてまして……最近では図書館問題などについても調べたり」

ああ成程それで「焚書」か、と合点が行った。

数年前、都下のある図書館で、メディア良化委員会の検閲傾向に沿った形で数百冊の図書が秘密裏に破棄されていた事件である。

館内の有力者の一存で行われたこの大量破棄は、不要図書を破棄しただけで他意はなかったと釈明されたが、出版年度が新しい物が大量に含まれていたり、特定の著者の本に偏っていたりと不自然な処理が多く、内部告発に続けて破棄された図書の著者たちによる訴訟に発展した。破棄を指示した図書館員は館内で隠然たる勢力を持っており、上役も抗《あらが》えなかったという。

一図書館員による独善的かつ恣意《しい》的な図書の大量破棄は、職権を乱用した文化的犯罪であると厳しく糾弾され、現代の焚書事件と騒がれた。

図書館が訴えられた事件で図書隊が原告側を支援するという異例の展開となったこの裁判は、一審、二審ともに破棄を指示した図書館員の行動や市の対応を批判しつつも原告側の訴えが棄却され、判決は最高裁にもつれ込んでいる。思わぬ苦戦は司法にメディア良化委員会の影響力が及んでいることを暗示させる結果となった。

検閲対象図書の大量破棄については、法務省と強硬に対立したくない行政側の意向を汲《く》んだ結果であったことが発覚し、隊内では近年最大の行政派の失態として記憶されている。

「すみません……」

朝比奈が謝るのは気まずさからだろうが筋が違う。

「謝ることないですよ、図書館がそういう問題を起こしたのは事実ですから。市民の方が関心を持つのは当然のことですし、むしろ関心を持ってもらわないと」

って何か広報官みたいになってんなぁあたし、と思いつつ、そうした話題のほうが間が持つのでありがたい。明らかに自分狙いでしかも無碍《むげ》にできない男と差し向かいという図式は肩が凝って仕方がない。

「図書館焚書事件なら図書館機関誌にも詳しいですよ」

「あの、図書隊員の方はこういうことを訊かれて不愉快だったりしないんでしょうか？　実は僕、こういうことを調べるのは図書館の方に嫌われるんじゃないかと思ってたので、柴崎さんに調べ物の内容とか仕事のこと訊かれるのが恐かったんですけど」

　率直なのか思ったことをそのまま口にしてしまう質《たち》なのか、朝比奈の質問は相当ぶっちゃけだ。後者だとすればその迂闊《うかつ》さは郁に少し似ているかもしれない、と柴崎は郁のほうを何の気なしに眺めた。目の合った郁がまた「てへっ」とかわいこぶってごまかすが、――似合わないからよせ。

「そうですね、個人的な感情の問題で言えば不愉快に思う隊員もいると思いますよ。探られると痛い腹ですからね、やっぱり」

　建前が聞きたいわけではないだろうからそう返すと、途端に不安そうな顔になるのが正直だ。

「柴崎さんは……」

　そんなにこちらの機嫌を気にしていたら気があることを白状しているようなものだが、館員を昼食に誘うという時点である意味白状したつもりでそこは割り切っているのかもしれない。

「痛い腹は探られるべきでしょ？　目を逸《そ》らして自分が同じ轍を踏みたくないですしね」

　むしろ原則派にとっては、図書館原則の根幹を侵したこの事件は風化させたくない筆頭事例でもあるし、行政派への批判材料の一つでもある。

「それに図書館は比喩《ひゆ》でなく実際の意味で焚書に手を染めたこともありますしね。第二次大戦中の話ですけど」

　植民地に図書館が進出した当時の話である。社会主義図書や現地の歴史書や古典などを対象として多くの書物が焚書・押収された。

直接的には憲兵や警察が行ったものだが、調査や選別には図書館も積極的に手を貸している。貴重な書物に関しては日本に持ち帰り、あろうことかそれを「収集」と称し成果を誇っていたというから、当時の図書館界がこれらの暴挙にいかに無自覚であったかが窺える。

当時の図書館界の有力者たちは、戦後もそれに積極的な反省を表明することはなく、むしろ当局に強制されたとして自らを被害者と位置づけていた節さえあったという。

「何か……」

話を聞いていた朝比奈が言葉を迷った挙句に「残念な話ですね」と呟いた。

「成立時の図書館はあやふやで脆弱《ぜいじゃく》な組織でしたから。国家に食い込んで根拠を確立しようと必死だったんでしょうね。当時の国家に食い込むとすれば富国強兵路線に乗っかるしかない訳ですし」

図書館が増えたきっかけの一つは日露戦争時の戦勝記念事業であり、この戦勝記念をルーツとする図書館は今も各地に残っている。

そうした旨味《うまみ》を取ろうとして、戦時中の図書館は国内でも国家の検閲に積極的に協力しようとした歴史もある。

「手段を顧みなかったのは後の時代から見ると残念ですよね。私たちも肩身が狭いし」

柴崎がおどけて笑うと朝比奈も遠慮がちに笑った。遠慮がちなところに人柄が窺える。嫌味のない好青年、見た目そのままだ。

「そうした歴史について図書館の方はどう思ってるんでしょうか」

と、この質問は仕事に絡めてのことだろう。中々やり手だ。「お嫌なら構いませんけど」と慌てたように付け足すが、そうした貪欲《どんよく》さは柴崎には別にマイナス印象ではない。

「図書隊の総意を答えるわけじゃないので『柴崎さんは』って前提に直して頂くとして、」

取り澄ました前置きに自分で苦笑しそうになる。何だこの小賢《こざか》しい防御線は。オフィシャルな取材でもあるまいに隙を作ることを殊更に嫌う自分の性格は我ながらかわいげがない。

「図書館が正しい歴史を歩んできた訳じゃないということは常に自覚しておくべきだと思ってます。色々な過ちが積み重なったうえに今日の図書隊制度がある訳ですから。自分たちが過ちを犯してきた組織だということを自覚したうえで図書隊制度が運用されることに意味があるんだと思います。自分たちが過ちを犯さないなんて思ってる組織は腐敗が始まると腐り切るまで早いでしょうし、正義と独善の区別もついてるかどうか微妙だわ」

「というのは、メディア良化委員会のことですか？」

柴崎はにっこり笑って「さあ？」と首を傾げた。たとえオフィシャルでなくともそこは柴崎基準で部外者に言質を取らせないラインである。

ランチのプレートを食べ終え、柴崎が腕時計を見ようとわずかに手首を傾けた仕草で朝比奈が「そろそろ時間ですか」と伝票を取った。時計を見る仕草を気づかせるつもりではなかったので意表を衝《つ》かれる。意外と目敏《めざと》い。

「じゃあこれ」

財布から自分の代金分の小銭を数えて出すと、お決まりの固辞だ。

「こういうときに男性に借りを作らない主義なので」

はっきりそう言うと、朝比奈は少ししゅんとして柴崎の代金を受け取った。軽くへこませたのは次回以降を断る前振りのつもりだったが、

「また図書館についてのお話を伺ってもいいですか」

店を出てから朝比奈が先制した。

「図書館に勤めている知人が他にいないので色々教えて頂きたくて」

さりげなく柴崎を『知人』に位置づけたところが巧《うま》い。仕事とプライベートの隙間を衝かれ、一瞬答えを躊躇《ちゅうちょ》した柴崎に「もちろん時間のあるときでいいですから」と引くのも巧い。

はっきり断る隙を先んじて封じられ、柴崎は苦笑いした。ここであくまで「迷惑ですから」などと断ると自意識過剰に見える構図を先に作られ、その構図に嵌《は》められると自分の美意識が強硬になることを許さない。

「私で良ければ」

それしか答える余地が残されていなかったのは、一本取られたということになるのだろう。

「じゃあ、これ受け取ってもらえますか」

言いつつ朝比奈が出したのは名刺である。パソコンで作った風のシンプルなもので、名前の他は携帯番号とメールアドレスだけだ。気軽にやり取りする目的のプライベート用だろう。

「もらうだけになりますけど」

連絡先を交換する気がないことを言外に告げると朝比奈は笑った。

「受け取ってもらうだけでいいです、今は」

そう言われると断る理由はないので受け取る。慣れてやがるなとやや感心。

それじゃあまた、と駅のほうへ去った朝比奈を一瞬見送り、柴崎は少し顔をしかめた。

もしかして悔しいか、あたし。

ただのお坊ちゃん的好青年、と侮ったのは柴崎の不覚である。少しは面白い奴かもしれないわね、と負け惜しみ気味に印象を書き換えた。

*

その日柴崎が帰寮すると案の定郁にまとわりつかれた。

「ねえねえねえ、どんなだったのその朝比奈さんって」

「どんなとか言われても人柄分かるほど喋《しゃべ》ってないし？　食べてすぐ店出たの知ってるでしょ、見てたんだから」

「もーう、柴崎はどう思ったのってことじゃーん！」

「いった！」

肩をぶっ叩かれて素で悲鳴が出る。「ごめん！」郁が泡を食って叩いた肩をさすりに来た。

「ちょっとぉー、あんたが本気で殴ったらか弱いあたしなんかぶっ壊されちゃうでしょー」

「ごめん、ちょっと手が滑っちゃって」

言いつつ力を加減した素振りを練習する郁に「いや、そもそも叩かないでよ」と突っ込む。郁は照れ笑いで頭を掻《か》いて、またせっついた。

「ねえ、そんでどうなのよ」

「思ったよりは面白そうかなってくらいかしらねー、今んとこ」

「へー、じゃあ頭いいんだ？」

あけすけな郁の感想に目をしばたたく。すると郁は柴崎の表情に答えるように言い足した。

「だって柴崎、頭いいって認めた男しかそういう言い方しないもん」

そしてそっかー意外ー、と勝手に独りごちて「まあ見てくれがいいのは認めるけど」と唇の端で皮肉っぽく笑い、

「……とか切って捨てるかと思ってた」

「……ちょっと、今のあたしの真似のつもり？」

「我ながらそっくりー」

「失敬ねあんた」

言いつつ柴崎は郁の口元をつねり上げた。

「修行が全然足りてないわ、突っ放すときはもっと徹底的に冷たく斜め上から見下ろすように！ クールビューティー、アーユーオッケー⁉」

「うわ、駄目出しそっちか！ しかも自分でクールビューティーとかこれだから美人は！」

つねられた頬をさすりながら文句を言った郁がまた尋ねる。

「また会うの？」

「まあ、時間が合えばってとこかしらね。何か向こう、図書館問題のこと調べてて話聞きたいって言うし」

今回限りと断るつもりで先手を打たれたことはプライドが邪魔して言えない。

「へえ、意外」

と郁は遠慮のない感想を口に出した。

「一回だけでもう会わないのかと思ってた。柴崎、みんなに盛り上げられて渋々付き合ったんじゃないかって思ってたから」

「乗り気じゃなかったのは否定しないわ。でも会ったからって即付き合う訳でもないでしょ？それにそもそも付き合ってくれとか言われた訳でもないしね」

意外とこういうとこ勘がいいのよね、こいつは。自分のことだとてんで奥手で鈍いくせに、と内心で勝手な論評をした柴崎に郁は心配そうな顔をした。

「イヤだったら断りなよ？」

「乗り気じゃないのに付き合うほど失礼な人間じゃないわよー、あたしは」

心配を嘯《うそぶ》いてかわしてしまうのは性分だが、今回ばかりは「でも」と頼み事が一つ。

「ほかの女子にはあたしが朝比奈さんについて言ったこと黙っててね」

ますます心配そうな顔になった郁の機先を制するように、

「やっぱり冷やかされたりとかするから。人のオモチャになるのも業腹だしね」

嘘ではない理由ではぐらかすと郁はあっさり「分かった」と納得し、素直にはぐらかされてくれるところが単純でカワイイところだ。

「でも手塚には言ってもいい？　心配してたから、一応。すげえもったいぶってたけど」

「あー、堂上班なら全然オッケー」

手塚はもちろん、堂上班の人間が他人の事情の取り扱いで迂闊《うかつ》を踏むことはないだろう。

「堂上教官にはあたしが一番ファンなのは堂上教官ですからってくれぐれも伝えといて」

「そういうこと言うから堂上教官ますます引くんだと思うけどなー」

「それが面白いから言ってるんじゃないの。っていうかあんた、」

やや意地悪な気持ちが疼《うず》いたのは、少しココロがささくれていたからかもしれない。

「あたしがホントに堂上教官狙ってもいいわけ」

郁は目に見えて固まった。ややあって本人は多分何気ないつもりの口調で、

「別にそんなの柴崎の自由じゃん、あたし関係ないしそんなの確認される筋合いもないしっ」

あーもう甘酸っぱいなあコイツは。疼いた意地悪ゴコロがあっさり萎《な》える。

「冗談よ、むきになんないの」

言いつつ柴崎は座卓から腰を上げた。

「先に寝るわ、ちょっと昼間にからかわれすぎて疲れちゃった」

頑《かたく》なだった郁の表情が心配そうになる。そんな分かりやすさは柴崎にとってはたまに眩《まぶ》しい。

「おやすみ、静かにしてるね」

郁の気遣う声を背に、柴崎はベッド周りのカーテンを閉めた。

友達と約束があるから、と断ろうとした柴崎に「どうせ笠原《かさはら》でしょー?」と被《かぶ》せたのは同期の女子の広瀬《ひろせ》だ。

「伝言しとくから行っておいでよォ、せっかく誘ってくれたんだし」

親切ごかした申し出に素直に頷けないのは、本人は透けていないつもりらしい底意が透けて見えるからだ。

同僚が男に誘われるというある意味「面白い」展開にわくわくしていた他の同期や先輩女子は、広瀬の振りにあっさり乗った。

そうだよ、せっかく誘ってくれたのに悪いじゃん!　と寄ってたかって突《つつ》かれ、ほとんど差し出される態《てい》で送り出された。

戻ってくるともう業務部中に噂が回っていて盛大に冷やかされた。どんなことを話したのかと訊かれる度に「図書館焚書《ふんしょ》事件を初めとする近代の図書館問題について」と答えると、話題が話題だけに皆鼻白んだが、それくらいは自己防衛のうちだ。

うっかりしたら勝手に付き合っていることにされかねない。

「もうちょっと色っぽい話すればいいのにぃ」

広瀬は詰まらなさそうに唇を尖《とが》らせた。やや鼻にかかった甘ったれた調子の喋り方は、上手にかわいこぶれる女に典型だ。店での郁とは雲泥の差である。

「だって元々相手が焚書事件とか調べてたしね。図書隊員で話聞ける人が欲しかったらしくて、最初にレファレンスしたあたしを覚えてたから声かけたみたいよ」

なーんだ、と野次馬を装った残念そうな素振りはやはり底意が隠し切れていない。というかこうした気配にいちいち気づく自分がたまに重荷になる。

種を明かせば、部内のある先輩男性を広瀬が好きで、その男性は柴崎に気があるというよくある話だ。情報屋を以《もっ》て任じている柴崎は必然的に自分にまつわる人間模様にも敏《さと》い。

相手の男性やその友人周辺からは何度もそれらしい探りを入れられているが、その度に当面は誰とも付き合う意志がないことをはっきり答えている。堂上のことでミーハー的に騒ぐのもそうした話と線を引くポーズの面があるのだが、恋する女はそれでは足りないらしい。

事あるごとに柴崎がその男性に気がないか探りを入れるのはもちろんのこと、飲み会で柴崎に伝達が回ってこなかったりするときはまず間違いなく広瀬が柴崎への伝達を引き受けていて、しかも相手の男性が参加するのが確定しているときだ。「うっかり忘れてた」というのも三度続けばさすがに意図を感じずにはいられない。

実際はほかの同僚から情報が入るので本当に部内の飲み会やイベントを外されたことはないが、「まあ、広瀬抜けてるから仕方ないよね」と周囲がその天然ぶりにごまかされているのはたまに苛立つ。柴崎の見立てでは広瀬は完全に計算だ。

天然というのは本当にやばいことでも躊躇《ちゅうちょ》なくやらかすから天然なのだ、例えば郁のように。それに比べて広瀬は公私にわたって迂闊の度合いが明らかにコントロールされている。

しかし飲み会の連絡抜け程度ならかわいいもので、最近は柴崎が空気を作られると表立って頑なになれないのを見抜かれているので厄介だ。柴崎に好きな男がいるような噂を流されたり、誰かと付き合うのをお膳立《ぜんだ》てされそうになったり、その度に「あたし堂上教官一筋だから～」とおどけて逃げるが、これもいい加減ギャグと認識されているので本気には取られない。

立ち回りは柴崎のほうが圧倒的に巧《うま》いので相手の思惑に嵌《はま》りはしないが、周囲であれこれ策を弄《ろう》されるのはかなり鬱陶《うっとう》しい。柴崎が気づいていないと見くびられていることも不本意だ。

だからイヤなのよ女って、とかあんまり言いたくないけど。

柴崎の警戒外から降って湧いた朝比奈は、広瀬にとって絶好の恋敵の片付け先に違いないが、片付いたら広瀬の確率が上がるからという理由で誰かと「くっつけられる」のは願い下げだ。

そうした事情があって、最初から弾《はじ》く構えになってしまっているのは朝比奈には不公平な話かもしれない。広瀬にしてやったりと思わせるのが気に食わないというプライドが朝比奈個人を斟酌《しんしゃく》する段階に至らせない。

あたしを片付けたからってあんたが好きな人とうまくいくわけじゃないでしょう、あたしを好きな男が出る度にあたしは無関係な誰かと付き合わなきゃいけないわけ？

そんなことを言ってよく引っぱたかれたのは主に思春期の頃だ。やはり広瀬みたいな女子に。相手のやり口も稚拙で露骨だったが、皮肉を言わねば収まらなかった柴崎も子供だった。今のようにかわすことができず、意に添わない展開に嵌められないためにいちいち食ってかかるしかなかったということもある。

この手の女は叩き返されると泣き出すというのもお約束だ。「ひどい」って先に叩いたお前はひどくないのか。しかし先に叩いた事実は「だって柴崎さんがひどいこと言うから」と相殺される。

そしてそいつの周囲の友達連中がまことしやかに柴崎の非を鳴らすのだ。柴崎には「性格が悪い」「調子に乗っている」というレッテルが貼られ、高校でそれまでの人間関係をリセットするまで常にクラスの中で孤立気味だった。

学区内からの志望者がほとんどいない遠方の高校を選んだとき、数少ない友達は一緒の高校に行きたいと言ってくれたが、彼女たちにしても柴崎が孤立しているとき助けてくれるようなことはなかったのである。

高校でも似たような揉《も》め事は絶えなかったが、柴崎は入学してから地盤を固めることに専念していたので味方と呼べるそれなりの人脈を手に入れていた。

人懐こく立ち回り、キャラとしては毒舌を立ててウケを取り、常に周囲の人間関係に目敏く耳敏く。女子にも男子にも安定したアンテナを立てていたので、お年頃の高校生にとって一番気になる恋愛情報の入手もお手のもので、積極的に恋愛の相談に乗ることで着実に自分の付加価値を上げた。情報屋として便利がられる属性は、最終的にはクラスや学年はもちろん、生徒と教職の枠さえ超えて確立していた。

大学生になってから立ち回りのバランス感覚は更に磨かれ、高校の頃はそれなりに多かった敵もほとんど作らずに済んでいる。図書隊の人間はその柴崎の発展形と接していることになる。

柴崎って人付き合いが巧いよね、コツ教えてよ。などと羨《うらや》み口調で言われることがあるが、柴崎が素で答えたら引くに決まっている。

人付き合いのコツは周りの誰も信用しないことだと柴崎は本気で思っている。人と話すときは話が漏れることが大前提で、漏れる範囲とその範囲に対する相手の影響力を鑑《かんが》みて開示する情報を斟酌する。そのうえで、話を漏らされたときのカウンター材料の用意を常に怠らない。大抵はそのカウンター材料が安全弁になって重要な情報の流出は止まる。

無意識に誰もがやっていることかもしれないが、柴崎は完全に自覚的にそれを操作している。そしてそこに柴崎が他人を信用しない理由がある。

ずっと自分が相手の腹の中で計算されていたことがばれたら、その相手を嫌悪しない人間はいない。顔が広く人好きのする柴崎はそのように柴崎が作った柴崎であり、人の話を嗅《か》ぎ回る属性も野次馬で困った奴だと笑えるレベルの偽装をしてある。その計算高さは他人に知れたら致命傷だろう。――多分郁にも。

どうしてあたし、あんなこと。――ほかの女子には黙っててね、なんて相手を完全に信じることが前提の無意味な口止めなんか。

同室になってもう一年ほどが経つ郁は、柴崎とあらゆる意味で対極だった。建前という概念を持っていないとしか思えない単純なキャラクターは、柴崎にとってことさら読もうとしなくても内心がだだ漏れで分かりやすい。ここまで言葉の裏を読む必要がない相手というのは柴崎にとっては初で、こんな楽な人間と同室になれたことは幸運だった。

楽な同居人という点が柴崎にとって郁の最大の価値で、それ以上踏み込むつもりはなかったのだが、ふと気づくと郁には変に突っかかったりしてしまう自分がいる。

やめてよ今さらホントに友達になりたいなんて。

巧く立ち回るために周囲を貪欲《どんよく》に利用して、それが結局仕事にまで繋《つな》がっているというのに、今さら誰かに心を許したいなんて。


ヘンに感傷的にさせるからたまに意地悪言いたくなるのよね、と郁の両親が訪ねてきたときのことを思い返す。

ガキみたいに潔癖な表情を丸出しにするから泣かせたくなった。案の定つつくと泣いて——でも、その頑なな泣き顔を見ると胸が痛んだ。

似合ってないわよ柴崎麻子《あさこ》。

自分で苦笑しながら寝返りを打って布団を巻き込む。

感傷的な自分なんて、てへっとかわいこぶった昼間の郁より似合っていない。

＊

江東新館長が着任してから三週間目に、全国の図書館が対処に頭を悩ませる事態が発生した。

「ウッソぉ……」

郁の声は尻《しり》すぼみになった。尻すぼみになったのは、相手が意味のない嘘を吐くタイプではないということに思い至った結果だが、とっさにウソと声を上げてしまった気持ちも分かってほしいところである。

「残念ながら嘘じゃない」

と、生真面目に答えたのは堂上である。隊の全体朝礼は終わって班の朝礼時の話だ。

「でもまだ発売してないのにどうして分かるんですか」

「図書館を専門にしてる取次からの情報だね。発売は明日だけどもう出荷する現物は入ってるから」

説明した小牧が顎《あご》で軽く隊長室のほうを示した。いつもは開いているドアが固く閉ざされている。

「機嫌悪かっただろ？」

確かに朝礼のときの玄田は機嫌が悪く、伝達の抜けた隊員を玄田らしくない険のある口調で厳しく問い詰めたりしていた。

「明日は新着図書の警護を強化しなくちゃね。良化特務機関が配送中に検閲をかけてくるかもしれないから」

図書館に入荷する本は、図書館専門の取次である図書館流通組合から入荷する物に限っては都下の全図書館分を図書基地が一括して受け取る。図書基地側から警護つきで引き取りに行き、基地から各図書館へ分配する形だ。分配にもやはり警護が同行する。

このルートを読んで良化特務機関が検閲をかけようとすることは珍しくない。さすがに封鎖が行き届かないので火器は封じられるが、それだけに遠慮のない肉弾戦となり、怪我人が多く出るケースとなる。

他にも各図書館で地元書店から本を購入することも多いが、こちらは図書館の規模によっては配達中の警護が行き届かないので狙われると被害が大きい。

「防衛部でも対策練るだろうけど、特殊部隊からも意見出さないわけには行かないよ」

と、小牧のこの発言は堂上に対してだ。意見書は玄田から出す必要があるので、早めに機嫌を取って業務に戻らせろと言外に急《せ》かしている。

何で俺が、と不本意そうに顔をしかめた堂上に小牧がしれっと笑う。

「副隊長が頼んだって言ってたよ。猫の首に鈴をつけるのは堂上の役回りだろ」

「猫なんてカワイイもんか、虎だろありゃ」

「クマ殺しなら虎も似たようなもんでしょ」

「うるさい」

玄田がこれほど不機嫌な理由は、明日の新着本入荷の警護を強化せねばならない事情と完全に連動している。

明日発売となる『週刊新世相《しんせそう》』の記事だ。去年逮捕されて世間を騒がせた高校生連続通り魔事件のその後が報じられている。

少年が十六歳未満であったため家庭裁判所による少年審判が適用され、精神鑑定を経て医療少年院にて治療を受けることになった結果に、処分が甘すぎると激しい世論が巻き起こった。少年法改正の気運も高まったが、処分から半年近くが経った今では世論も報道もトーンダウンしている。

明日発売の『週刊新世相』は、その弛緩《しかん》した状況に放たれた爆弾だった。少年の処分と現行少年法の在り方について疑問を投げかける記事がトップだが、そこには社会的に漏洩《ろうえい》するはずのない少年の供述調書が全文公開されているという。

『週刊新世相』に折口《おりくち》という盟友がいる玄田としては不機嫌にならざるを得ない事態である。現状では少年側弁護団からの世相社への抗議は入っているものの、正式な販売差し止めなどの申し立てではなく『新世相』の処置は完全に取り扱い側に委《ゆだ》ねられた状態だ。また、良化特務機関もいきり立って没収に乗り出すだろう。

「折口さんがいるのに何で……」

言っても詮無《せんな》いことをつい呟いてしまい、郁は慌てて口をつぐんだ。全員の表情がはっきりと郁の発言で苦くなった。

少年の供述調書の漏洩はもちろん違法であり、その公開ももちろん少年法に違反するはずだ。折口の属する雑誌がそうした報道に手を染めたことにはどうしても無心ではいられない。一度はつぐんだ口がまた呟いてしまう。

「何か……裏切られたみたいな感じ」

堂上が眉間《みけん》の皺《しわ》を深くして窘《たしな》めるような口調で言った。

「玄田隊長には言うなよ」

一番痛いのは玄田だ。それくらいは分かっている。会えば冗談口しか叩かない二人だが、絆《きずな》が深いことは隊の全員が知っている。

「まあ、向こうは向こうのジャーナリズムとしての言い分があるだろうしね。常に同調できるとは限らないよ。必要なときに協力態勢が作れればそれで充分」

と、小牧はまた割り切った正論である。

「えー、それちょっと冷たくないですか」

「何で？　お互い職分が違うんだから相容《あいい》れないことがあるのは当然でしょう」

ああもう、この人は情で揺らぐってことがないんだから、——毬江ちゃんのこと以外。だがそれをつついても無駄なことも知っているので郁はやや膨れっ面で黙り込んだ。もしかしたらさっきの苦くなった表情に感情が表れているのかもしれないが、それにしても小牧は発言段階では物事を割り切り済みなのでたまにそれが物足りない。

ちょっと強引で引くこともあるが、郁にとって折口はそれなりに身近で尊敬もできる大人の一人だった。それがこの事態になって、折口と『新世相』をどう判断すべきか戸惑うばかりである。

警備のシフトを確認して解散、バディの手塚と部屋を出ようとした郁を堂上が呼び止めた。

「何ですか？」

首を傾げながら駆け寄った郁に、堂上は言葉を迷いながらの様子で口を開いた。

「お前の考えてることは大体分かる。――しかし、組織と個人を直結させて結論づけるような短絡はするなよ」

　折口にがっかりしたことを見透かされたようで郁は肩を縮めた。そして、その釘《くぎ》が手塚には必要ないと判断されたことも刺さる。

　すみません、と小さく首を落とすと、堂上は「別に謝らなくてもいい」と小さく笑った。


「……でも、どう考えたらいいのかなあ」

　巡回しながら考えはどうしてもそこに行ってしまう。

「どうって何が」

　手塚に問い返された郁は、折口と口走りかけて慌てて「『新世相』のこと」と言い直した。

「どうしても正しいと思えないんだけど」

「正しくはないだろ、やり方は」

「やり方はって？」

「その記事で世論に何を訴えようとしてるかってことは別だ」

　潔癖なくせにこういうときは大人びた正論を発揮する手塚が郁には面白くない。あんたって最近堂上教官より小牧教官に似てきたんじゃないの。

　自然と口調は突っかかるものになった。

「訴えたいことがあったらやり方が間違っててもいいわけ」

「よくはないだろ。手法が間違ってることはそれはそれで批判されるべきだ。でも、その手法で何が訴えられたのかってことはまた別に評価すべきだ。手法が正しくなかったマイナスまで鑑みたその報道の全体的な価値は、報道を受け取った各自が判断するものだろ」

言いつつ手塚は窘めるような表情を郁に向けた。

「お前、なんでも1か0かで割りたがるの悪い癖。特に組織を考えるときにその癖出してたら大局を見失うぞ」

う、と思わず唸《うな》る。痛いところにざっくり刺さった。「言行一致で常に正しくなんてどんな組織でも無理だ」と、これは以前も聞いたことがある苦言だ。

そして手塚は郁から目を逸《そ》らした。

「もちろん図書隊もだ」

お膳《ぜん》立《だ》てされたキレイな舞台で戦えるのはお話の中の正義の味方だけよ。以前の柴崎の台詞がリアルにもう一度思い出された。

――泥被る覚悟がないなら正義の味方なんか辞めちゃえば？

「分かってるわよ」

その返事には胸の中で「理屈では」と付け加えねばならない。

泥は被れる。でも常に正しくあってほしいと願うのは間違っているのだろうか。

「そういえばさぁ」

話を変えたのはいたたまれなくなったからだ。

「柴崎のことだけど」

手塚が敢えて訊いてこなかったので今まで何となく話題に上らなかったが、持ち出してみる。

「あれから二回くらい昼ごはんに誘われたって。何か図書館問題のこと調べてる人らしくて、割りとそんな話ばっかりみたい」

ふうん、と手塚は気のない返事だが止めようともしないので聞くのはやぶさかでないらしい。

「朝比奈さんっていうんだけど名前はあんたと一緒だった。字ィ違うけど光が流れるって書くんだって」

「へえ」

手塚はやっと多少興味を引かれた様子になった。しばらくしてから、

「柴崎はそいつのことどんな感じなんだ？」

「なーんだ、やっぱり気になるんじゃん」

肘《ひじ》でつつくとうるさいなと邪険に払われる。興味がない素振りを装っていた手前、決まりが悪いのだろう。

「柴崎は周りに盛り上げられて断れないとこもあるみたいだけど、付き合ってって言われた訳でもないしごはん食べるくらいまあいいやって感じだって。柴崎と何度か会って話が保《も》ってるんだから、それなり頭も回る人なんだろうね」

聞きたがったくせに、聞くと手塚はふうんとやはり気のない返事だった。野次馬は潔くないとする男の沽券《こけん》だろうか。

何よ、カッコつけちゃって。郁は横目で手塚を睨んで唇を尖らせた。

＊

出社してまもなく、折口の携帯電話に入った着信は玄田だった。いつもなら席を外すが今日はデスクでそのまま出る。

「はい、折口です」

出ると玄田は名乗りもせずに「どういうことだ？」と苦い声で訊いた。その性急な話の運びは若い頃とまったく変わらない。

「そういうことよ」

茶化すつもりではないのだが、結果的に茶化したように聞こえる折口の返事に気を悪くした様子もなく、玄田は重ねて尋ねた。

「お前が書いたのか」

「記者が誰であろうとうちから出た記事よ。私たちが世に問うた記事だわ」

婉曲《えんきょく》な回答に玄田がしばらく黙る。無言の中にも不本意さが漏れてくるようだった。

「少年の調書の漏洩は違法だ。法を犯して世間様に一体何を問えるつもりだ」

「法を守っていたら問えないこともあるわ」

玄田と折口では立っている場所が違う。相容れないことがあるのは当然だ。だが、相容れないことが目の前に立ち上がるたびにお互い傷つく。相容れない現実はどうしようもないのにどうにかならないのかとお互いを責める。

一時は深い仲だったのに結局結婚に至らないまま今の関係に落ち着いたのは、多分そういうことなのだろう。

「行き過ぎた報道に世間が不審を抱いた結果が今の社会に至る一因だとは思わんのか」

昔から似たようなことがある度に玄田が責める理屈だ。折口一人を責めても仕方のない話だと分かりつつ言わずにはいられない、その葛藤《かっとう》を思えばこそ受け止める折口の傷も深くなる。

「良化法が成立してしまうような社会になった原因を報道だけに問われるのは心外だわ」

折口の切り返しもまた昔から変わらない。そして、

「調書は私たちが盗み出したわけじゃないわ」

言い訳はすまいと思っていたのに、傷ついて苛立《いらだ》つ玄田の声を聞くとやはりそんな逃げ口上を口にしてしまう。

「無記名で送付されたものよ。恐らくは審判の関係者から。これを世に問うてくれという意志だわ。私たちなら世に出せると託されたものを握りつぶせるほどには私たちも誇りを捨ててはいないのよ」

「――それにしてもだ、」

玄田の台詞は予想がついた。

そうね私たちは今まで何度もこんなやり取りをしてきたんだもの。

「調書の全文を載せる必要があったのか？　悪趣味な暴露報道という批判は免れんぞ。報道の良識を問われたときに胸を張れるのか」

「批判は甘んじて受けるわ」

調書の内容を公開せずに記事に説得力は持たせられない。そんな言い訳を口にできないのは、全文公開の判断に営業的な計算も確実にあるからだ。

自分たちは読者の好奇心に付け込む判断をした。それを「読者が見たがるものを見せて何が悪い」と開き直れば、それこそ誇りを打ち捨てることになる。会社が世間に対してそう嘯《うそぶ》くとしても、折口は玄田に対してそう言いたくなかった。

たとえ思い描く理想の自分ではいられないとしても。

「図書館の判断に合わないなら廃棄してくれて構わないわ」

「あほう」

玄田が初めて怒った声になった。

「恣意を交えない資料収集は図書館の義務だ。どんな本も全力で守るに決まってるだろうが」

そう言った表情が見えるようだった。手短に終わらすつもりで席を立たなかったが、やはり席を立つべきだったかもしれない。

泣きそうだ。

近くの部下が気遣わしげな表情を投げるので、折口は椅子をくるりと後ろへ返した。

「『情報歴史資料館攻防戦』について引き続き書いていく予定なんだけど、また取材に行ってもいいかしら」

当たり前だろうが、バカ。

投げ捨てるような無愛想な一言で電話は向こうから切れた。

＊

ノックの音に入れと許可を出すと、入室したのは堂上だった。玄田の顔を見て微笑む。

「整理はついたようですね」

玄田がふんと鼻を鳴らすと堂上はそれ以上は言わずに用件を切り出した。

「明日の新着本の警護対策についてです」

言いつつ渡された書類は対策案をまとめたものだ。

取次からの入荷に関しては、引き取りに時間差で囮《おとり》の便を複数つけて攪乱《かくらん》のうえ各便の護衛を強化。基地から都内への分配は『週刊新世相』とその他の本で便を分ける。これにもやはり囮の車輛を混ぜ、護衛を強化する。地元書店からの購入に関しては、地域ごとの主要図書館でまとめて引き取り、そこからの分配は基地からの『新世相』分配便に委任。

社会的な衝撃度から言って、明日の検閲が『新世相』以外は捨て置かれる状態になることは確実で、堂上の立てたプランはほぼ問題のないものだった。

玄田がチェックするだけの状態にまとめてあるのは、部下が事情を気遣った結果だろう。

「防衛部は早めに意見がほしいそうです。再検討する場合は会議の招集を急いでください」

「再検討は必要ない。ただし、明日の便から『新世相』以外の検閲対象図書は抜け。もし敵が他の検閲対象図書も狙ってきたら対処が間に合わん。入荷が遅れることになるが、『新世相』の騒ぎが落ち着いてからの分配にするほうが確実だ。その旨は業務部にも通達しろ」

恐らく防衛部側でも同様の案が上がってくるはずだ。後は向こうと人員配置の相談になる。

「了解、正式書類にしますのでまた承認印をお願いします」

部屋を出ようとした堂上に「おい」と声をかける。

「守るぞ。この号は一冊たりとも敵に渡すな」

肩越しに振り向いた堂上がにこりと笑った。

「もちろんです」

図書防衛の使命は入荷する本に一切の恣意を挟まず守ることだ。こうした問題があった場合、その本の提供については各図書館が検討することになるが、検討の結果がどうなるにしろその本を入手し守る義務に変わりはない。

堂上が退室してから玄田はバカかと低く呟いた。

守るに決まってるだろうが——お前の本なら。

しかしそれは一度も本人に言えたことはなかった。

＊

『週刊新世相』発売当日。

郁は例によって朝から三杯飯をかっ食らい、意気込んで出勤していった。

柴崎はそれを見ていただけで胸が焼けて朝食を抜き、これもいつもどおり。残したおかずは郁がぺろりとたいらげた。

防衛部と図書特殊部隊が総力を挙げた護衛作戦の結果、基地には昼前に取次からの便が到着し、隣接の武蔵野第一図書館にはさっそく『週刊新世相』の現物が届けられた。

事前の相談で当日の閲覧はひとまず差し控え、業務中に業務部全員で回覧して閉館後に閲覧について話し合うことになっている。

業務部内は寄ると触ると「見た？」と尋ね合い、感想を話し合うひそひそ声が絶えなかった。

利用者から閲覧できるかどうかの問い合わせが相次ぎ、柴崎も「閲覧についてはただいま協議中です、明日には方針が出るかと思います」という返事を何度したか分からない。

問題の記事の内容を知って尋ねている利用者も多かったが、知らずに「いつもは発売当日に読めるのになんで置いてないの？」と不思議がられることも多い。説明は入り口に張り出してあるのだが、張り紙を読まない人が多いので事情から説明せねばならないことも多かった。

「柴崎さんはもうご覧になったんですか」

そう訊いてきたのは昼過ぎに訪れた朝比奈である。

「ええ、まあ……そちらは」

「僕は朝、駅の売店で手に入れました。大きな書店ではもう検閲が始まっているようですね。それで……」

朝比奈はやや遠慮がちに切り出した。

「図書館の方の意見とか伺いたいんですけど」

熱心ですね、と柴崎は笑った。図書館問題を調べている人間には今回の図書館の対応は気になるところだろう。ちょうど手が空いていたので立ち話のモードに入る。

「やはり問題にはなるでしょうね、本来流出してはならない文書のうえにあの内容ですから」

少年の供述書には「十六歳未満なら処分が軽くなると思った」などの明らかに自覚的な犯行動機や、被害者女性が事切れてから性的な行動に及んだことなどが克明に語られている。また、少年の実名や住所、顔写真が公表されていることも現行の少年法をはっきりと逸脱していた。

「いえ、あの」

朝比奈が困ったように頭を掻《か》く。

「お話を伺いがてら、またお昼をご一緒できませんかということなんですけど」

そこは分かったうえではぐらかしていたのだが、直球で捕まえにくる朝比奈も負けていない。

「別に今日じゃなくてもいいんですけど……むしろ明日以降のほうがいいかな、図書館の対応がある程度見えてきますよね？」

ああ畜生、相変わらず巧《うま》いなぁこの男——柴崎は思わず苦笑した。あくまで図書館の対応を聞きたいという建前を前面に押し出して、しかも明日以降と言われたらずっと先約で埋まっていることにする訳にもいかない。

「正式なお話として話せないこともあるかと思いますが」

「結構ですよ、ソースとしては使いませんし」

往生際の悪い粘りを余裕の笑顔でかわされ、明日の昼を約束する。

その日は同僚と済ませた昼を終え、返却図書を配架していたとき、一冊の本が目に止まった。図書館に関する機関誌で、閲覧制限についての事例を取り上げた号だった。

ああ、これ参考になるんじゃないかしら。と朝比奈を思い浮かべたのは、これほど懐かれていたら無理もないところである。

柴崎との話が終わってから二階のレファレンス室に上がっていったので、調べ物が長引いていたらまだいるかもしれない。

「ちょっと抜けます」

その本を持ってレファレンス室へ向かう途中、階段の踊り場の手前で足が止まった。朝比奈がいたのに踊り場からの死角にそっと滑り込んだのは、広瀬が朝比奈を捕まえていたからだ。

「ねー、だからぁ」

相変わらずの鼻にかかった甘え声。

「柴崎って素直じゃないからあんまり態度に出してないと思うけど、絶対あなたのこと好きだと思うんですよぉ」

――そこまでやるか。頭の芯《しん》がすうっと冷めた。

「でも自分から言うタイプじゃないからぁ……」

もっと積極的になれとか男側から告白しろとか、そんなことを締まりのない口調でくどくどと訴えている。それを踊り場の下で一言一句漏らさず聞いた。

何であたしはこの女の好きな男に好かれたというだけでこんな恥をかかされなきゃならない。あたしが美人なのはあたしのせいか。好きで美人に生まれた訳でもなければ好きで男にモテる訳でもない。

そもそも自分の意中じゃない男に好かれたって迷惑なだけで嬉《うれ》しくも何ともない。

しかしこんなことは口に出したら柴崎のほうがいけ好かない女で、同情票は広瀬の総取りだ。広瀬は決して周囲にいけ好かない女ではなく、愛嬌《あいきょう》のある甘えキャラで売っている。

売っているとか皮肉な評価になるのは柴崎には計算が見え透いているからで、それも周囲に自分を良く見せたいというだけの無邪気な虚栄心でしかなく、柴崎が苛立《いらだ》つのはその無自覚な計算に対してだ。

無自覚で無邪気な計算を許せないのは同族嫌悪で、広瀬より更に何もかもが計算尽くの自分を改めて自覚させられることに苛立つのだ。広瀬が悪いわけではない。自分の恋に貪欲《どんよく》なだけで、その恋にたまたま柴崎が障っていただけだ。自分の恋になりふりかまわない広瀬のほうがよっぽど純粋だ。

朝比奈は困ったように言を左右にしていたが、やがてこちらに視線を投げて柴崎に気づいた。その表情が固まる。

はっきりと目が合ってから、柴崎は背を向けて階段を降りた。

『週刊新世相』の処置には全国の図書館が困惑していた。

お宅はどうしますか、などと近隣の図書館同士で探りを入れ合うケースも多く、日本図書館協会や各地の図書基地にも問い合わせが相次いだという。

調書や顔写真の掲載、そして実名報道が少年法に抵触しているのは明らかだったが、事件が凶悪かつ残忍だったため利用者からは『週刊新世相』を支持する声も多く、また閲覧したいという声も多かった。

事件当時の少年のプライバシーを保護した報道に生温《なまぬる》さを感じていた層がそれだけ多かったということでもある。

しかしその一方で、少年法を逸脱したうえに流出してはならない資料を用いた報道の良識を問う声や、少年の人権に配慮すべきだとの声も多い。

利用者の「知る権利」を図書館として保障する義務と、少年の人権及びプライバシーを保護する見地が完全に対立する形となり、更にはメディア良化法の検閲権と図書館の資料収集権の激突も絡んで判断は三すくみに追い込まれた状態だった。

江東館長も着任早々気の毒に。

そんな同情の声が囁《ささや》かれるように、これは図書館として未曾有《みぞう》のレベルの混乱だった。この問題をどう捌《さば》くか、早速に新館長の力量が量られる事態である。

日本図書館協会からは各図書館の判断に任せるとの見解が当日の午後までに表明されており、ただし協会に報告があった各図書館の対処については問い合わせがあれば参考情報として提供するとのことである。

やるじゃない、手塚の親父。と柴崎は内心で独りごちた。

手塚の父である日本図書館協会長が牽引《けんいん》したと思われるその判断はごく真っ当なものだった。こうした微妙な問題では、館にかかる責任を恐れて上位組織ではないにも拘《かか》わらず図書館協会や各地の図書基地に判断を求める腰くだけな対応も多い。

協会がある一定の対処法を示唆したら、全国の図書館が右に倣えとなることは確実だった。一方で、規模が小さく判断のための独自の会議が持てない館もあるが、そうした館に対しても他館の対処を参考情報として斟酌《しんしゃく》なく渡すとしたところがきめ細やかである。

関東図書基地からも稲嶺が日本図書館協会の見解を支持する意見を表明し、『週刊新世相』の対処は完全に各館の自主性に任された。

当日の武蔵野第一図書館における『週刊新世相』対策会議には、江東館長に対して業務部の全員が「お手並み拝見」の意識を持って臨んでいた。

柴崎が個人的に注目していたのは、夕方にＦＡＸされてきた文書に対する処置である。

その後の確認作業で都下の全図書館に送付されたことが発覚したその文書は、都教委の生涯学習課長名で発されており、都立図書館における『週刊新世相』の取り扱い方を知らせたものだった。

『週刊新世相』の該当号をカウンター内で管理したうえ閲覧に申請書を求め、職員の目の届く席で閲覧させるという閲覧制限の手法を「参考までに通達」しているが、これなど前任の鳥羽代理なら飛びつくようなお題目である。

参考通達としながらも、事実上は都の「指導」とも取られかねないその文書は、ただでさえ混乱している各図書館を更に困惑させていた。

この外圧をどう処理するかで江東の資質がある程度は量られる。

「夕方FAXで届いた都教委からの文書ですが」

会議が始まってから真っ先に江東はそのことに触れた。

「稲嶺司令に確認を依頼したところ、都教委からは指導ではなくあくまで参考通達であるとの回答が出ました。これは都下の全図書館にもすでに報告済み、ひとまずこの文書による混乱は解消されたものと考えます。また参考通達例となった都立図書館では、指導と取られかねない文書に一館としての対処法が引用されたことは大変遺憾であるとして都教委に強く抗議を申し入れています」

職員たちの気配が改まった。

ハキハキとした喋《しゃべ》り口調が着任当初から印象的だった江東だが、これは鮮やかな対応だった。

夕方に届いた文書にすでに解決がついているということは文書が届いてからすぐに対応したということで、しかも口ぶりからすれば江東が主導を取っている。

基地付属図書館として稲嶺と最も連絡を緊密にできる立場にある以上、江東が率先して対処に乗り出すのは当然とも言えたが、その当然のことが躊躇《ちゅうちょ》なくできる人材は貴重である。

しかも、鳥羽の弱腰や日和《ひよ》りぶりに半年近くも図書館が翻弄《ほんろう》された後とあっては、その対処はことさらに際だって見える。

ほぼ同年代で階級・役職ともに上を行かれ、内心では微妙な思いを抱いているであろう秦野《はたの》が率直に感服の表情を見せた。

——これで副館長は摑《つか》んだ、かな。観察しながら柴崎は脳内の人脈図に修正を加えた。人望のある秦野を摑めば館内の人心はほとんど掌握したも同然である。

これはやる、と柴崎も江東の有能さは認めざるを得ない結果だ。

「そんなわけですから、皆さんも都教委からの通達は意識しないものとして、自由に意見交換して頂きたい」

まず『新世相』の記事の所感が交換された。江東が直接に議長の役割も受け持って始まった会議は、いつもは発言せず参加しているだけの状態になっている若手の職員にもまんべんなく質問が振られた。恐らく、会議全体を通して全員に一度は発言をさせる意図だろう。図書館の対応について職員全員に当事者の自覚を持たせる意味で有効な手法だ。

鳥羽時代には形骸《けいがい》化してだれているだけだった会議とは随分な違いだ。前館長時代に戻ったとも言えるが、その緊張感は久しぶりに蘇《よみがえ》るとやはり心地よい。

記事については、優れたルポルタージュであることは全員が認めつつも、やはり調書の掲載や顔写真の公開、実名報道など少年法に抵触する部分で少年の人権に配慮しないという訳にはいかないという意見が大勢を占めた。

いざ対処の検討には、日本図書館協会からの他館の対処例が参照された。

武蔵野第一図書館では検討に時間を取るため当日の処置を凍結したが、他の館のほとんどは当日に対処しようとしたらしく、第一図書館の会議が始まった頃には都下の大多数の館の対処報告が上がってきていた。

報告された対策には、大きく分けて閲覧禁止と閲覧制限の二派がある。主流は閲覧制限で、その方式もやはり大きく二つに分かれる。

書庫やカウンターに別置し、請求に応じて閲覧させるという都立図書館の対策に準じたものと、該当記事を見られなくして開架にて提供するもの。

該当記事を見られなくする方式に関しては「完全に見られなくする」パターンと「個人情報に触れる部分を洗い出して伏せる」パターンがあり、更には複写で雑誌の複製を作ったうえで該当の記事に削除や伏せ字などの加工を施す方法と、雑誌に直接手を加える方法がある。

雑誌に直接手を加える場合は慎重さが必要なはずだが、現場の混乱を反映してか粗雑な処置になった館も多い。閲覧制限は社会の情勢やその他の事情を鑑みて、将来的には再検討されるべきものであり、基本的に原状復帰できる形で手を加えねばならないところを、該当ページを切り取ったりマジックで直接黒塗りにするなど、復帰できない形での処置が多発したのは問題だった。

あまつさえ、切り取ったページを廃棄した館さえあり、問題の部分にメンディングテープで目隠しの紙を貼るなどの原状復帰が可能な方法を取った館は驚くほど少なかった。

それぞれの手法の問題点や利点を検討し、最終的な第一図書館の対処の決定である。

柴崎にはこの段階で発言の順番が回ってきた。

「まず、原状復帰できない形で制限を加えることは避けるべきだと思います。他館で破損処置が多発した以上、将来的に共同保存図書館《デポジット・ライブラリー》に入るべき資料を確保しなければなりませんから。雑誌は運用中に劣化することも多いし、原状復帰できる資料が既に減ってしまっていることを考えれば、原状復帰型の処置は大前提かと思います」

「でもメンディングテープの方式だと、テープを剝《は》がして記述を見ようとする利用者が出るんじゃないでしょうか。新刊じゃなくなったら貸出しもできるわけですし」

そう発言したのは広瀬である。会議のときなどはいつもの甘ったれた口調は抑え、しっかりと喋る。そうしたところできちんと線を引けるタイプと解釈するべきなのだろうが、今の柴崎にはその計算された抑制が鼻につく。——昼間の一件で苛立ちが増幅されてもいた。

しかし、広瀬の指摘はある意味では的確である。こうしたとき自然な節度を期待できるほど利用者全体のモラルは高くないのが現実だ。欲しいからと雑誌のページを勝手に破ることなど日常茶飯事で、今回のようにゴシップ性の高い問題が発生したときは何をか況《いわん》やである。

切り抜きや黒塗りの処置をした館は、目隠しを剝がされることを案じたと説明したところがほとんどだ。しかし、

「閲覧制限のかかった号は新刊期間を過ぎても貸出しを差し控えるものだし、剝がされるかって破損した館はちょっと短絡的だと思うけど」

館を批判する言い回しにしたが、微妙なトゲは伝わったらしい。広瀬が拗《す》ねた表情になる。

「でもコピーの作成も問題あるでしょー？　図書館は利用者に蔵書のコピーを制限してるのに、新しい雑誌ほとんど丸ごとコピーしちゃうのってどうなのよぉ」

著作権保護の観点から、図書館の蔵書のコピーは微妙な問題だ。著作権法第三十一条により図書館などの公共施設では一定の条件をつけてコピーが許可されているが、出たばかりの雑誌を全複製に近い形でコピーすることは手放しで推奨できる処置ではない。資料を保護する意味では最適だが、利用者のコピー制限に理解を求めるのが難しくなる恐れがあり、特に館の規模が大きいと事情説明の周知が難しくなる。コピーの処置を取ったのは地域住民との交流が密な小規模館が主だった。

「コピーした該当記事に黒塗りにして本ページとコピーを差し替えたら？　外した本ページは書庫で保管。『新世相』は中綴《なかと》じだから雑誌をそんなに傷めずにページを外せるし、これなら閲覧申請や監視も要らなくなる。一部コピーしたことについては、表紙カバーに理解を求める説明を書けばいいんじゃないか」

口を挟んだ相手に柴崎は内心顔をしかめた。広瀬の思い人である。仕事上の判断による発言だろうが、コピーの難を指摘した広瀬の意見を封じたことが回り回って柴崎の肩を持っているようにも聞こえるので、広瀬の表情がまた一段とむくれた。

ああまた何かややこしいことになりそう、とうんざりする。

「館長の所感はいかがですか」

秦野に議題を戻され、江東が議場を見回した。

「私としては、閲覧禁止の選択肢がまったく検討されていないのが問題だと思います」

完全に意表を衝かれて全員がざわつく。

争点は少年のプライバシー保護と利用者の「知る権利」を両立させることだと議場の全員が認識しており、話し合いもごく自然にそのラインに沿って進んでいた。

何よりも、閲覧禁止措置は利用者から情報を吟味する権利を剝奪《はくだつ》するという意味においては検閲と結果が変わらない。閲覧禁止の措置を執った館が少なかった所以《ゆえん》である。

「しかし……雑誌自体の閲覧を禁止すると他の記事を読む権利が侵害されてしまいます。それに問題の箇所はあるとしても、利用者に記事の内容そのものを吟味する機会を与えないのは、図書館の理念に反するのではないでしょうか」

秦野の異議は当然のものだったが、江東は揺るがない。

「組織にとって最も重要なのはバランス感覚です。業務部総員三十二名が揃って、ただの一人も閲覧禁止の可能性に言及しなかったのは、部の考え方が偏向していると批判されても仕方がない。違いますか」

偏向という言葉を使われて秦野が目に見えて怯《ひる》んだ。これまで鳥羽前代理や行政派の偏向を批判してきた手前、その単語を自分たちに向けられることには誰もが怯みを感じざるを得ない。

「どうも皆さんには原則的な意識が強すぎる。鳥羽前代理のことがありましたから行政派への反発が強まらざるを得なかったことについては理解しますが……」

はっきりと鳥羽との確執を衝かれてまた議場の空気が怯む。

そうか、これはこういう男か——末席をいいことに柴崎は遠慮なく江東を観察した。行政派ではないが原則派でもない、それは日和ってそうしているのではなくどちらにも属さないことに公正さを見出《みいだ》しプライドとしているタイプだ。

独自の立ち位置にプライドを持っている分、与《くみ》しにくくもある。

「本来、行政派は諍《いさか》う相手ではないはずです。組織内に多様な視点があることは当然かつ健全なことで、行政派も多様な視点のひとつに過ぎない。もちろん原則派もです。懸案についても『行政派的』『原則派的』といった短期的な視点に括《くく》られるべきではありません。常に図書館界全体のことを考える公正さを持って頂きたい」

自分が公正であることと図書館界のことを考えていることを疑いなく信じているがために、その発言には揺らぎがまったくない。そうした声だった。

……なるほど、こういう人か。

柴崎は以降の発言を一切控えて会議の成り行きを見守った。

会議のために業務部にしては遅い時間となった夕食は、流れで業務部の同期女子が全員一緒になった。

何となく会議のことに話題が流れそうになったところへ現れたのは郁である。

「お疲れ〜」

見るからによれよれな様子で柴崎の向かいに座り、その途端に場が騒然となった。

「ちょっと笠原、どうしたのそれ！」

さすがに驚いて大声になった柴崎に続き、広瀬やほかの女子も騒ぎ立てた。「やだちょっと痛そう！」「大丈夫なの⁉」

郁はうう一っと唸《うな》りながら顔の左半分を覆い隠した。

「あんまり見ないでぇ」

隠した顔の左側は頬や額が絆創膏《ばんそうこう》だらけで、目の周りが腫《は》れ上がっている。

「今日の分配の護衛作戦で乱闘になって……」

「ええ一っ女子でも乱闘の最前線に立つの⁉」

同期がびっくりした声を上げると、郁は慌てて首を横に振った。

「ううん、それは堂上教官がちゃんと采配《さいはい》してくれたんだけど」

『週刊新世相』の分配便の護衛についていたところ、分配先の図書館の近くで良化特務機関と激突し、乱闘で混乱している隙に郁が雑誌を届けに走ったという。足だけはめっぽう早い郁の適性を生かした采配だったが、

「館に入るとき、自動ドア開くのが間に合わなくて……」

「……顔から突っ込んだのね？」

柴崎が確認すると、郁がしおたれて頷いた。気遣わしげだった周囲がどっと笑う。

「ひ、ひどっ！　大変だったんだからねガラスは被るし！」

「ドア割ったんかい！」

誰かのツッコミにまた爆笑、郁には悪いが同情する流れには到底ならない。本人が率先して騒げるほど元気だったらなおさらだ。

「どうでもいいけどあんた、それ腫れが引いたら目の周りまん丸のアザになるわよ」

柴崎の指摘に郁が更にうなだれた。

「堂上教官にも言われた〜〜〜〜」

隊でも笑われるし最悪、と郁はいじけたが、それも笑い事で済む程度の怪我だったからこそである。

「いいとこ見せたかったのになぁ」

へこんだ呟きに「誰に？」などと突っ込むとまたむきになるので聞き流す。さすがにほかの女子もいるところだと晒《さら》しているようで気の毒だ。

「変なスケベ心出さないほうがいいんじゃないの、あんた張り切ると絶対空回りするんだから。あんまり心配させると禿《は》げるわよ、あの人」

「心配してたら病院来るなりいきなり怒るー？　一応任務は果たしたんだから、怪我したときくらい優しくしてくれてもバチ当たんなくない？」

「このバチ当たり」

「何でよ！」

むくれた郁を柴崎は無視した。無事な姿を見て怒ってしまう機微など、このお子様には説明しても理解できまい。まったく罪作りなんだからこの箱入りは。

「ところでさぁ」

雑談が交錯していたところへそう声をかけて注目を集めたのは広瀬である。

「柴崎、明日も朝比奈さんとお昼なんだってぇー」

あんたに言った覚えはないわよ、と腹の中でうんざりする。朝比奈に聞き出したか約束するのを立ち聞きしていたか、どちらにしてもその話題をここで持ち出すことが心底うざい。

だが同僚の女子たちはきゃあっと盛り上がった。

「柴崎、朝比奈さんと実際のとこどうなのよ！」

「付き合ったりとかしないの!?」

周囲のはしゃいだ声に柴崎は笑顔を作った。

「別にそういうこと言われたわけでもないし。前にも言ったけど図書館問題の話ばっかりよ」

「でも朝比奈さんは柴崎のこと好きなんだってぇー」

更に色めき立った歓声が不快に耳を貫いた。煽《あお》った広瀬がしたり顔で付け加える。

「もしかしたら明日告白とかしてくるかもよぉ」

そうね、あんたがそうそのかしてたものね。向こうではあたしが朝比奈さんのこと好きって煽って、こっちでは朝比奈さんがあたしのこと好きって煽るのよね？　安っぽい立ち回りをここで暴露してやったらどうなるだろう。

「えー、何で付き合わないの柴崎ー！　朝比奈さんかっこいいしイイじゃん！」

「何でって言われても……」

かなり露骨に困惑している素振りを出したつもりだが、悪気なく乗せられた同僚たちはそれくらいでは頓着《とんちゃく》しなかった。

「もったいないよー！　話し方とかも感じイイし、性格も良さそうじゃん！　あたしだったらすぐOKしちゃうのに！」

ああまずい、空気を作られた。気まずくせずに逃げるにはどうしたら。

あたしは一人で気ままにしてたいだけなのに、何であんたたちそんなに他人の恋愛沙汰《ざた》が好きよ。乗れないあたしが悪いみたいに。

あんたたちが当事者だったらもったいないって付き合えばいいけど、あたしは別にもったいなくないのよ。そんな本音を口に出したら吊るし上げコースまっしぐらだ。

もったいない、付き合っちゃいなよと柴崎を説得する同僚たちに広瀬はしてやったりの底意が見え透いた笑顔で、この思惑に乗りたくないからというだけで柴崎にとっては朝比奈を弾《はじ》く理由は充分すぎる。

そんなにあたしがフリーでいるのが心配だったらあんたの好きな男にあたしに告白するように仕向けたらいい、こっぴどく振ってあげるからその隙にあんたが付け込んだらいいじゃないのよ。

「ちょっと！」

声を荒げたのは郁だった。

「みんな無責任すぎだよ！　自分だってもったいないからってだけで付き合ったりとかしないでしょ!?」

声の勢いに盛り上がっていた空気が一気に水を差される。

「どんだけ条件よくても柴崎が好きにならないと意味ないんだから！　こんなに冷やかされたら好きになれるかもしれない人でもイヤになっちゃうじゃん！」

「もー、ちょっと盛り上がっただけじゃん。何よ純情ぶって」

一人がむくれて唇を尖《とが》らせ、郁も迎え撃って唇を尖らす。

「純情ぶってってどういう意味よっ」

「あーごめんごめん。ぶってるんじゃなかったわね、あんたは。イマドキ憧《あこが》れの王子様なんかいるような真性純情乙女だもんね」

キャーッと郁が悲鳴を上げた。

「何で知ってんのよそんなことー!?」

「教育隊の頃の騒ぎ、いろんな部署で噂になってたもん。みんな知ってるわよ。さすが純情なお子ちゃまは世情にも疎いのねぇ」

「わぁむかついた！　表出るか!?」

「こちとら非戦闘職種なのにあんたみたいなキルマシーンと戦えるかっ！」

勢いだけで毒のないクラッカーみたいな言い合いに周囲がどっと沸く。一気に変わった流れに乗って柴崎も笑った。

……ああ、だから。

だからあたしあんたが大好きよ、笠原。

＊

武蔵野第一図書館は『週刊新世相』のその号を無期限で閲覧禁止に処することを決定した。その決定が図書特殊部隊に知らされたのは発売の翌日、朝礼の直後である。

「何とかなりませんか」

玄田の訴えに稲嶺は苦渋の表情である。

「各図書館の決定に私が口を挟むわけにはいきません」

稲嶺がその返事しかできないことは承知している。それでも訴えずにいられなかったのは、玄田の個人的な感情の問題だ。

「しかし、閲覧制限ならともかく雑誌そのものを閲覧禁止とするのは利用者の知る権利の侵害になるはずです」

記事の全面制限なら予想していたが、雑誌そのものが閲覧禁止処置になるとは完全に予想外だった。武蔵野第一図書館は都下最大級の公共図書館であるだけに、問題の対処にはより一層の中立性が求められるはずで、はっきりと少年の擁護に偏った慎重策である閲覧禁止の決定が下されたことは都下の図書館にも動揺を与えている。

「連載の記事も多くありますし、図書館問題をメディア良化法に反対する立場から取り扱ったレポートも継続中です。継続して報じられる記事が一回分抜けてしまうことにもなります」

「それに関しては、来週号の各連載記事に今号からのコピーを添付することでフォローするとのことです」

稲嶺が目を落としたのは、江東館長からの報告書であるらしい。

「慎重策に偏っていることは確かですが、よく目配りされていると言わざるを得ません。定期刊行物の複写の原則にも配慮しているとのことですし」

原則的に雑誌の複写が認められるのは最新号でなくなってからだ。だがこうした特殊な問題では現場の判断で裁量された前例も多々ある。

食い下がろうとした玄田に稲嶺は痛ましげな表情を向けた。はっきりと気遣われたそのことが玄田の頭に冷水を浴びせた。

「議事録を見ても色々な角度の意見が出ていますし、少なくとも江東館長の一存で決断されたこととは思えません。議論を誘導した可能性はあるとしても、結果的に業務部の決定となったわけですから、これは武蔵野第一図書館の判断として尊重せねばならない。図書基地司令から異論を挟むのはそれこそ偏向になってしまいます」

分かって頂けますか。なだめる口調に玄田は強く顎《あご》を引いた。

「申し訳ありませんでした」

これ以上の無理を押すのは玄田の本意ではなかった。


隊長室のドアは郁が昼の休憩で戻ってもぴったり閉じたままだった。一緒に戻ったバディの堂上に思わずすがる視線を向ける。

「駄目だったんでしょうか、やっぱり」

堂上は微妙に郁から目を逸《そ》らしながら「だろうな」と頷いた。

玄田が『週刊新世相』の取り扱いについて稲嶺に計らいを頼みに行ったのは朝礼のすぐ後だ。昼になっても隊長室が天の岩戸ということでその結果は容易に知れた。

「何でこんな処置になっちゃったんですか？」

「さあ、まだ詳しい説明が回ってきてないからな。そっちこそ柴崎から何か聞いてないのか」

「だって閲覧禁止になるなんて思ってもみなかったし、わざわざ訊きませんでした」

柴崎から話してこなかったのは、もしかするとこの結果が気まずかったのかもしれない。

「江東館長ってやり手って聞いてたんだけど、この処置ってどう受け取るべきですか」

日報を付けはじめた堂上に身を乗り出すと、堂上が思い切り郁に向かって吹き出した。

「ひどーいうら若い女性の顔にツバ散らすなんてー！」

叫んで顔を袖《そで》で拭《ぬぐ》うと、堂上も気まずいのか耳を赤くして怒鳴った。

「その顔で迫ってくるからだろが！ 今自分がどんな愉快な顔になってるか思い出せ！」

はっと気づいて顔の左を隠す。昨日腫《は》れ上がった目の周りには、柴崎と堂上の予言どおりに漫画のような青アザが丸く出来ていた。

「め、名誉の負傷だもん！ 上官が笑うなんて！」

「笑ったら悪いと思ってるからこっちもできるだけ直視しないようにしてるんだろう！ それをいきなり乗り出しやがってそんなコントみたいな顔突き出されたらこらえ切れるか！」

「何、賑《にぎ》やかだねえ」

と、事務室に戻ってきたのは小牧・手塚組である。

「聞いてください小牧教官っ！ 堂上教官ひどいんですよ！」

訴えたが郁と顔を合わせるや小牧も吹き出した。そのまま上戸に入って引き笑いになる。

「ひ、ひどい！ 上官のイジメで職場が苦痛ですって基地報に投稿してやる！」

「仕方ないだろ、むしろお前の顔がひどすぎる」

端的な手塚の指摘がまた刺さる。ひどすぎって！ ひどすぎって仮にも女の顔に向かって！

「だって眼帯とかできないじゃん、遠近感狂うし！」

眼帯をすればアザは隠せるが、わずかではあれ距離感が狂った状態ではとっさの対処に不備が出るかもしれない。戦闘職種として眼病でないのに眼帯をすることは憚《はばか》られ、敢えてひどい顔を晒すことを決意したのに仲間たちの思いやりのなさと来たら！

いじけて堂上の机の横にしゃがみ込むと頭を軽く叩かれた。見上げると堂上だ。

「悪かったよ。そういじけるな」

「……ホントに悪かったと思ってるなら言いつつ目を逸らさないでください！」

「だからまともにその顔見られるか！」

また押し問答になったとき、隊長室のドアが荒っぽく開いた。

「やかましいぞお前ら！」

と、いつもなら玄田から出る訳のない説教である。玄田は不機嫌な顔でこちらを睨み、郁の顔を見て矛先を見つけたように怒鳴った。

「何だお前はのらくろみたいな顔になりおって！　いっそ右目も揃えてこい！」

「の、のらくろ――――!?」

郁は目を剝いたが男性陣は爆笑した。戦前の漫画だが図書館に蔵書があるので全員分かる。主人公は確か犬だ。

「ちょっ、待っ、それ人間ですらないじゃないですか！」

抗議した郁の横で、息も絶え絶えに堂上が指摘する。

「た、隊長、白抜きの位置が違うと思われますが」

「って突っ込むのそこかよアンタ！」

そうだよ、と小牧が涙を拭いながら口を挟んだ。

「そもそもアザじゃないでしょ、のらくろ。あれ白目だよね」

「それも違くて！」

遠慮会釈なく笑われて郁はぶんむくれた。

「怒った、もー怒った、全員パワハラで訴えてやるっ！」

「パワハラだったら対象は上官だよな、俺は同期だから関係ないな」

他人事《ひとごと》の手塚にもすかさず「あんたはモラハラよ！」と噛《か》みつく。

「分かった怒るな、昼飯奢《おご》ってやるから」

言いつつ堂上が郁の髪をぐしゃっとかき回し、玄田に向き直った。

「どうですか、隊長も。パワハラで訴えるそうですからみんなで機嫌を取りがてら」

軽い口調の誘いはしかし、玄田を案ずる心情が溢《あふ》れていた。

小牧も手塚も玄田を正視し、郁も喚《わめ》くのをやめた。――こんなふうにダシにされるんなら、大歓迎だ。

玄田はしばらく怒ったような表情をしていたが、多分それは照れ隠しで、やがて強面《こわもて》なりの微笑を浮かべた。

「そうだな、行くか」

歩き出しながら郁ははたと気づいて手を挙げた。

「メニューの選択権あたしにありますよね！　バス道のとこのフレンチがいい！」

「お前、すかさず一番高い店を……」

「自分より給料高い人の懐具合なんか気にする義理ありませーん、だ」

「少しは気にしろ！」

堂上に軽く頭を小突かれて、郁はべぇっと舌を出した。

＊

携帯に着信したメールは玄田からのものだった。開いて折口の口元は自然とほころんだ。

件名は無題で、本文は一言だけ。

『すまん』

その一言ですべて分かった。武蔵野第一図書館で『週刊新世相』がどんな処置を受けたか。玄田がその処置にどう食い下がってどう諦《あきら》めたか。

きっと主義に合わない横車を押そうとさえしたのだろう。

折口の打った返事も一言だけだった。

『分かってる』

玄田にはそれだけで全部通じるはずだった。

昨日の郁の純情発言が効いたのか、朝比奈が誘いに来たとき、同僚たちの冷やかしはいつもよりおとなしかった。

朝比奈との昼食は最初に郁がドアベルを鳴り響かせた店が定番になっている。

広瀬が仕掛けた昨日の今日なので、店で向き合うと微妙に気まずい雰囲気になった。こちらから何か取り繕う筋合いもないし、繕いたい意志もないので黙って水を飲んでいると、朝比奈から切り出した。

「結局どうなりましたか、『週刊新世相』」

まずは無難な話題である。

「今週号の無期限閲覧禁止が決定しました」

議事録を見れば最終的には満場一致の決定だったかのごとくだ。が、実際のところは引け目を衝《つ》かれた職員たちが消極的になった間に江東の意志が通った形だと柴崎は観察している。

原則派でも行政派でもない「中立派」、バランス論者である江東の理屈は「都下の図書館界全体のバランス」だった。閲覧禁止の措置を下したのは昨日の時点でわずか数館、少年の人権を最大限に尊重した措置であるとも言える閲覧禁止措置を決定した館が圧倒的少数であることは、図書館界全体の対応を俯瞰《ふかん》したとき「健全なバランスであるとは言えない」――その江東の論を職員たちは引っ繰り返せなかった形である。

都下最大の公共図書館である武蔵野第一図書館が閲覧禁止措置をすれば、年間の延べ利用者数から行けばそれなりのバランスを取り戻せることになります。

しかし、武蔵野第一が図書館界全体のバランスを配慮する必要があるのでしょうか。秦野の疑問はもっともで、図書館が各館の独自性と独立性を重視した組織である以上、その判断にも各館の独自性が重視されるべきであった。

だが江東は揺るがなかった。

外部から見れば、図書館は図書館界の一括《ひとくく》りで判断されます。各館独立の原則を守るという考えにも一理ありますが、図書館界として括られたときに健全なバランスを維持できているかどうかも大切な視点ではないでしょうか？

「へえ、見識のある館長さんですね」

柴崎の説明を一通り聞いた朝比奈は感銘を受けた様子である。

「そう思われますか？」

「え、そうじゃないんですか？　対処にも目配りされていると思いますし、非常に公正な判断だと思います。一館の館長の立場から図書館界全体のことを配慮できるというのは視野の広い方だと思いますけど」

柴崎は曖昧《あいまい》に頷いた。

確かに視野は広いのだろう。しかし近くが見えているかどうかは疑問である。

「武蔵野第一図書館には閲覧を希望する利用者の声も多く寄せられていましたし、今回の判断は利用者の声を切り捨てたことになるわ」

図書館界全体のための判断を。江東が何度も繰り返したその発言には、利用者のためという視点が欠落している。江東のバランス論は、地域住民へのサービスをその第一義とする『中小レポート』の理念とは馴染《なじ》まない。

「でもそれは仕方がないんじゃないですか？　そもそも今回の記事は、不法に入手された資料が元となっているわけですし。公開されてはならない情報が取り扱われた以上、市民もそれを見るべきじゃないと思いますが。それに見たければ他の図書館へ行けばいいわけだし……」

「見るべきじゃないって誰が決めるの」

ぞんざいになった柴崎の発言に、朝比奈が驚いたように声を飲んだ。

「不法な情報が使われたとしても記事は何かを訴えたはずだわ。利用者には実際の記事を見て善し悪しを判断する権利がある。その判断の権利を委《ゆだ》ねられたように振る舞っているのが、今だとメディア良化委員会ね」

はっきりと朝比奈が傷ついた顔になった。

「ごめんなさい、でも図書館焚書《ふんしょ》事件を調べてた朝比奈さんがそう仰《おっしゃ》るのは残念です」

図書館が良書と悪書を選別しはじめたら、それは一種の検閲である。国民の思想の善導機関として機能しようとし、良書を選別しようとした結果が戦時中の図書館の過ちに繋《つな》がっている。善導という意識がそもそも驕《おご》りだ。

玉石混淆《こんこう》から石を弾《はじ》こうとして過った歴史に学んで、玉石混淆を維持する意志を持ったのが現代図書館であるはずだった。

「柴崎さんは館長さんが間違っていると思われるんですか」

「間違っているとは思いません。でも、あたしの信じるところとは違う。それだけの話です」

「じゃあ何で柴崎さんはご自分の信じるところを主張して戦わなかったんですか」

痛いところを衝かれたとき、注文したランチが来た。なし崩しに話は収束し、気まずいままで食事が始まった。


店を出たところで今回は柴崎が先制した。

「もうこういうのやめて頂けますか」

店で傷つけたときより朝比奈は傷ついた顔をした。

「それは昨日のことがあったからですか」

「それもあります」

「あんなことを吹き込まれて調子に乗るほど僕は頭が悪く見えますか」

「いいえ」

今日の話が行き違ったことに原因を求めないことも朝比奈の聡明《そうめい》さを表している。ただ、

「あたしが彼女に操作されたようになることが我慢できないんです。それに……」

人の往来を避けて柴崎は道の端に寄った。恥をかかせることは本意ではない。

「あなたの気に入ったあたしは営業用ですから。あたしがこの顔で笑って親身になるのはそれが仕事だからです。営業用の顔で気に入る方はあたしには最初から対象外なんです。だって、こんな美人に愛想良くされたら好きになるのも無理ないでしょ?」

毒気を抜かれて唖然《あぜん》とした朝比奈に柴崎はとっておきの『営業用』の笑顔を作った。

「今後も当図書館のご利用に当たっては今までと変わらないサービスをお約束しますので」

一礼して歩き出す。

朝比奈は追いかけては来なかった。

*

問題となった『週刊新世相』が最新号でなくなった翌週、しばらく姿を見せなかった朝比奈が武蔵野第一図書館を訪れた。

「柴崎さん」

声をかけてきたのは、柴崎が所用で閲覧室を出たときである。追いかけてきて呼び止めた。

振り返った柴崎が何か言うより先に朝比奈はまくし立てた。

「最初はあなたが言ったとおりの理由でした。でも、一回話せばあなたが辛辣《しんらつ》な皮肉屋だってことくらい分かります。それで失望してたらその後も誘ったりしません」

あなたはそんなにうまく営業用の外ヅラを被れてるわけじゃないですよ、と朝比奈は率直に言い放ち、柴崎は軽くむっとした。

「別に地を出さないように構えてたわけじゃないですから」

最初から構えていたら見抜かれたとは思わない。

「そうですか、じゃあそれはそれで結構です。でも、僕はそういう意地悪なところを見たうえでその後もあなたを誘ってたんだから、営業用の顔に釣られたというのは不当です」

頑《かたく》なな口調は朝比奈もむきになっている。

「僕は、皮肉っぽくて辛辣で意地の悪いあなたと話をしたいと思ったんです。図書館のことにしても、僕とは全然違う考え方を持っているあなたの話を聞いてみたいんです」

それに、と悔しそうに目を伏せる。

「あなたの同僚が余計なことをするからって、それで僕を回避されるのは心外です。弾くなら理由は僕に見つけてください」

ああ、こういう直球でバカっぽいとこやっぱり笠原に似てる。そんなことを思いながら柴崎は答えた。

「でも館内で誘われるのは困るのよ。こういうことでからかわれるのはあたしは好きじゃないし、ああいう同僚もいることだしね」

目に見えてしおたれた朝比奈に、柴崎は「だから」と付け加えた。

「誘うんだったらメールにしてくれるかしら。こないだもらったアドレスに返信しとくから。そしたら弾く理由が見つかるまでごはんくらいは付き合うわ」

「へえ、結局メルアド渡したんだ？」

郁はまた意外そうな顔である。

「まあねー。弾くんだったら理由は本人に見つけてくれってのは確かに道理だし」

広瀬の思惑に乗ることが不本意なわけで、相手がその辺の事情まで分かったうえで会うならむしろ思惑に乗った振りで広瀬の小細工をかわせるので柴崎にとっても都合がいい。

郁が安心したように笑った。

「まあ、周りに騒がれてどうこうならなくてよかったよ。柴崎ってけっこうああいうとき押しが弱いもんね」

そうね、と柴崎は素直に認めた。

「駄目なのよあたし、ああいうノリが自分に回ってくると巧《うま》く捌《さば》けなくて。昔いろいろイヤなこともあったから」

郁にだったら吐いてもいい。自分の弱さを。はっきりとそう自覚して吐いた。

そんな柴崎の思いを知ってか知らずか、いや確実に知る訳がないが、郁はドンと胸を叩いた。

「そーいうときはあたしに言ってよ、ちゃんと柴崎メーワクだって捌いてあげるから」

「あんたのは捌くっていうか蹴倒《けたお》すっていうか」

「こ、こないだだってちゃんと助けたじゃん！」

「うん、感謝してるわ」

柴崎の謝辞に郁は居心地悪そうに身じろぎした。「何か素直な柴崎ってヘンな感じ」と微妙に失礼な物言いだ。

「でももし付き合うことになったら教えてね！」

「もしそうなったらね。多分そうはならないと思うけど」

「えー、何で最初から決めつけちゃうのー」

「あたしは予防線引くのが好きな女なのよ、知ってるでしょ」

話の途中で携帯がメールの着信音を鳴らした。開いて目を通すのは一瞬で終わった。

「どしたの？　もしかしてさっそく朝比奈さんからお誘い？」

「ううん、友達」

言いつつ柴崎は携帯を畳んだ。

四、兄と弟

＊

「まあ幹久《みきひさ》くん、いらっしゃい！」

小牧《こまき》を幹久くんと呼ぶのは毬江《まりえ》の両親だけである。自分の親は呼び捨てだし、友人関係でも名前で呼び合う文化はなかった。

親戚《しんせき》でもない他人から名前でくん付けされるのは、二十代もいよいよ終盤となった男として微妙に気恥ずかしいものがあるが、毬江の母親は小牧が生まれた頃からそう呼んでいるので、小牧に抵抗権などあろうはずもない。

「今日は図書館はお休み？」

防衛方の小牧には休館日は自分の休みと必ずしも連動しないのだが、それは何度説明しても次までに忘れているようなので「今日のシフトが夜からなんです」と単純に事実だけ答える。

「毬江ちゃんはいますか」

実際のところは先に連絡を取ってから来ているが、ふりの訪問のように尋ねるのが何となくの作法のような気がしていた。もっとも連絡しなくても土曜日の午後は毬江は大抵家にいる。

「自分の部屋にいるから上がってちょうだい。よかったら後で散歩にでも連れ出してあげてね、あの子は一人じゃなかなか外にも出たがらないから」

幹久くんがいなかったら引きこもりになっちゃうところよ、と毬江の母はころころ笑った。

「じゃあ後でお茶にでも誘います」

「ごめんなさいね、昔から幹久くんには甘えてばかりで。迷惑じゃない？」

「おばさん、それは俺に失礼」

小牧は笑って窘《たしな》めた。

「迷惑だったら何年も前に来なくなってるよ」

「そうね、本当にありがとう」

幹久くんなら安心して毬江を任せられるんだけど、と冗談めかした台詞《せりふ》には答えようがなく笑ってごまかす。毬江の母親は残念そうに溜息《ためいき》を吐《つ》いた。

「そうよねえ、子供だものねえ」

いやそうではなく。

微妙な罪悪感に駆られて小牧は逃げるように二階へ上がった。


ドアは開いていたが、毬江は机に向かっていて小牧に気づかなかった。人の気配というものは音の作用する部分がかなり大きく、そういう意味では毬江は人の気配に敏くない。

ドアの近くの電気のスイッチを数回押すと、微妙な明滅で気づいた毬江が振り向いた。

「小牧さん！」

家なので躊躇《ちゅうちょ》なく声が出る。椅子を立って子供のように駆け寄り、――小牧は慌てて後ろ手にドアを閉めた。毬江が抱きついてきたのである。

背中に回された手を摑《つか》んで剝《は》がさせ、毬江を押しのける。

「やめてくださいね、こういうのは」

「えー、どうして？　迷惑？」

「迷惑じゃないから困るの」

幹久くんになら、などと言いながら毬江の両親は小牧を完全に保護者役として信頼しきっているのが明白で、十数年分の信頼は小牧には重い。

「もう子供に見えないって言ったじゃない」

膨れた毬江に「俺にはね」と返すと毬江も察したらしい。

「そんなのいつまで待っても大人に見えるようになんかならないよ、賭《か》ける？」

「賭けになりません」

毬江が詰まらなさそうにベッドに腰掛ける。

「私から言っちゃおうかな」

「やめて、俺が気まずいから」

小牧は苦笑しつつ空いた勉強机の椅子を引き寄せて座った。建売の子供部屋の間取りだからベッドと机はそう離れていないが、毬江の耳には聞き取りが阻害される距離だ。

「タイミングって大事でしょ。おじさんやおばさんに警戒されたくないしね」

「……どうしてそっちに座るの」

拗《す》ねた毬江に小牧の側はまた苦笑である。「笑ってごまかさないで」と毬江がむくれる。

「いつになったらちゃんと付き合ってるみたいにできるのかな」

「けっこう努力していろいろ抑えてることが分かってもらえないうちは何にもできません」

更にむくれるかと思った毬江はえへへとにやけた。

「……努力してるんだ」

満足気に独りごちる様子に小牧は目を逸《そ》らした。——うっかり何かしたくなりそうだ。

「何か観てたんだ？」

話を変えようと投げた質問は、毬江のほうを向いていなかったので聞き取れなかったようだ。

「ごめんなさい、何て？」

言葉が聞き取れないことに毬江は反射で謝る癖がついている。

「ごめん、聞こえにくかったね」

こちらも謝りながら内心自分に臍《ほぞ》を嚙《か》む。俺が謝らせてどうするんだ。いくら動揺したとはいえ声の向きを考えずに喋《しゃべ》るなんて。

「何か観てたのかなと思って」

声の向きは毬江に合わせたままで机を指差す。机の上には起動中のノートパソコンが載っていて、ブラウザが開いたままだ。

「そうなの、これ。小牧さんが来たら訊《き》こうと思って」

毬江はベッドから立って机に近寄った。小牧も立って椅子を返し、毬江の後ろからパソコンを覗《のぞ》き込んだ。

「これね、武蔵野第一図書館のホームページ」

「これが?」

武蔵野市内の図書館は全て個別のホームページを持っているが、ブラウザに映っているのは黒を基調にした画面で、小牧の記憶している武蔵野第一図書館のホームページとは趣が違う。

利用者への告知とインターネットを介するサービスの窓口になっている公式ホームページは、見やすさを重視して背景は白く、フォントは大きくしてシンプルを心がけている。黒い背景に文字を並べるようなレイアウトはないはずだ。

「最近できたコンテンツみたい。何かこれ……」

毬江の言葉が歯痒《はがゆ》そうに途切れる。あまりいい話ではなさそうだ。

ページの一番上のタイトルは『図書館員の一刀両断レビュー』。スクロールすると下に書誌情報と書影、それに何やらコメントがついている。

「これ」

毬江がもどかしげに画面をある程度までスクロールした。そこにあったのは『レインツリーの国』の書影だ。小牧が年頭のトラブルに巻き込まれた原因の本であり、毬江と小牧には特別の思い入れがある本でもある。

一言で言って薄っぺらい。身障者をダシにお涙頂戴《ちょうだい》を狙う思惑が鼻について怒りさえ覚える。キャラクターにも人間としての厚みが全くなく、感情移入できない。デビューしてから今まで読んできたが、今作で見切った。はっきり言って、これがこの作者の限界。こんなものは小説ではなく自分の願望を投影した妄想だ。この力量ではここから一皮剝《む》けるのも難しいだろう。恋愛おままごと的道行きを飲み込める人ならそれなりに楽しめるかも？　まあこれはあくまで個人的意見ということにしておくが、買う価値はまったくない。無駄金を使わないためにもぜひ当館で借りて読むことをお勧めする。

小牧が目を通したタイミングを過ぎても毬江は一言も言わず、小牧はその肩に腕を回した。多分、小牧と一緒に改めて読み直してしまったのだろう。

毬江がやがて呟《つぶや》く。

「私、図書館で読んでから自分でも買ったんだけどな」

「うん。知ってる」

肩に回した腕に軽く力を籠《こ》める。

「最初は俺が勧めたろ。俺だってこの話は好きだよ。この評価が図書館の総意だなんてことは絶対ないから」

毬江は小牧の肩にこつりと頭をもたせかけた。やはり傷ついた理由はそこだったらしい。自分の好きな本が図書館という身近な施設で価値がないと『一刀両断』されるのは、利用者にとっては傷つく話だろう。

「ごめんよ」

小牧が謝る筋合いのことではなかったが、一人でこれを見つけて読んだ毬江の気持ちを思うと謝らずにはいられなかった。

＊

「見てほしいものがあるんだけど」

飲む名目で部屋に来た小牧は来るなり堂上《どうじょう》のノートパソコンを立ち上げさせた。

武蔵野第一図書館のホームページのメニュー欄から飛べるそのコンテンツは、堂上も初めて見るものだった。図書館ホームページは図書館を中心に生活が回っている図書隊員とは意外と縁遠い。ネットを介さなくてもいつでも図書館を覗けるし、端末を使う用事でも内部のネットワークに繋《つな》ぐことがほとんどだからだ。

背景に黒を基調としていることでまず公共機関のホームページとして異色なデザインのそのページは、どうやら業務部の図書館員の一人が担当しているようで、内容はかなり毒のある本の紹介である。

「どう思う、それ」

小牧の話によると、そのページで好きな本を酷評された毬江がショックを受けていたらしい。

どうってなぁ……と堂上は画面をスクロールしながら頭を掻《か》いた。

「取《と》り敢《あ》えず俺は好きじゃない」

敢えて毒のある表現で本を腐すその手法は堂上の感性には合わない。

「でも、これが図書館のコンテンツじゃなくて、一個人が個人の責任において運営してるものならアリだろうな。こういうのが面白いって奴もいるだろうし。ただ……」

「図書館のコンテンツとしては適切じゃない？」

「ないだろ、こんなもん。本の講評なんざ図書館の分を越える」

切って捨てた堂上に小牧は食い下がった。

「でも『お勧め図書』の存在は？　あれは講評にならない？」

小牧が言うのは、図書館からのお勧めという形で紹介している図書だ。定期的に図書館報や特設コーナーで取り上げ、ホームページにも『一刀両断レビュー』とは別に図書館からお勧め図書を紹介するコンテンツがある。

「何言ってんだ、お前」

堂上の表情は自制を待たずに怪訝《けげん》になった。

「『お勧め図書』に批評は加えてないだろう。図書館は引き算の理屈で運営するもんじゃない。本の批評は価値を論じる点において引き算の要素を含まざるを得ないし、それは公共サービスの理念とは馴染《なじ》まない。違うか？」

公共サービスは全ての利用者に快適なサービスを提供することを使命とするべきで、図書館が本を批評しないのもそういうことだ。『お勧め図書』に思い入れのある本を挙げられて不快になる人間はいないが、批評は価値を論じる点で利用者を不快にさせる可能性がある。

「でも、こんな本が『お勧め』になるのは不愉快だって意見が出る可能性も……」

「おい、熱でもあるのか？」

堂上は真顔で小牧の額に手を当てた。どうやら熱があるわけではないらしい。

「可能性の問題を論じるならそりゃどんな可能性もないとは言えないだろうよ。そもそも『お勧め』は読書に興味を持たせるための肯定的な手法であって、この『一刀両断』何とかみたいな極度に否定的な手法と同列には語れない。公共サービスは否定の手法に手を染めるべきじゃないはずだ」

小牧は苦笑しながら「ごめん」と呟いた。

「自分の視点が公正かどうか自信がないんだ、あの子が絡んでるから」

率直な弱音につい イタズラ心が疼《うず》いた。

「盲目だな」

照れるかと思えば小牧はしれっと笑って、

「こっちのお姫さまは繊細だからね」

「……どういう意味だ」

「言う？」

とんでもない二の矢が来そうなので堂上は仏頂面で黙り込んだ。たまにシッポを見せたかと思えば絶対に摑《つか》ませず、何故か堂上のほうが劣勢に追い込まれるのは昔からのことである。

こういうときは黙るに限るというのは経験上分かっているのだが、

「……言っとくけど、」

　生来の負けん気がどうしても言い返さずにいられないのが大抵の場合の敗因だ。

「奴のあれが俺だったとかは今さら関係ないからな。奴がガキの頃の話だし」

「いじましくも迂遠《うえん》な言い回しだけどさ、それってそのガキの年代が恋愛対象になってる俺の立場がなくない？　反撃していい？」

　するな！　と堂上は泡を食った。

「だからあれはことさらに子供じみてるから年があれでもそっちとは話が違って」

「なるほど、子供じみてるから苦労してると」

「……お前わざと論法を間違えてるだろう」

　ふて腐れて横を向くと、小牧が喉《のど》の奥で笑い声を立てた。「その顔見せてやりたいね、部下たちに。手塚《てづか》なんか一発で上官信仰が崩壊するよ」

　信仰してくれなんて頼んだ覚えはない、と更にふて、堂上は不機嫌に呟いた。

「そもそも俺の顔すら覚えてなかったんだぞ、そんなんでどうこう言われても」

　王子様だの、ましてや——

「あの子の顔覚えの悪さなんて今に始まったことじゃないだろ。教育期間中なんか、稲嶺《いなみね》司令を捕まえておじさん呼ばわりだよ。司令もめちゃくちゃ困惑しててさ。まさか自分を知らない隊員がいるなんて思わないよねえ、司令にしてみたら」

　思い出したのか小牧がまたくすくす笑う。そしてからかい口調で付け加えた。

「でも自分のほうしか覚えてなかったからって拗《す》ねるのも大人げないよ、王子様」

やっぱりとんでもない二の矢が来て堂上は目を剝いた。

「誰が拗ねてんだ、誰が！　撤回しろ！　それからそのろくでもない呼称を二度と俺に対して使うな！」

「自分が納得できない撤回命令には応じられないなぁ」

「お前に冷やかされるような謂《いわ》れは一切ない！　奴が好きなのは奴の脳内にしか存在してない五年前の三正であって俺じゃない！」

小牧が素で豆鉄砲を食らったような顔になるまで失言には気づかなかった。

「そういうこと言われたんだ？」

あっと気づいて臍《ほぞ》を嚙《か》んだが今さら取り消すのも白々しくて吐き捨てる。

「単なる勢いだ、あのバカ」

五年前に一回会っただけだけど、
あたしは今でもあの人に憧《あこが》れてるし尊敬してるし、あの人が好きです。

前後の状況からして引っ込みがつかなくなったのは明白だ。

「……かわいそうな顔すんなそこ！」

「あ、ごめんそんな顔になってた？」

「あまつさえ謝るな！」

堂上は憤然としながらパソコンのタッチパッドを操作した。問題のページをスクロールする。

「そもそも話題はお前の持ってきた案件だろうが、どこまで脱線してやがる」

「だったら負けるの分かってるのに突っかかってくるのやめようよ」

自分が負けることを想定していない返しが不愉快極まりないが、戦歴は実際そのとおりだ。

「問題は何でこの企画が許可されてるかってことだよな」

「また館長のバランス論かな？」

江東《えとう》の唱えるバランス論は着任二ヶ月目にしてもうかなり浸透している。

「あれも正論は正論なんだがなぁ……」

物事にはバランスを取るべきこととそうでないことがある——という理屈は故意にか無意識にか顧みられないことが多い。

「まああの人もこれでここまで来たんだろうしね」

小牧の相槌《あいづち》を聞きながらページを最後までスクロールさせ、堂上は最終行に署名を見つけた。

「これ、手塚の同室じゃなかったか」

砂川一騎《すながわかずき》、というその署名を見て小牧も頷《うなず》いた。寮内の行事や何かもあるので、部下の周囲の人間関係くらいは頭に入っている。

「確かそうだね。でもどんな子だっけ」

「よし、手塚呼んで話訊くか」

堂上が携帯を出すと小牧が「そんな急に呼び出しても迷惑だろ」と窘《たしな》め顔になった。

「お前と差しだとどこから変な矢が来るか分からないからイヤなんだよ」

わがまま上等、と堂上はそのまま手塚を呼び出した。

手塚が堂上の部屋へ顔を出すと、呼び出した堂上ではなく先に居合わせていた小牧が片手で小さく手塚を拝んだ。

「悪いね、班長の横暴が止められなくてさ」

「ああ、いえ」

どうやら急な呼び出しは堂上が押し切ったらしい。親しい上官に無理を言われるのは悪い気はしない。それが憧れの対象ならなおさらだ。

堂上がうるさいと小牧を軽く蹴《け》り、手塚が来る前に一悶着《ひともんちゃく》あったようだ。

「よし、酒入る前に用件済ませとくぞ」

言いつつ堂上が立ち上がっていたノートの前に手塚を招き寄せた。

「お前の同室の砂川が担当らしいんだが、何か知ってるか」

ざっと斜めに読みながら手塚は思わず眉《まゆ》をひそめた。

本を否定することが目的のような解説の群れである。本人はクレバーな毒舌のつもりだろうが、第三者からは単なる罵詈《ばり》雑言の羅列にしか見えない。同意できるのは取り上げられた本が嫌いな人間だけだろう。

「これ、砂川が？」

「うわーわがまま」

堂上が返事をするまでもなく、スクロールした画面の下端に砂川の記名が現れる。担当者名は記事の末尾に入れる様式だ。

「コンテンツの性質そのものが図書館として微妙だなって感じがしたから、担当者がどんな子か話を聞いてみたかったんだけど」

　小牧の問いかけに手塚は率直に答えた。

「あいつらしくない、と言えるほど親しいわけじゃないので何とも……」

　お前らしいなと堂上が小さく笑う。男子隊員は入隊時は四人部屋から始まるので、一人一人と密な付き合いをしなくてもある程度は上辺の付き合いで回せる。

「でも意外は意外でしたよ。それほど好戦的なタイプには見えない」

　大して深く付き合っているわけでもないが、自己主張が少ないおとなしいタイプに見えた。この一年、部屋でも特に目立ったトラブルを起こしたことはない。他の二名のほうが騒いだりふざけたりで寮内でもトラブルになったことが多い。

　その度に仲裁させられるのは手塚で、砂川はそうした面倒を起こしたことがないという点で、手塚にとっては印象も薄いが手のかからない同室だった。

「なんで業務部でこの企画が通ってるのかとか、本人がどんな意識で作ってるのかとか、また折を見て聞き出しといてくれるか？」

「それはどういう意味合いで……」

　問い返した手塚に堂上も曖昧《あいまい》な表情で首を傾げた。

「アンテナってところか。隊長もまだ知らないはずだ。状況まとめて情報として耳打ちする」

玄田は現場レベルで稲嶺のアンテナ役になっており、部下たちも更に細分化されたアンテナだ。武蔵野第一図書館は基地付属図書館であるだけに基地との繋《つな》がりが密接ではあるが、関東全域の図書隊運営を統括する稲嶺の立場では、表面化していない図書館の問題に精通するには至らない。

『一刀両断レビュー』が問題化する可能性を孕《はら》んでいることは手塚にももちろん分かる。否定的な催しは公共サービスとしては正道ではない。

「分かりました、ちょっと探り入れてみます」

頷きながら手塚は渡された缶を開けた。

「柴崎《しばさき》のほうからも情報入るかと思いますが」

提案すると堂上はやや渋い顔で歯切れ悪く頷いた。あれが知るとまたギャアギャアうるさいだろうな、と呟いたのは、柴崎に繋ぐとすれば経由せざるを得ない郁《いく》のことだろうと訊かなくても分かった。

自分よりも郁を買っているというわけではなく、どういうわけか単に過保護になってしまうらしいということが分かってからは、手塚のほうも班編制時からの不本意は解消されている。女子隊員だから扱い方に戸惑っているのかもしれないし、あるいは郁ほど迂闊や粗忽が激しい隊員なら男子であっても気を揉《も》まずにはいられないだろう——ということは、手塚にも自然に納得できるようになっていた。

「外したらまたすごい勢いでむくれますよ」
そうなったら自分にも被害がかかってくるので忠告すると、小牧が小さく吹き出して堂上は
「そんなことは分かってる」とふて腐れたように吐き捨てた。

＊

「あの『一刀両断レビュー』、お前の仕事だって？」

砂川とその話をする機会が巡ってきたのは、堂上たちの指示を受けてから数日後だった。他の二人が合コンで外出した夜のことである。手塚は当面そうした興味がないのでその手の誘いは断っているし、砂川は遠恋の彼女がいるらしい。

「あ、見てくれてんだ？」

砂川は嬉《うれ》しそうに笑って観ていたテレビから手塚のほうに向き直った。

「手塚みたいなエリートに観てもらえてるのは光栄だな」

「よせよ、そういう言い方」

家のことを言われるのは手塚にはあまり愉快なことではない。そうでなくともやっかまれるネタになりやすい。

「だってそうじゃん？　新隊員から図書特殊部隊《ライブラリー・タスクフォース》に抜擢《ばってき》されて、しかも親父さんが日本図書館協会長で……」

「だからよせって。怒るぞ」

父親は尊敬しているが、だからといって引き合いに出されたいわけではない。砂川がごめんと謝ったので、少々中っ腹ながらも話を続ける。

「あのレビューって誰かの指示？」

「失礼だな、俺の企画だよ」

誰かの指示かと訊かれて失礼だなと返すほど本人がのめり込んだ企画であるらしい。

「ほら、俺もともとホームページの作成手伝ってたじゃん」

予算がしわい図書隊では、セキュリティやネットワークなど素人仕事ではシャレにならない部分以外は外注に出す余裕がない。日常的に更新されるお知らせ等のコンテンツはプログラムやウェブデザインが趣味でできるレベルの人間が担当になって細々と運営している実情だ。

「それで館長が、ホームページから利用者を増やす試みをなにかやってみないかって抜擢してくれてさ」

「それでお前の出した企画があれ？」

手塚としてはやや苦言を含めたつもりだったが、砂川は気づかなかったようだ。

「面白いだろ？　毒吐き系って図書館の公式じゃ珍しくない？」

珍しいというより普通は常識の問題でやらないんだよ、と思ったがひとまず飲み込む。ここで喋らせないことには内情が摑めない。

「よく許可下りたな」

『お勧め図書』があるんだからアンチテーゼとしてこういう企画があってもいいんじゃないかって言ったらテストケースとしてやってみろって。話せるぜ、あの館長。鳥羽《とば》のときは無難で問題のない更新だけしとけって、てんでチャレンジ精神がなかったからなぁ」

その部分に関してだけは鳥羽の日和見主義のほうがまだ安全だと思ったが、それも飲み込む。公共サービスが変に尖《とが》っている必要はないと手塚は思うし、それは堂上や小牧も同意見だった。

「苦情とか来ないのか？」

そこを衝《つ》くとさすがに砂川の気配が怯《ひる》んだ。

「でもトップに注意書きもしてあるしさ」

たしかにページのトップに大きく注意書きはしてあった。『あくまで一図書館員の私見です。過激な表現や不愉快な表現があるかもしれないのでご注意ください』だったか。

「こっちはちゃんと注意してるんだからさ、それで見て不快になってもそれは見たほうの自己責任じゃん？」

小牧が聞いたらひっそり怒って二度と許さないだろうなと思いつつやんわり否定する。

「俺はそうは思わないけどな」

個人や民間運営ならいざ知らず、図書館という公共機関でそんな注意書きが要るコンテンツがあること自体がおかしい。

「でも図書館は表現の自由を守ってるのに図書館員が自由に発言できないのはおかしいだろ」

「……お前な、」

言葉が途切れたのは本気の苛立《いらだ》ちを嚙《か》み殺した時間だ。

「表現の自由を掲げりゃ何でも許されるわけじゃないだろう。メディア良化法が通過した時代背景を思い出せよ」

報道の自由を振りかざしてゴシップ報道に走り、報道被害を多発させたメディアに司法機関が厳しい批判の姿勢を取りはじめたことが当時の情勢としてある。無軌道なメディアを律するためには自由の制限もやむを得ない、という論調がまかり通るようになった最初の土壌である。

その歴史を思えば自由の定義を手前勝手な解釈に引き寄せることはできないはずだった。

図書館員としての発言の自由を語るなら、図書館員として適切な立場を守っているかどうかを顧みる必要があり、レビューにおける砂川の発言はすべての図書に対して最低限中立であるべき図書館員として危ういことは事実である。

「この前の『週刊新世相《しんせそう》』だって図書館界が対応に苦慮したばかりだろ」

自由を盾に何でも振り切れるのならそんな問題自体が起きていない。

だが砂川は手塚の批判が癪《しゃく》に障ったようで軽くむくれた顔になった。

「手塚はちょっと頭固いよなぁ、兄貴はもっとクレバーだったぜ」

自分の顔がはっきり強《こわ》ばったのが分かった。その表情をどう受け取ったのか、砂川が興味津々の様子で身を乗り出してくる。

「なあ、手塚慧《さとし》ってお前の兄貴なんだろ」

「だから何だ？」

手塚の頑《かたく》なな声にも砂川は一向に怯まなかった。むしろ肯定したことでテンションを上げる。

「すごいよな、あんな人が自分の兄貴だなんて！　俺、誘われてあの人の主宰してる『図書館未来企画』の研究会に行きはじめたんだけどさ。立ち上げてたった二年と思えないくらい会員も多いしみんな熱心だし、日本図書館協会派生の研究会の中で一番勢いあるんじゃないの？そのトップがまだ三十そこその若手なんて憧《あこが》れるよなぁ」

二年で研究会を軌道に乗せるくらいのことはやってのけるだろう――と手塚は兄の顔を思い浮かべた。手塚の覚えているのは五年以上前の顔で、そこから兄がどのように年齢を重ねた顔になっているのかは知らない。敢えて知ろうともしなかった。

手塚から連絡を取ったのは、先日の小牧の一件で情報を求めたときだけである。

「こないだ手塚さんと話ができてさ。俺がお前と同室だって知ったらしくて、わざわざ探して声かけてくれたんだ。お前のこと気にしてたぜ、よろしく伝えてくれってさ」

強ばろうとする頬を動かすまいとして却《かえ》って頬の筋肉が撥《は》ねた。

よろしくって。何をだ今さら。先日頼ったことを弄《なぶ》っているのか。

「なあ、手塚さんってどんな人なの？」

「お前が思ったような人だろ、多分」

「何だよ、話聞かせろよ」

当たり障りなく付き合ってきたので今まで気づかなかったが、砂川はあまり空気が読めない質《たち》のようだった。あるいは興味を持ったことにしつこいのか。

こうしたタイプを黙らすには手は一つだ。

「父と兄があまりうまく行ってないんだ。兄貴の恥にもなるから喋りたくない」

さすがに砂川がばつの悪そうな顔になった。砂川の傾倒しているらしい兄を盾にしたから、余計なことを吹聴《ふいちょう》される心配もないだろう。

もっとも、吹聴されたところで手塚自身には痛くも痒《かゆ》くもない。困るのは手塚の名前を利用している兄だけだ。

砂川の質問もそこで途切れ、その後はあまり話も弾まないままだった。

＊

八歳年上の兄である慧が家を出たのは手塚が高二の頃である。

当時の図書大学校を出て川崎市内の図書館に配属された慧は、日本図書館協会にも個人会員として籍を置き、手塚純夫《すみお》協会長の長男として館界の注目を集めていた。

そして注目に恥じないだけの頭角を現してもいたはずだ。図書館が表現の自由と知る自由の牙城《がじょう》となった社会で手塚の家は殊に図書館と近しい家庭であり、生まれたときからずっとその環境に親しんでいた手塚は当然のように父と兄を尊敬していた。

将来的には兄が役員入りして父を補佐するようになると思っていたし、もちろんそのときは自分もそれを助ける立場にいようと思っていた。

それが突然覆ったのが慧が館界に入って三年目だ。

図書館は中央集権型の国家機関になるべきだ。

慧がそう言い出したときは気がふれたのかと思った。父もショックだったようでそれからは毎日のような激論が二人の間で交わされた。手塚にはまだ発言できるような経験も論拠もなく、やがて諍《いさか》う二人の板挟みで不安定になった母を支えることで手一杯になった。

戦後、旧来の図書館人は図書館を文部省組織とする中央図書館制度を熱望したが、結局それは占領下の政治的問題や財政難で叶《かな》わなかった。義務設置や中央図書館制度、国庫補助などが盛り込まれぬまま成立した図書館法に反発し、後に戦前からの図書館人が中心となって図書館法改正の運動を起こしている。中央図書館制度に基づいた全国的な図書館網の整備という中央集権的な組織再編を目指したものであった。

しかし、その運動を起こした図書館人たちからして、戦中の図書館が国家に寄り添って手を染めた暴挙を反省する姿勢は見せず、図書館を整備するためとはいえ国家に依存しようとした戦前からの態度を改めたものではなかった。

改正は果たされないまま運動には終止符が打たれた。やがて『中小レポート』が発表され、図書館は地方行政において自立の道を歩んで今に至る。

その歴史は国家への依存を断ち切ったという点において図書館界の誇りであり、中央図書館制度を願う声はその後も根強く残ってはいたものの、旧来的な考え方として退けられる種類のものだった。

それを慧が支持した理由はいくつか聞いた。図書隊制度を整えたとはいえ、地方行政機関と国家機関が争うのは財源の点であまりに不利だということ。

地方と国家に立ち位置が分かれているとはいえ、同じ社会の中で公的機関同士が争う図式が歪《ゆが》んでいるということ。

法務省組織であるメディア良化委員会に対抗し、図書館も文科省由来組織に昇格させて省庁間で検閲権の執行範囲を争うべきだというのが慧の主張であった。

しかし、それは検閲の執行を認めることが前提となった論理であり、対抗しようにも図書館を文科省組織に昇格させる段階で検閲を受け入れさせられることは火を見るより明らかである。あらゆる検閲に対抗することを謳《うた》い、またその使命を課せられて図書館の自由法を託された図書館界には到底受け入れられることではなかった。

最初にラインを譲らされることは計算内だと慧は言った。最終的に譲った以上を取り返せば済む話だと。

有能であり自信家でもあった慧としては、当然の論理だっただろう。父が何故領かないのか露骨に苛立ってもいた。

しかし父の態度は一貫していた。

たとえ一時とはいえ、図書館が検閲に与《くみ》した歴史を図書館の自由法に残すわけにはいかない。それに与した歴史が一時で済むとは誰にも言えない。

そもそも戦前からの歴史を鑑《かんが》みても、図書館が国家にすり寄ろうとするとき、あるいは国家が図書館を利用しようとするとき、その先に待っているのは不幸な過ちだけだった。

図書館は二度とこの過ちを繰り返すわけにはいかない。


父の意見は決して覆ることはなく、まだ高校生だった手塚から見てもその意志は尊く思えた。

だが慧は父と決裂した。家を出たのはそのときだ。

父は覚悟していたようだが、もともと神経が細かった母の心痛はひどく、精神を患って長く通院することになった。受験勉強をする傍ら手塚が付き添ったり薬の管理をすることが日常となった。むしろ母の世話の傍らに受験や学生生活があったと言ってもいい。

慧は対外的には父との決裂を微塵《みじん》も感じさせず、図書館界においても協会内においても有能な会長子息であり続けた。そうしながらも持論の支持者を若手を中心に増やし、またメディア良化委員会にも取り引きのパイプを作っているという。

これらは全て慧本人から聞いたことだ。慧が家を出る前から図書館界を目指すことを家庭内で明言していた手塚に対して、慧は定期的かつ一方的に連絡を取ってきていた。館界に入った手塚を自分の派閥に取り込みたいことは明らかだった。過激な慧の理論は支持を増やすのが難しく、そこに慧が父との決裂を公表しない理由がある。父は息子のことは協会の運営とは関係ないという姿勢を貫いていたが、ここで慧に次男がつけばその公正な父の態度そのものが慧の看板になる。

あの協会長の息子たちが進めている改革なら見るべきところがある、協会長も何らか認めているに違いない——周囲はそう見る。

実際、慧が作った良化委員会へのパイプが役立ったこともあるというし、そうした取り引きのルートそのものを疑問視する声もあるが、図書館人としての慧の評価は勤め先の図書館でも協会でも高い。

だが慧に接触されるたび、手塚の苛立《いらだ》ちは募るばかりだった。家を出て以来、憔悴《しょうすい》した母親を見舞いにも来ず、父の名前を体よく利用するだけ利用して今度は自分まで使うのか。

最終的に掲げる理想が奈辺《なへん》にあろうと、その道の辿《たど》り方自体が手塚には受け入れられない。

それは慧を今まで兄として慕い尊敬していればこそ、反転すると根深い感情になった。

「もう連絡しないでくれ」

そう言ったのは大学の合格祝いを渡すという名目で呼び出されたときだ。

「俺に会いたければ家に来ればいい。でも、いくら話しても俺は兄さんの理屈には頷かない。俺は父さんの意見に賛成だし、本を守るために整備された図書隊の理念を信じる」

今まで何度も言おうとして言えなかったことを、ようやく吐き出すように叩きつけた。慧は苦笑してただ聞いていた。

まあ、またいずれ話せるときが来たら話そう。

そんなことを言って帰ろうとした慧に、祝いで渡された包みを突き返そうとすると、それは収めさせられた。

いつか和解することがあったら使ってくれればいい。それまで預かっとけよ。

そう言われると、それでもと拒むことはできなかった。和解という言葉に気持ちが揺らいだ。いつか慧が過激な持論を折ることがあるだろうかという期待は捨てられなかった。

祝いの品は名の通ったブランドの腕時計だった。それは実家の勉強机の一番使わない抽斗《ひきだし》に放り込んで、それ以来恐い物をしまったかのように一度も開けていない。

図書隊で敢えて防衛部を志願し、図書特殊部隊入りを狙ったのは、自分の決意の表明だった。すべての不当な検閲に対抗し。あくまで自由を守る。——そのための最前線へ。

そして兄以上に父の息子として評価されてみせる。そんな意地も手伝って、入隊当時は随分頑なだった。

何でもあんたが一番じゃないと気が済まないの!?

そんな折りに郁から食らった一言は痛烈だった。堂上や小牧の言うことすらなかなか素直に聞けなかったのに、痛いところを真っ正面から衝きに来た。

慧の傲慢《ごうまん》や過信と同じ道に踏み込みかけている自分を暴力的に認めさせたその言葉の後だと、堂上の苦言も小牧の苦言も素直に入った。

郁もだが、同室の柴崎にも毒舌でやり込められたことがあり、あの部屋の女は女じゃないと手塚は思っているが、それは手塚としてはライバルとして最大限認めたつもりである。

＊

「ちょっと柴崎っ、何なのよあの『一刀両断レビュー』って！」

部屋で郁が食ってかかると柴崎は「来たか」とうんざりした表情になった。

「あれは内外でも問題になってんのよ」

「てゆーか砂川何様!? 一介の図書館員が書評家にでもなったつもり!?」

「書評家ならもうちょっと公正な文章書くでしょうよ、失礼なこと言うもんじゃないわ」

郁がカリカリしているのは、班の会議で教えられたそのページで自分の好きな本がボロクソにこき下ろされているのを何冊も発見したからでもある。

児童書のコーナーでは「王子様」の思い出となった例の本もやられており、怒りもひとしおだ。

「『子供だまし』って！『子供だまし』ってバッカじゃないの！ あったりまえじゃないの、子供のために書かれた本だっつの！ 横から大人がしゃしゃり出て『大人の鑑賞に耐えない』とかさぁ、オモチャ屋で戦隊ロボ捕まえて『これは大人の嗜好《しこう》に耐えない』とか言ってるのとおんなじくらいバカだって気づけ！ じゃあ買え、ASUMOでも何でも存分に！」

「笠原《かさはら》ダウト」

柴崎がぴしりと指を向けた。

「子供をだますのが一番難しいのよ、大人と違ってつまんないものに我慢なんかしてくれないんだから」

ガキに読み聞かせすんのがどれだけ難しいか、と柴崎は渋い表情である。子供だましのもので子供はだまされてくれない。

「そうだけど、でも……」

郁はむうっと唇を嚙《か》んだ。

小さい頃、夢中になって読んで、高校生のときも完結巻に夢中になった。高校生の頃の記憶は郁の中でまだ遠い過去のものではない。二十歳になったら自動的に大人になるものと思っていたのに、それを三つ過ぎても大人と子供の境界線はまだはっきりと自分の中に見つからない。子供だったと思い返せることも少しずつ増えてきたが、気持ちや感性はまだ学生の頃と通じる自分がいる。

子供の頃からの感性と今の感性は連綿と繫がっていて、その頃愛した物語を公正と思えない酷評で貶《おとし》められるのは、子供の頃を遡《さかのぼ》って傷つけられるように痛かった。

万引きの汚名を着てまで君が守った。そこまでしても守りたいほど好きだったのは、たった五年前のことで、今でもそれは褪《あ》せずに好きで、それを子供だましの感性なんて――

あんたなんかに言われる筋合いない。と、郁は決して目立つタイプではない同期だった砂川の顔を思い浮かべた。

「大体、あんな好戦的なタイプだったっけ?」

レビューはどれも好戦的と称するのが的を射ているような文面で、手塚の同室というわずかな接点がなければとっくにその他大勢に埋もれていたような地味な男子からこれらの毒のある文章が吐き出されたのは意外だった。

「んー、半年くらい前からちょっとキャラ変わってきたのよね。あたしは課が違うから正確なところは分からないんだけど」

などと言いつつ課が違う地味な同期の変化を捉《とら》えていることが柴崎の恐ろしいところである。こいつの警戒網をくぐり抜けられる奴はいないのか、と内心舌を巻く。

「何でも図書館協会の研究会に所属したとかしないとかで……その会の連中とつるんで仲良くやってるらしいわ。その頃から何か変に押しが強くなったっていうか、ちょっとうざくなったって意見もちらほら、かな」

「つーかマジで時々恐ろしいわあんた……」

慄《おのの》く郁に柴崎はうふんと笑った。

「お誉めに与《あずか》り光栄至極ね」

「誉めてねえ！」

これが誉め言葉なんてどんなひねくれた女か。呆《あき》れる郁を余裕でいなし、柴崎はやや深刻な表情になった。

「実際のところ問題にはなりつつあるのよ。っていうか、最初から図書館のコンテンツとして適切でないって意見もかなりあったしね。でも、砂川の付き合ってる連中が後押ししたのと、そいつらの館長の丸め込み方が巧《うま》かったわね」

『お勧め図書』のアンチテーゼとなる企画を、という理屈だったという。

「館長は元々バランス論が好きだし、何か新しいことをやってみろって指示を出した側だから、最終的には通っちゃったわけ。砂川ってもともとウェブ担当でしょ、それでぞっち関係の連中がほとんど砂川の味方に回っちゃったのもあるし」

館長はあくまで許可を出しただけで運営の是非は一切言わず、業務部内ではこの企画を巡る反目が発生しているという。

「でまあ、それが内部の問題」

と一旦《いったん》話をまとめた柴崎はさきほど「内外で問題になっている」と言った。

「外部の問題って、やっぱ利用者の苦情とか？」

「それで済んでりゃ事はカンタンよ」

柴崎は溜息《ためいき》を吐《つ》いた。

「槍玉《やりだま》に挙げられた本の作家や出版社から一部苦情が来はじめてるわ。まだ正式な抗議にまで至らないけど、かなり怒ってるところもあるから……」

問題が大きくなるのは時間の問題、ということらしい。

「個人サイトで自分は司書ですってプロフィールでやるんなら何の問題もないのよ。図書館界や本に携わる職業ってことを論拠に使うのはどうかと思うけど」

と、柴崎は堂上と同じことを言った。

図書館の公式サイトで特定の本を攻撃するようなコメントを出すことが問題だということは郁にも分かる。ただし郁の場合は直感だ。

だって、本の悪口言うなんて正義の味方じゃないじゃん。――と、これは口に出したらまた呆れられるので誰にも言っていない。

「公的機関たる図書館が特定の図書を貶めるような発言をするとはどういうことかとか、これは図書館界の弊社の図書に対する攻撃と受け止めていいのか、とかね。いちいち向こうのほうが正論だから応対もきついわよ実際」

とっさに不満そうな顔になったのが分かったのか、柴崎が「ん？」と窺《うかが》った。

「……それ以前の問題じゃん」

一冊の本を攻撃するということは、その本を愛する人を傷つけるということだ。自分のことは本を守る側だから置く、しかし毬江が好きな本への罵詈《ばり》雑言で傷ついた話には胸が痛んだし憤った。

少なくとも、地域住民へ本を提供することを使命とする図書館がやっていいことではないし、図書隊や各種協会、関係機関についても同じくだ。

考え考えそんなことを喋《しゃべ》ると、柴崎がいい子いい子と頭を撫《な》でた。

「よく頑張ったわねー、言いたいこと先生にはよーく伝わったわよー」

「ええいからかうな！」

柴崎の手を振り払うと、柴崎も笑いながら頷いた。

「でも、作家さんや出版社もそれは含んだうえの抗議も多いと思うわよ。自分が公的機関から攻撃されたからってだけじゃなくて、支持してくれる読者の気持ちを考えてくれっていう意見もあったしね」

「そんで、図書館側は苦情にどういう対応してんのよ？」

照れ隠しで訊き方はややつっけんどんになった。

「あくまで一職員の個人的雑感という注意書きをメニューにもトップにもしてますから、ってことで収めてもらってるけど……」

言いつつ柴崎が苦笑になる。

「どう考えても詭弁《きべん》よね、これ」

それを言わざるを得ない柴崎たち図書館員の気持ちを思うと胸が詰まった。

「抗議の増加につれて注意書きどんどん増やしてさ。無様なことになってるわよー今」

「……そんな状態になってるのに何で閉じちゃわないの」

「聞きたい？」

柴崎の苦笑が更に投げやりになった。

「あれが面白いって反響もあるのよ。しかもかなりの数」

とっさに返す言葉がなくなった。それは利用者や出版サイドの抗議を退ける根拠になるほどの数、ということだ。

俄《にわ》かには信じたくなかった。

「実際、砂川がこき下ろした本の貸出し数が逆に上がったりもしてるのよ。そういう楽しみ方もあるってことね。それは利用者それぞれの嗜好の問題だからこの傾向に文句はつけられないわ。砂川たちがそれを盾にすることもね」

決定的な問題が起きない限り、バランス論者の江東は『一刀両断レビュー』を中止する命令は出さないだろう。

確実に一部の利用者を傷つけることが分かっている文章を、図書館の公式コンテンツとして発信し続けねばならないことは、図書隊員として不本意で辛《つら》い。一図書館員の雑感なので公式の範疇《はんちゅう》からは外れる、などというのは柴崎の言うように詭弁に過ぎない。確かにそのページは図書館の公式ホームページから辿《たど》れるのだ。

だが柴崎たち業務部のことを思えば、防衛方で利用者との直接の交流の少ない郁がそれ以上不満を言うことはできなかった。辛いとか悲しいとかそんなことは直接利用者と関わる業務部のほうが深く思っているのだ。

しかも「私たちも辛いんです」などとは利用者には言えない。傷つける側が言う権利はない。利用者にとって図書館は図書館として一絡《ひとから》げで、図書館員だけど私は違うんです、などという理屈は通用しない。ただひたすら傷ついた人々に向けて、憤る人々に向けて謝るだけだ。

戦っているのは防衛部だけではないということを初めて実感した。日頃、良化特務機関との戦闘を担当しているだけに防衛部は戦闘員で業務部は非戦闘員だという無意識の区別があったが、業務部は防衛部とは別のところで戦っているのだ。例えば世間の誤解や無理解や行き違いや。

その戦いは防衛部と違って具体的な敵が存在しないだけに複雑で苦しい。

「……頑張って」

その励ましは自然と漏れた。柴崎も笑って頷き、おどけたようにウィンクした。

「大丈夫よ、時間の問題だから。あいつもう地雷に片足乗せてるわ」

意味ありげな台詞を郁は敢えて問い返さなかった。こういう言い方をするとき、柴崎が絶対に口を割らないことは今までの付き合いで知っている。

*

『このようなふざけた本を発行するのは今回限りにして頂きたい』

その一文が柴崎の言った地雷の正体だったようだ。——ということは、数週間後の七月上旬に分かった。

シリーズ物として出版されたある小説に砂川がつけたレビューの結びの文である。

砂川はその作家が好きではないらしく、既に何度か同じ作家の著書を痛烈に皮肉るレビューを書いている。出版社からも既に何度か苦情が入っていた。

そこへ持ってきて、シリーズ物の構成巻である小説に対してこの文である。出版社側の反応は迅速だった。

それまでは編集部からの申し入れの体裁だったが、今回は法務部からの正式な苦情申し立てとなっていた。

砂川のレビューを深刻な営業妨害であるとし、また、全ての本に中立性を保たねばならない図書館が一著者を攻撃したものとして、該当レビューと同著者に対する過去の全てのレビューの全面削除と武蔵野第一図書館からの謝罪を要求し、これが受け入れられない場合は法的措置に訴えるとのことである。既に相手側では裁判の準備も進めているという話だった。

出版サイドは相当腹に据えかねていたようで、いくら注意書きをしてあるとはいえ公共機関である図書館の公式ホームページからたどれるコンテンツは一般的に図書館公式と解釈されるのが当然であり、事によっては図書館界による表現の自由の弾圧としても問題にするという。

事ここに至って、砂川の脇の甘い発言がすべて裏目に出た。

『このようなふざけた本を発行するのは今回限りにして頂きたい』。その文章は出版社が言うように図書館界からの表現の自由に対する弾圧とまでは行かずとも、否定的な示唆と取られることは確実である。

該当の一文のみならず、過去のレビューまで遡れば出版社側の攻撃材料となる発言は呆《あき》れるほどあった。その毒吐きがウケていたとはいえ、こうなるとすべてが図書館界の弱味だ。

しかし、江東館長の対応もまた迅速だった。『一刀両断レビュー』のコンテンツそのものを即日削除、代わりにトップページに館長記名で経過の説明と全面的な謝罪文を掲載し、更には出版社へ直接の謝罪に赴いた。

それはこうした問題が早晩起こることを予期したうえで対応を用意していたとしか思えないほどの早手回しで、自分がこうした泥を被《かぶ》ることを覚悟のうえで砂川に実験的な企画の許可を出していたということであり、内外での江東に対する評価は差し引きするとプラスに積まれた。

出版社側も武蔵野第一図書館の全面降伏、そして江東の潔い態度に免じて和解に応じた。

「何つーか、おっそろしいほどの切れ者よね」

柴崎が素直に舌を巻いた。経過を報告するという名目で閲覧室を抜けてきての立ち話である。

「この逆境で自分の評価上げるとかタダモノじゃないわ」

「とか言いつつ微妙にトゲがあるように聞こえるのはあたしの気のせい……？」

窺《うかが》う郁に柴崎は「気のせいじゃなぁいー？」と鼻先で笑った。やっぱりトゲがある。

「ま、それにしたってやり手だってことは認めざるを得ないでしょうよ、みんな。砂川のことも表には出さなかったしね。普通なら真っ先に若手の暴走ってことでスケープゴートにしてもおかしくないわ」

というのは鳥羽前代理のことを暗に言っている。

「稲嶺司令も出る覚悟してたっていうけど、司令が出るまでもなかったもんね」

どうせ柴崎は知っているだろうが、一応郁からも自分の聞いている情報を出してみる。柴崎はやはり承知しているように頷いた。

「砂川や仲間も大問題になって真っ青になってたけど、それだけにもう館長に頭が上がらないでしょうね」

砂川たち直接の関係者以外にも今回の館長の対応に心酔した者は多いらしく、館内には着々と江東の人望が積み上がっている状況だ。江東の唱えるバランス論の支持者も増えるだろう。

話している途中で微妙な振動音が鳴った。柴崎の携帯だ。「ごめん」と柴崎が携帯に出る。

「ああ、……」

その微妙につっけんどんな声と郁に背を向けた姿勢で分かった。朝比奈《あさひな》だ。微妙な立ち位置を保っている朝比奈との交流が照れくさいのか慣れていないのか、いつも素っ気ない様子だ。

「昼ごはん？　いいけどあたし今日の昼休み遅いわよ」

予定だけ詰める短い通話で電話を切った柴崎に、郁は「朝比奈さん？」と訊いてみた。柴崎は朝比奈関係のときはいつもどおりのちょっとうるさそうな表情で頷いた。

「『一刀両断レビュー』の経過聞きたいんだってさ。耳が早いわ、あの男も」

変にからかうと柴崎の恋愛スタンスでは頑なになると分かっているので、ただ「熱心だね」と相槌だけ打つ。

「そうね、それだけは認めざるを得ないかな」

ちょっとだけ認めてるってことかな、と郁は気のないその返事で勝手に解釈した。


そんな騒動があって十日ほど経った頃である。

手塚と館内を巡回中、郁は騒動の中心人物だった砂川と行き会った。閲覧室周りにいくつかある倉庫室の前で、何やら梱包《こんぽう》作業の最中のようだ。

騒動になる前からレビューで好きな本を腐されていた郁としては砂川に好意を持てようはずもなく、手塚は作業が終わりかかっているのを見て手伝いを申し出る素振りだったが、それを無視してわざと足を速めた。

「なあ、運ぶのちょっと手伝ってよ」

声をかけられて内心舌打ち。手塚は当然応じたので、郁も応じないわけにはいかない。

段ボールをいくつか公共棟の倉庫へ運ぶということで、郁も一つ持つ。

三人で歩きながらも郁は一切口をきかず仏頂面で、手塚も敢えてフォローするようなタイプではないので砂川もさすがに気まずい空気に耐えかねたらしい。

「あの……問題のこと、怒ってんの」

騒動のことで周囲からかなりの批判を受けているのだろう、率直にそう尋ねてきた。

「騒ぎになったから怒ってるわけじゃないわ」

郁はじろりと砂川を睨《にら》んだ。

「騒ぎが起こる前からあたしは個人的に怒ってたから問題になったことは関係ないし、問題にならなくてもあんたのこと嫌いだった」

何だよ、と砂川が口の中でもごもご呟く。

「軽率だったのは認めるけどさ……」

「軽率だったから批判してるクチと一緒にしないで」

郁はぴしゃりとやっつけた。もともと喧嘩《けんか》に躊躇《ちゅうちょ》はしない質《たち》である。

「おい」

事ここに至ってやっと手塚が仲裁らしきものを入れたが、「止めんな」と睨むと手塚は砂川に向き直って「諦《あきら》めろ」と短く宣告して状況を投げた。手塚は——というか堂上班の全員は、郁がどれほど砂川のレビューにむかっ腹を立てていたか知っている。

「あんたの企画にウケてた奴がどれだけいたか知らないけど、あんたに好きな本をけなされて傷ついた利用者も絶対にいたわ。あたしは図書館は本が好きな人に本を提供するのが使命だと思うし、図書隊はそのために本を守ってるのよ。あんたの企画も発言も、図書館としては絶対に正道じゃなかった」

堂上や小牧の受け売りも借りてちょっと大上段になった台詞に、砂川がますますふて腐れる。

「でも、一図書館員としての発言の自由が……」

「あんた今からマジであたしとセメントやるか？　畳じゃなくて床なら三秒で沈めてやるわ」

顎《あご》を煽《あお》った郁に砂川が慌てて首を竦《すく》める。

「図書館の公式でやったってことが問題だってどうして分かんないの。あんたが個人で勝手にどっかにサイト作ってやるんだったらそりゃ自由よ、そこでいくらでも自由を行使しなさいよ。でも図書館の公式ホームページからたどれるコンテンツで一図書を攻撃するのは『自由』じゃないでしょ。利用者はあんたのアレを図書館の見解だと思っちゃうのよ、どうしても。図書館に自分の好きな本が否定されたって思うのよ」

それで傷ついた毬江を知っている、そのことが郁の声を荒げさせた。

「そんなもん、注意書きしてるのに混同するほうが……」

「悪いって言ってみろ、今すぐこの場で締め落とす！」

本当に段ボールを投げ捨てそうになった郁に、砂川はびくっと郁から飛び退いた。防火仕様の扉にぶつかって、そこが砂川の言っていた倉庫だった。

「じゃあね！」

砂川の抱えていた段ボールに自分の持っていた分を叩きつけるように乗せる。もともと体力派ではなかった砂川は尻餅《しりもち》を突く寸前までよろけた。

その無様な様子に少しだけ溜飲《りゅういん》が下がり、郁はそのまま砂川を残して立ち去った。

恐らく多少フォローをしたのだろう、手塚が遅れて追いついてきて「大人げないぞ、お前」と呆れた顔をした。

＊

郁と砂川の一触即発に図らずも立ち会わされた数日後のこと、手塚は勤務後に外出する羽目に陥った。寮にかかって来た電話で呼び出されたのである。

「何年ぶりになるかな」

呼び出した兄の声も表情も最後に会ったときの軋轢《あつれき》を忘れたように軽やかで、手塚は硬い声で答えた。

「五年」

「まさかお前が会ってくれるとは思わなかった」

「来いって言ったのはそっちだろ」

携帯では慧の番号には出ないことにしていたが、寮の電話はそうもいかない。寮監室の電話で行く行かないの押し問答をする気にはなれなかった。慧は寮監に兄と名乗っていたし、家庭内の諍《いさか》いを他人の前で見せるのは手塚のプライドが許さなかった。

小牧の件で情報を求めた借りもある。慧を頼ったときからそれは借りとして使われるだろうという覚悟もしていた。

場所は図書基地から二駅離れた吉祥寺《きちじょうじ》の喫茶店を手塚のほうから指定した。同僚に見られるかもしれない地元では会いたくなかった。

向かいに座った慧は、自分が八歳年を取ったらこうなるのだろうと思わせる顔をしていた。昔からよく似ていると言われていたし、二十三歳になった手塚は我ながら苛立《いらだ》つほど慧のその当時と似ている。

「貸しを一つ作ったから態度が軟化してるかと思ってな」

オブラートに包むでもなくさらりとそう言ってのけるのは慧らしいところだった。

「お前の同室の……砂川君だったか？　彼から聞いてると思うが、『図書館未来企画』に参加しないか」

「五年経ってもやっぱり俺を利用することしか考えてないんだな」

考えるよりも先に言葉が飛び出した。自制を利かせる暇もなかったそのことが、却って自分が兄に何かしらの温かいものを期待していたことを思い知らせる。

「手塚協会長の長男と次男が運営してる体裁が欲しいんだろう？　俺は研究会の根拠の強化になるものな」

「何だ、そんなことで拗《す》ねてたのかお前」

拍子抜けしたような慧の声に、手塚の言葉は凍りついた。感情の一部にそれもあったことをあけすけに衝《つ》かれたためでもあるし、今までの折り重ねた感情をその一言で片付けられたことも屈辱だった。

「弟だからってだけで声なんかかけないよ、俺は。身内であっても無能な奴は要らない。お前なら他人でも欲しかったさ」

慧らしい傲慢《ごうまん》な言い草だった。だが不思議と魅せられる、その引力は認めざるを得ない。慧に人が集まるのもそこだろう。

「……俺が使える奴になるかどうかなんてあの頃に分かるわけがないだろう」

――慧が家を出て行ったあの頃に。揶揄《やゆ》を籠《こ》めたつもりが、慧はこともなげに「分かるさ」と即答した。

「俺の弟だからな」

前言を翻すような身内びいきの発言を臆面《おくめん》もなく、だがその矛盾に親愛を読み取るのだろう、慧に心酔する人間は。

それが兄の手だと分かっている手塚でも乗せられたくなる気持ちがわずかに疼《うず》く。その疼きを振り切るように、

「俺の気持ちは最後に会ったときと変わってない」

敢えて実戦部隊に身を置いたのは、長期的な視野があるとしても検閲に与《くみ》する計画を持った慧の主義に反発する意志でもある。

「そうか。残念だな」

慧はあっさりと引き下がった。手塚の表情がよほど怪訝だったのだろう、「そんな顔をするなよ」と苦笑する。

「諦めたわけじゃない。この程度で諦められるような人材じゃないからな、お前は。ただ、俺も性急すぎたしお前が情で落ちるんじゃないかと期待してた甘さもある」

――情を。あんたが語るのか、その口で。

「もう少しじっくり努力することにするよ」

言いつつ慧は伝票を取って立ち上がった。顔を上げた手塚の先を制するように、

「五年ぶりなんだから兄貴にコーヒーくらい奢《おご》らせろ」

ここでごねるのも大人げないので会釈で謝意を示す。

兄の立ち去る律動的な後ろ姿を見ながら――結局、父のことにも母のことにも触れなかったなと今さらのように失望が追いかけてきた。

昼食のラインを一度も割ったことがない柴崎が朝比奈からの夕食の誘いに応じたのは、深刻な表情で拝み倒されたからである。

忙しくないときに落ち着いて話したい。柴崎さんを動揺させる話かもしれないからできれば後に仕事が詰まっていないときがいい。——などと言われたら業務後しか選択肢がなく、閉館が午後七時の図書館勤務では食事をしないのも不自然だ。

*

一応訊いとくけど、——付き合ってくれとかそういう話じゃないわよね？

大袈裟《おおげさ》に煽って引っ張り出そうとしてるんなら怒るわよ、と釘を刺すと、朝比奈もむくれた顔になって答えた。

今さら僕がそういうことを言ったからって仕事に影響が出るほど動揺なんかしないでしょう、あなたは。

遠慮のない物言いは、大分柴崎に毒されてきているらしい。

図書隊員の目を心配しないで済むところがいいという話だったので、わざと高い店を選んだ。これは朝比奈の指定なので勘定は朝比奈持ちと話をつけてある。図書士の給料で気軽に使える店ではない。上官クラスでも重要なアテンドのときくらいしか使わない。

ラフな格好では浮くので、柴崎も一応小綺麗《こぎれい》なアンサンブルで来ていた。朝比奈もスーツである。落ち合った朝比奈は一瞬見とれる表情になって、照れたように笑った。

「いつもと違う感じですね」

そっちもね、と柴崎も返す。

「もうちょっといいやつ作ったほうがいいわよ、せっかく着映えすんだから」

「うわもう、キビシイなぁ」

言いつつ朝比奈は「サイズ合ってませんかね?」と袖《そで》の辺りを気にする仕草を見せた。

「生地よ、生地。安い生地似合わないわ、あんた。見場がいいから」

「誉められてるのかどうかすごい微妙だ……」

相変わらずになったそんなやり取りで店に入り、コースを頼んで食事が始まっても朝比奈はなかなか本題に入らなかった。

「せっかくだから、食事は食事で楽しみましょうよ。いい店だし、こんなことでもないと柴崎さんは夕食なんか付き合ってくれないし」

何度かつつくとそんなことを言ってかわし、食事中は結局雑談に終始した。周りにはさぞや似合いのカップルに見えるだろう。

しかし、食事が進むにつれて朝比奈の表情は曇りがちになってきた。よほど言いづらい話を持っているのだろう、とその顔色で見当はついていた。

食後のコーヒーになった段階で「実は」と切り出されたその話は、確かに柴崎を動揺させる程のものだった。

「武蔵野第一図書館が不法に図書を処分している、という話があります。僕が懇意にしている新聞記者からの情報です」

聞いた瞬間、二つの思いが頭をかすめ、そのうち一つを柴崎は無意識に口走っていた。

「そんなはずないわ」

そんなことがもし館内で行われているのなら、どれほど秘匿しようとしても自分がその情報を取りこぼすなどということはあり得ない——という自負だった。

朝比奈が労《いたわ》る表情になった。

「ええ、ですから……ごく小規模な話です。柴崎さんが気づけないほど」

気づけたら外部に漏れる前にそんな行為は自分の立ち回りだけで潰《つぶ》してみせた。その悔しさが唇を噛《か》ませる。

そして朝比奈は柴崎が聞いた瞬間に思ったもう一つを言葉に乗せた。

「記者は第二の『現代の焚書《ふんしょ》事件』として記事にすることを考えているそうです」

びくりと自分の肩が跳ねたのがはっきり分かった。それは一つの館として、一体どれほどの屈辱か。それが自分の勤める館に。

「——今なら差し止めが利く、と言ったらどうしますか」

いつの間にか俯《うつむ》いていた顔が弾《はじ》かれたように上がった。

「……今、あんた何て」

飢えたような声が我ながら浅ましかった。取り繕う余裕などない。朝比奈は困ったような、泣き笑いのような顔をした。

「親しいんです、その記者と。記事にしないでくれと言えるだけの貸しもあります」

だから。朝比奈の声はやはり困ったように、迷ったように。

ごく小規模な話です。もし、柴崎さんの働きかけで問題をなかったことにできるなら。

「第一図書館を救えます」

それは武蔵野第一だけの話ではない。図書館界の名誉そのものさえも。

随分長い時間、沈黙が続いたような気がする。気持ちを落ち着けようとコーヒーをすると、もうすっかり温《ぬる》くなっていた。

朝比奈がずっと待ってくれていることがその温さで分かる。

「……いつまで、押さえておけるの」

条件から質《ただ》したのは逃げだ。

「明日いっぱいと考えてください」

ごめん、と柴崎はとうとう両手で顔を覆った。

「今すぐ返事ができない。待って」

今すぐ口を動かしたら、きっと。

自分が口走りそうな台詞を飲み込むので精一杯だ。

「明日、必ず返事する。今日は帰らせて」

分かりました、と朝比奈の頷く気配がした。

「コーヒー、もう一杯頼みましょうね」

落ち着いてから帰ろうという言外の気遣いに柴崎も力なく頷いた。


「お帰りー、……どうしたの？」

迎えた郁の表情が怪訝になった。

「具合悪くなった？」

よほど自分の顔色は悪いのだろうとその案じ方で分かった。

「ううん、別に。でもちょっと冷えたし、取り敢えず風呂《ふろ》で血行戻してくるわ」

気持ちを落ち着かせるために小一時間も浸《つ》かってから部屋に戻ると、郁がもう一度お帰りと言いつつ電気ポットに手を伸ばした。

テーブルには二人のマグカップが用意されていて、柴崎が戻るのを待っていたらしい。

「お茶でいいよねー？」

日本茶だろうが紅茶だろうがコーヒーだろうが器は一律同じマグカップというのは寮生活のお約束のようなものである。

がさつなこの友人なりの気遣いに、一瞬涙腺《るいせん》が緩みそうになった。慣れでそつなくこらえる。人前で涙を見せないことは柴崎にとって既に息をするのと同じくらいの習性だ。

「もしかして何か揉《も》めた？」

思ってもみなかったことを訊かれて初めて気づく。男友達と出かけて青い顔で帰ってきたら、体調の次に心配されるのは普通は仲違《なかたが》いである。

うんそう、ちょっと喧嘩してさぁ。いつもの自分の判断力ならその線でごまかすだろう――と考えてから苦笑する。判断力が落ちているわけではない。

弱気になっているのだ。それを認めて気が楽になった。

「ううん、違う」

まずは郁の心配を否定して、「ところでさ」と持ちかける。

「ちょっと訊きたいんだけどさ。――もしもの話なんだけど」

さすがにこの話を郁にも背負わせるつもりはないので素早く置き換えを考える。できるだけ卑近な喩《たと》えと言えば、

「もし、あんたの好きな人とか尊敬してる人が何か犯罪とかに関わってたとしてさ」

「えっ、何、そんなえらい悩み？　まさか朝比奈さんが何か」

案の定そっちへ思考を転がした郁が慄《おのの》いた顔をする。

「違うって。あれが相手なら好きな人なんて前提出すか、あたしが」

「あ、そか。……ってそれも朝比奈さん気の毒な……」

「ま、朝比奈さんから持ちかけられたお題くらいに思ってよ」

言いつつ本題に戻す。

「その人が何かの犯罪に関わってたとして、それが露見する直前だったとして、もしも自分がその犯罪をなかったことにできるとしたら、どうする？」

「ええー？」

迂遠《うえん》な言い回しにただでさえ単純な郁は首を傾げた。咀嚼《そしゃく》に時間がかかっているらしい。

「えーっと……要するに、」

悩んでいた郁が顔を上げる。

「好きな人の犯罪を揉み消せる立場にいるとして揉み消すかどうかってこと？」

あまりにも郁らしい率直な物言いに、頭をガツンと殴られたような気がした。

「あたしなら……うーん……自首するように勧めるかなぁ。好きな人や尊敬してる人だったら、間違ったうえに更に間違わせるようなことしたくない。もし揉み消そうとしたのがバレたら、余計その人の立場悪くなるんでしょ？」

郁の台詞の後半はもう聞き流していた。

揉み消し、というあけすけな言葉が痛烈に刺さった。自分の迷っていた選択はそういうことだ。本来なら迷うべきですらない邪道だ。

自分が気づいていれば防げた。——その自負の前にリセットボタンを示され惑った。それを使っても防いだことにはならない。

自分は気づけず、他の誰も気づけなかった。事実はそこから動かない。

「笠原ぁ」

まだ何かいろいろ喋《しゃべ》っていた郁の言葉をぶった切る。

「あたし、あんたのこと大好きよ」

「は⁉」

唐突な発言に郁が遠慮会釈なく怪訝《けげん》な顔になる。

「ちょっと、人に悩ましいお題振っといて何それ⁉　一生懸命考えながら喋ってたのにあんた今全然聞いてなかったでしょ⁉」

「ああ、ごめん苦手なことさせちゃって」

「何だそりゃ、あたしがモノ考えるのが苦手だとでも言いたいのかっ！」

「得意ならこの機会に認識改めるけど？」

柴崎が訊き返すと郁はうっと言葉に詰まり、しばらく唸《うな》ってから口惜《くや》しそうに「……いい」と辞退した。

朝比奈に電話を入れたのは翌日の昼休憩に入ったときである。

ワンコールで出たのは朝比奈も待ち受けていたのだろう。名乗った声は少し眠そうで、昨日よく眠れなかったのかもしれない。

柴崎のほうは郁と話してスッキリと寝付いたので逆に悪いくらいだ。

「昨日の話、聞かなかったことにするわ」

朝比奈はしばらく黙り込み、やがて慎重な口調で尋ねた。

「いいんですね？」

返事は「うん」と即答。すると、

「よかった」

朝比奈の声が柔らかくなった。

「あんな話を持ちかけたけど、もし柴崎さんが受け入れたらどうしようかと思ってたんです。僕は余計なことを持ちかけたって」

「見くびられたもんね、あたしも」

と、これは強がりだということが朝比奈にも分かっているかもしれない。

「これで安心して好きでいられます」

態度や言葉の端々、そもそも最初に誘われた経緯からしてバレバレだったが、朝比奈がそれをはっきり口にしたのはこれが初めてだった。

「一瞬弱ってるとこ衝《つ》いてもほだされないわよー、あたしは。高い女だからね」

いい加減ちょっとはほだされてくれませんか、と朝比奈は苦笑している気配だった。

＊

発覚は柴崎が思っていた形にはならなかった。

江東が突然メディアに対して会見を開き、武蔵野第一図書館内で特定の図書を隠蔽《いんぺい》する恣意《しい》的な動きがあったことを発表したのである。

匿名の告発電話に基づいて調べたところ、事実であったことが判明したという説明で、隠蔽されたのはメディア良化法を支持する論者の著書が数十冊ということだった。

数年前の『焚書事件』はメディア良化委員会の定める検閲対象図書の隠蔽だったので、同じ隠蔽事件とはいえ意図は正反対のものと思われた。

隠蔽に関わったのはごく少数で、検閲に反対する熱意が暴走した結果ではあろうが、図書館があらゆる図書に弾圧を加えてはならないのはもちろんのことであり、誠に遺憾に思う。

これから事実関係を調査して内規を正すとともに、隠蔽に遭った図書の著者とメディア良化委員会、そして利用者に陳謝する。

事件に対する江東の声明である。

図書館としてあってはならない失態の再来だったが、図書館が自ら公表して陳謝したことと、メディア良化法による検閲を憎むあまりの暴走ということで、各メディアは批判しつつも同情を一片残す報道が主体となった。

「意外な展開になりましたね」

電話で連絡を取ってきた朝比奈に柴崎は率直な懸念をぶつけた。

「あんたが気を回したってことはないんでしょうね？」

際どいところで図書館の権威を守った発覚の仕方に、誰かが図書館にダメージの少ない発覚を演出したのではないかという疑いは最初から持っていた。柴崎にしてみれば最初に疑わざるを得ないのは朝比奈である。

「さすがに失礼ですよ、それは」

やんわり窘《たしな》めた朝比奈の反応は、らしいと言えばらしいか。ごめん、と謝った柴崎に朝比奈は推測だと前置いて語った。

「例の記者は図書館界や法務省にも色々人脈を持っていますから……そのどれかに配慮したんじゃないでしょうか」

稲嶺がその人脈の中に入っていないのは柴崎の持っている情報で確定している。だとすれば江東か、あるいはもっと別の。

気に食わないわね、という呟きは受話器から朝比奈にも届いたらしい。え？　と聞き返されたが、柴崎はそれには答えず電話を終えた。


報道は同情的な方向へ流れたが、図書館界内部ではそうは行かなかった。外圧が少なかった分、内部粛正の気運が高まったとも言える。

たとえメディア良化委員会と検閲を巡って日々争っているとはいえ、図書館があらゆる図書、延《ひ》いてはあらゆる思想に中立でなければならないことは図書館の理念が語るとおりで、良化法を支持する思想についてもそれは同様である。

前回の『焚書問題』はメディア良化法の検閲におもねる形だったが、今回は逆に図書館からのメディア良化法に対する検閲とさえ解釈できるもので、そこを衝くメディア良化委員会陣営の攻撃も激しかった。

また、その意図からして今回は原則派的な意志が暴走した結果であることは明らかで、前回の問題を失点とされていた行政派がその分の巻き返しを図り、原則派を激しく非難する流れになった。

発覚に至る形が図書館側に幸運であったため、また江東の措置が絶妙だったために図書館界のイメージの失墜は最小限に抑えられたが、その幸運と江東の手腕に拠《よ》って反省をなおざりにするわけにはいかない、というのが行政派の言い分であった。法的措置にまで発展した前回の問題と同列の扱いにして相殺したい意図は見え透いていたが、正論でもある。

江東が原則派であればその手腕に免じてという駆け引きも成り立っただろうが、江東は着任時から一貫して中立の立場を崩していない。

そして、行政派から問題に関わった隊員の公表を迫られ、江東は中立派として当然のごとくその要求に応じた。

武蔵野第一図書館業務部、砂川一騎一等図書士。

匿名電話で出された名前は彼一人だったという。

行政派は直ちに査問会を組織し、事実関係の調査という名目で原則派弾劾の実績を作ることに終始した。

「砂川ってそんな熱心な原則派だったように思えないんですけど……」

郁はその日のバディだった堂上に漏らした。

首謀者が砂川だったことは、郁にははっきりと意外だった。そもそも砂川の受け持っていた『一刀両断レビュー』からして原則派の価値観には根本的に合わないものだったし、その証拠に根っから原則派の多い図書特殊部隊ではあのレビューを嫌悪する声が圧倒的だった。

それは堂上班も同様で、特に小牧は毬江の絡みもあって静かにしかし根深く怒っていることが端々から見て取れた。

「どっちかっていうといいかげんっていうか、調子乗りっていうか……あんまり理念とか深く考えてなさそうな感じだったんだけどなぁ」

レビュー問題にしても調子に乗って大コケしたという印象があるし、郁と口論になったときの腰の据わらない様子からしても、原則派が擁護し行政派が責め立てるような「原則派の理念に殉ずるあまり」というような情熱は感じられなかった。

「しかしまあ、本人が原則派として追及されてることに文句も言ってないんだし、表面上どう見えるかは問うことでもないだろう。それに隠蔽しようとした図書のラインナップからしても、原則派に寄った思想による行動と判断するのが妥当だ」

確かにそれはその通りなので郁も黙り込んだが、

「まあ調査が終わればいきさつも発表されるからそれまで待て」

と堂上が宥《なだ》める口調になったのは、よほど郁が納得のいかない顔になっていたらしい。

事実関係の調査は査問会が主導を取っており、すべて明らかになるまでは第三者による証拠や証言の改竄《かいざん》などを警戒して調査経過は発表されない。

「砂川のこと、かなりこっぴどくやっつけたらしいな。三秒で沈めるとか締め落とすとか」

話を振られて郁は弾《はじ》かれたように顔を上げた。「それ誰にっ……」言いながら途中で気づく、
手塚のほかに誰がいる。あいつ、と唇を尖《とが》らせた郁に堂上が真顔で言った。

「お前が言うと口先だけの脅しじゃ済まん。あまり男のメンツを潰《つぶ》してやるな」

「だ、だってうだうだ言い訳ばっかで男らしくないからっ」

「ある意味お前より男らしい男なんかそうそう転がってないのに無茶言うな」

「し、失礼です！　平たく失礼ですその発言！　撤回と謝罪を要求する！」

ぎゃんぎゃん嚙《か》みつくと、堂上は郁の頭を軽く叩いた。

「砂川のことはもう水に流してやれ。職場や寮で風当たりが強い状況に晒されてるし、査問会でかなりへこたれてるらしい」

あんなもん態のいい吊るし上げ祭だからな、と苦い表情で付け加えた堂上に郁は首を傾げた。

何だか今の物言いはまるで、

「……堂上教官も査問会に呼ばれたことあるんですか？」

堂上が反射的に顔をしかめた。とっさに嘘が吐けないところがいかにも堂上らしい反応である。

「え、ウソ、マジで？　何で？」

「お前、それが上官に対する口の利き方か！」

いきなり堅苦しいことを言いはじめたのは話を逸《そ》らしていることが明白である。

「え、何でですか？　何か行政派の難癖とか？」

行政派の査問会は原則派と比べてやり口がえげつないというのは隊内でも有名なので、その推測は自然と浮かんだ。

「何か巻き込まれたり、とばっちりとか？」

堂上自身が問題を起こしたという図は郁にはどうしても思い浮かばない。例えば玄田の無茶の尻拭《しりぬぐ》いであるとか、そうした構図なら自然と想像がついた。玄田であれば行政派から揚げ足を取られそうなことはいくらでもやっているだろう。

先だっての稲嶺の誘拐事件のときの無茶も、あわや行政派の攻撃材料になるところだったのである。

「笠原」

堂上が深刻な声になった。ごくりと固唾《かたず》を呑《の》んで引き込まれ、思わず背を屈《かが》めて堂上に目線も合わせる。

するとー、

「人間、誰しも触れられたくない過去というものがある。分かるな」

え、と戸惑っているうちに堂上は「以上！」と切り上げて早足に歩き出した。

「今後その話題を持ち出すことは上官権限を以《もっ》て一切禁ずる！」

「うわ直属の上官が暴君に豹変《ひょうへん》!?　そんな上官権限の発動あり得ないでしょ!?」

「うるさい黙れ却下だ！」

——何やらこれは弱点の気配か⁉

それからしつこくまとわりついてみたが堂上は頑として口を割らず、終《しま》いに郁が口を開こうとしただけで「うるさい！」と怒鳴るほど機嫌が悪化した。

攻略相手を小牧に変更してみたが、「堂上が言いたくないことを俺が漏らすことはできないなぁ」といつもどおりの正論で、「他の奴に訊いても無駄だよ、男気に関わる問題だからうちの隊で口割るような奴いないし」と釘《くぎ》を刺された。

せっかくシッポらしきものを見つけたのに諦めるのは惜しかったが、それ以上はどうしようもないので郁も渋々諦めた。

＊

そんなことがあってから数日後のことである。

隊の朝礼の後で堂上が玄田に呼ばれ、隊長室のドアが閉められた。その状況でドアが閉まるのはプライベートに関する問題か悪いニュースかどちらかで、自然と班の人員も隊長室を気にする気配になった。

やがて、

「あり得ませんッ！」

ものすごい剣幕の堂上の怒声が、ドアを閉めた効果もないほどの音量で筒抜けた。

「何かの間違いです、差し戻してください！」

「いいから呼べ！」

玄田の声も荒くなり、やがて二人が意図的に声を絞ったが、室内で侃々諤々《かんかんがくがく》の口論が続いていることは明らかだった。

しばらくして、隊長室のドアが開いた。堂上が顔を伏せたままで、

「——笠原。入れ」

そう言った。

小牧と手塚は郁に案ずる表情を向けたが、郁にはむしろ呼んだ堂上のあまりに悔しそうな、そして苦しそうな様子が気にかかった。あたしよりも——あんたが大丈夫か。身の程知らずにそんなことを考えていたので、隊長室には意外と落ち着いて入った。

堂上に付き添われて玄田の前に。玄田も苦い表情で、あまりいい話ではないなと察する。

玄田は珍しく言葉を逡巡《しゅんじゅん》する様子を見せ、やがていかにも不本意そうに口を開いた。

「砂川を追及している査問会からお前に出頭命令が下った」

何を言われたのかまったく理解できず、それゆえ何も言えなかった。

「砂川が共謀者にお前の名前を出したそうだ」

何ですかそれ！

濡《ぬ》れ衣《ぎぬ》です！

ふざけんな砂川！

を見た。
自分らしい罵詈《ばり》雑言がとっさに出てこなかったのは、――郁は隣に仏頂面で立っている堂上
閉めたドアが意味を成さないほど、一体何事かと事務室の全員がぎょっとしたほどの剣幕で、
この人は――このことを怒ってくれたのだ。
あり得ない、と堂上が即断してくれたことが郁を今の状況で冷静にさせていた。
「……覚えがありません」
自分でもちょっと自慢したくなるほど静かな声で答えた。落ち着いてるな、と尋ねた玄田に
郁はまた堂上のほうを向いた。
「何か、あたしの分、怒ってくれた人がいるみたいですから」
堂上は郁のほうを見なかったが、耳朶《じだ》が赤くなっていた。冷静さを失った自分を恥じている
のだろう、そういう人だ。
でも――冷静さを失うほど、この人があたしのために怒ってくれたことが嬉《うれ》しいと言ったら、
それほど信じてくれていることが嬉しいと言ったら、怒られるだろうか。
「出られるか」
玄田の短い問いに、郁は頷いた。
「疑惑を晴らすためですから」
精一杯格好をつけた。玄田はもちろんのこと、堂上に聞かせたかった。堂上が信じてくれた
からこれほど格好をつけられる、と――分かってくれるだろうか。

退室してから堂上が囁《ささや》くような小声で言った。

「頑張れるか」

実際に自分も昔体験しているからこその心配だろう。堂上が苦い思い出にしているほど不快で苛酷《かこく》な状況に自分も赴く、ということが俄《にわ》かに不安になった。

だが。

「同じ図書隊の査問だし、こないだの小牧教官よりはきっとマシですよね。それに、」

堂上に向かってからかうような笑顔を作る。

「伊達《だて》に日頃から鬼教官に揉《も》まれてませんから」

苦笑するかな、と思った堂上はびっくりするほど優しく笑い、「いい子だ」と郁の頭を一回撫《な》でた。

五、図書館の明日はどっちだ

＊

その日の堂上《どうじょう》班は訓練予定だったが、午前中が郁《いく》の査問に対する説明会議に振り替えられた。郁の一回目の呼び出しは午後である。

玄田《げんだ》と堂上から為《な》された説明の途中で、手塚《てづか》がこらえかねた様子で荒く席を立った。

「手塚、どこへ行くつもりだ！」

太い声で止めた玄田に手塚は手塚には珍しい調子で噛《か》みついた。

「業務部です。砂川《すながわ》にどういうつもりか問《と》い質《ただ》します」

座れ、と静かな声を投げたのは堂上だ。

「砂川は心身症の診断書が出て自宅療養の許可が出た。もう帰宅してるはずだ。砂川への査問は復帰まで延期される」

淀《よど》みない説明は、堂上も既にそれを玄田に訴えたからだろう。

「自分の代わりに追及させる奴を差し出して逃げたんだ！　だってあいつ、今朝も自宅療養に戻る話なんかまったく匂わせてなかったんですよ！　同室者には説明があって然《しか》りでしょう、不自然だ！」

「気持ちは分かるが滅多なことを言うな。微妙な時期だし、笠原《かさはら》の不利にならんとも限らん。自重しろ」

自分も不本意そうな玄田の声には、玄田なりの自制が利いていた。堂上にいつもの抑え役を当てにできないことをさっきの口論で悟っているのだろう。

「問題は何で差し出されたのが笠原さんだったかってことだね」

本題を衝いたのは小牧《こまき》である。

「何か心当たりある？」

訊かれて郁は首を横に振り——かけて、あっと眉《まゆ》をひそめた。

「……えーと、例のレビューの件で一回喧嘩《けんか》売りました」

「そんなもんは関係ない、気にするな」

堂上が即座に否定した。

「個人的な諍《いさか》いの意趣返しなんか考えられるほど温《ぬる》い場じゃない」

その断言は堂上が査問を経験したことがあると知っている郁には説得力があったが、手塚は微妙に納得がいかないらしく不満顔だ。

「妙な話を持ちかけられたり、特別に話し込んだりしたことはない？」

重ねて尋ねた小牧に郁は今度はしっかり首を横に振った。

「正直言って手塚の同室じゃなきゃ同期でもとっくに忘れてました。印象薄いし、特に親しくないし。例のレビューでむかついたから巡回で会ったとき突っかかったけど」

「そのときは俺も一緒でしたが、本当に笠原が一方的にやっつけただけで砂川からはほとんど言い返せていません。これに関しては俺が証言できます」

手塚の補足は気を利かせたつもりだろうが、上官たちは苦笑になった。郁としては余計な恥をかかせないでよ、と言いたいところだ。

とするとやっぱり、と小牧が腕を組んだ。

「砂川が査問で誘導された線が濃いかな」

いつもならついて行けずに怪訝《けげん》な顔になるのは郁だけだが、今回は手塚もだった。査問会が隊内で展開されるのをまだ見たことがないのは二人とも同じである。

「要するに図書特殊部隊《ライブラリー・タスクフォース》が狙われたってことだ」

玄田の説明は大雑把すぎて更に訳が分からず、結局仕上げは堂上になる。

「前回の『焚書《ふんしょ》事件』は行政派の起こした問題だ。これは未《いま》だに行政派の最大の弱点になってるし、これに先日の鳥羽《とば》代理の失態も重なった」

「巻き返しの材料、ということですか」

同じ話を聞いても手塚のほうが洞察が早いのはいつものことだが、

「ちょ、そこで先に分かられたら説明止まっちゃうでしょ!」

今回ばかりは自分にも関わることなので郁も必死である。

「心配せんでも全部説明するから騒ぐな!」

一喝した堂上が「そもそもお前に理解させないままで放り出したことがあるのか、俺が」とややむくれたように付け足した。報われないね、と笑いながら茶化したのは小牧である。

手塚はどうやら察したようなので、堂上は完全に対郁の姿勢になった。

「行政派としては原則派の失態が欲しい。そこへ持ってきて今回の事件は天の配剤だ」

その言い方が郁の感情に引っかかった。

「天の配剤って……図書館の名誉に関わる事件なのにそんなの、」

「それが派閥の論理だ」

堂上はわざとのように素っ気なく切って捨てた。

「原則派だって行政派の失態は武器としてしっかりカウントしてるし、ここぞというとき活用もしてる。同じだ」

原則派は違う、と反発した気持ちを出鼻で挫《くじ》かれた。違うと思いたかったのは原則派の立場にある人々を思ったからだ。稲嶺《いなみね》を始めとしてここにいる全員がそうだ。――堂上も。

何で、そんなこと言うの。同じだなんて。あたしは自分がこっち側にいることが自慢なのに。本を愛する原則に従ってる人たちと一緒の側にいることが嬉しいのに。

――あんたの部下であることがあたしの誇りなのに。

不意に、しかし強く沸き上がった思いに自分で動揺した。その激しい動揺が反発する機会を見失わせた。

「行政派としては今回の事件をできるだけ拡大化して過去の失点と相殺したい。それでうちの隊が狙われたんだ」

何で、と呟《つぶや》くような問いに答えたのは玄田だ。

「要するに俺だ」

何故か自慢気なその答えに堂上も頷《うなず》く。

「隊長は原則派の主要な人物の一人だし、原則派が多い防衛部の中でも特殊部隊は玄田隊長の直下ということで殊に原則派寄りだ。この機会に失点をぶら下げておこうって腹だろう」

「そんなもんいくらぶら下げても俺がこたえんと分からんから行政派は駄目なんだ」

「隊長がこたえなくても原則派にはこたえるんですよ、自重してください」

すかさず釘《くぎ》を刺しにかかった堂上に替わって小牧が後を受け持つ。

「で、特殊部隊に難癖つけるとしたら手強《てごわ》くなさそうな新人が狙われるのは分かるよね？」

「でも何で笠原なんですか」

食い下がったのは手塚である。

「特殊部隊にねじ込む接点なら、どう考えても砂川と同室の俺でしょう。俺と砂川が同室じゃなきゃそんな企てを思いついたかどうかも疑問です。それが何で俺を飛び越えて笠原に」

お前、それここで訊《き》くか！　郁は恨みがましく手塚を睨《にら》んだが、手塚は一向に気づかない。

自分が狙い撃たれた理由なんか自分が一番分かっている。

「……それ、ここで俺に明言しろって言う？」

小牧も苦笑し、郁はむくれて手塚に嚙みついた。

「どうせあたしのほうが隙が多いしチョロく見えるわよ！　あたしが行政派でもあたし狙うわ、

誰が好き好んであんたみたいな手強そうなの狙い撃つか！」

「お……俺はそういう意味で言ったんじゃ、」

「じゃあ何だ、自慢かっ！」

完全に僻《ひが》んだ郁に何を言っても無駄だと思ったのか、手塚は不本意そうなまま口を閉じた。

「ともあれ、砂川が療養中であることがネックだ」

堂上が話を本筋に戻した。

「通常だったら笠原が砂川の証言を否定したら砂川の証言の再確認に入る。だが、砂川の査問は休止中だから水掛け論で揺さぶってくるだろうな。とにかく言質を取られるな」

行政派にとってはやってみるだけ得な攻撃である。

濡《ぬ》れ衣《ぎぬ》を投げかけてみて郁の言質が取れたら特殊部隊の偏向を追及する方向で別件の落ち度を探り、結果として空振りに終わっても行政派には手間暇以外の損失はない。

砂川が療養中であることもあり、郁への査問は揺さぶりの意味も兼ねて複数回に長引くことも予想された。

会議を終えて時間が余ったので堂上班は訓練に合流することになったが、郁は免除になった。

「呼び出しまでしっかり予習しとけ」

言いつつ堂上が郁に渡したのは、玄田が会議を抜けてから班で作った即席手書きの査問対策集である。査問の内容を予測してその回答例をまとめたものだ。もちろん郁以外の三人で作成したもので、郁が覚えきれる分量にまとめてあるところが見事である。

つくづく優秀なんだなこの人たちは、とその様子を眺めて役に立たない自分に少しへこんだが、自分の仕事はこれを頭に叩《たた》き込むことだと切り換えた。

「じゃあ頑張って」

そう言い残した小牧が、複雑な表情をしている手塚の肩を叩いて一緒にドアへ向かわせた。砂川と同室の手塚としては、郁が狙い撃たれたことに罪悪感を覚えずにいられないのだろう。自分なら不安なく切り抜けられたのにというもどかしさもあるのかもしれない。

最後に残った堂上が郁の机の横で足を止めた。座っていたので珍しく郁が見上げると、堂上はしばらく言葉を探すような風情を見せ、対策集を指差しながら命令口調になった。

「取《と》り敢《あ》えず書け。百回書け」

「ひゃくっ……!?」

「お前のタイプは体で覚えるしかない。書いて覚えろ」

まるで学生時代の郁を見ていたかのように正確に言い当てられ、郁は慌てて裏紙と筆記用具を手元に揃えた。

机の上に落ちた影が立ち去らないのでもう一度見上げると、堂上はまっすぐに郁を見ていた。その強い眼差《まなざ》しに引き込まれて見つめ、まるで見つめ合っているようだと気づいて慌てて目を逸《そ》らしかけると、その機先を制するように堂上が口を開いた。

「これから先、きつくなる」

かなりや相当など度合いを示す言葉が付かなかっただけに、そしてそれが堂上から言われただけに深刻な予告だった。

「命令だ。辛《つら》くなったら必ず俺に言え」

どう答えていいのか分からず口籠《くちご》もった郁に、堂上が「返事は」と強く促した。

「はいっ！」

迫力に負けて敬礼もつける。すると堂上は少し表情を緩めた。

「よし。約束したぞ」

「約束なんですか？」

命令って言ったのに。疑問に思ったので素直に口にすると、堂上は顔をしかめた。

「お前が守れるならどっちでもいいんだ。好きなほうで覚えとけ」

怒ったように言い捨てて部屋を出る。

「好きなほうで、とか言われてもあんた……」

一人残されてから郁は呟いたが、どちらにしようか考えはじめるとそんな場合ではないのに少しだけ気持ちが浮かれた。

＊

午後二時から一時間ということで出頭命令が下った査問会は、図書基地司令部庁舎の会議室で行われた。

郁がノックして部屋に入ると、正面の長机の向こうに五人のオジサン連中が待ち受けており、階級章は三監から一監まで。一監は真ん中の一人、やせぎすの初老の男性で、一年前なら郁が確実に顔を覚えていなかった彦江《ひこえ》光正《みつまさ》副司令である。隊内の行政派トップであることは世情に疎い郁でも知っている。

わーハゲワシみたい、というのはその髪の残り具合からの連想で失礼極まりないが、一応はその眼光の鋭さも連想を手伝ったので勘弁してほしい。

その彦江が長机の正面に置かれた椅子を無言で示した。座れということらしい。一礼して腰を掛ける。

所属と姓名の確認が行われ、質問は意外なところから始まった。質問者は彦江である。

「あなたは原則派を支持していますか？」

百回には届かなかったが数十回書いた手が回答例を記憶していた。元の対策集ではやや悪筆の堂上の字で書かれていた部分だ。

「まだ入隊して二年目ですし、派閥についてあまり深く考えたことはありません」

「しかし、あなたの記録を見ると原則派的な思想に偏っていると思われる行動が多い。例えば、教育期間中の見計らい問題」

それは必ず衝かれるだろうと覚悟していたが、やはり衝かれた。

「図書士が持たない見計らい権限をどう行使しようとしたかはさっぱり分からんが……」

彦江が手元の書類を繰りながら苦笑し、周囲からも失笑が重なった。はっきりいたぶる意図を持ったその笑いに屈辱で体温が上がった。顔が火照る。

「非武装緩衝地帯である民間店舗で、一隊員の一存で見計らい権限を行使するなど、とんでもない話だ」

「反省しています」

機械的に返事をする。感情のスイッチを切れ、というのは堂上のアドバイスだ。

本当は反省なんかしていない。

誕生日にこの子に好きな本を買ってあげたかったとはにかんだ若い母親。もらったお菓子を放り出すほど喜んで郁の返した絵本を受け取った子供。

あの喜びを守れたことを思えばこんな屈辱など。

「同様の問題を過去にもやはり原則派の隊員が起こしている。そちらは見計らい権限を持った三正だったが」

どきりと心臓が跳ねた。もしかして、という思いが渦巻く。でも、そうだとしたら、王子様はあたしを助けたことで同じように責められたのだろうか。もしかしたら査問にも掛けられたのだろうか。――あたしのせいで。

申し訳なさと同じだけ強い気持ちも沸き上がる。

それは誰ですか。

訊きたい。思い出の中でしか追えなかった顔も名前も知らない王子様に、今なら手が届く。

質問が喉《のど》までせり上がる。だが、

絶対に自分からは喋《しゃべ》るな。

会議のときの堂上の指示が、欲求よりも強く自分を律した。

対策集は郁が自発的な発言をしないことが前提の推測に則《のっと》って作られた。そのときの三正は誰だったんですか、などと郁が尋ねることは想定されていないし、そう尋ねることで話がどう展開することになるのか郁には分からない。そして査問会の議事録は検討材料として残される。彦江の前にはレコーダーが置かれている。

余計なことは何も言うな。質問されることにだけただ答えろ。そうすればこれで充分お前を守れるはずだ。

百回書けと言われた対策集は、郁を守るために作られたのだ。

「原則派的な、非常に原則派的な問題だ」

郁が葛藤《かっとう》している間に彦江は話を続けてくれた。

「しかも、その見計らい権限を君の上官が追認している。堂上、小牧両二正に玄田三監だ」

当時は小牧と玄田は直接の上官ではなかったが、混同させて喋っているのはわざとだろう。

「玄田三監は原則派である稲嶺司令の派閥上の右腕だし、玄田三監が指揮する図書特殊部隊は原則派的な思想に偏っていることが日頃から問題視されている」

原則派的な思想に偏ってるより行政派的な思想に偏ってるよりよっぽど健全だと思いますけど。——とか言ってやりたい、と持ち前の負けん気が頭をもたげるがこらえる。

「君もその思想に教育されているということはないのかね？」

この部分は手塚の字だった。几帳面《きちょうめん》な四角い筆跡を思い出しながら答える。

「特別に派閥的な思想を教育されたことはありません」

この人たちの背中を追いたい、と思ったのは郁の勝手だ。思い浮かべた背中は自分より肩の線が低かった。

その後も郁に原則派であることを認めさせようとする誘導尋問が続いたが、それはどうにか凌《しの》ぎきった。

そのタイミングで質問が変わった。

「メディア良化法についてはどう思いますか」

——来た。郁はごくりと唾《つば》を飲み込んだ。ここは小牧の字だった。手書きで作ってもらったのは良かったかもしれない、印字よりも視覚的な印象が深い。

「反対です」

できる限り文言を少なく。口数を多くすればするほど相手に隙を与える。

「それは何故だね」

「『図書館の自由法』を掲げる図書隊に所属する者として当然だと思います」

彦江は鼻で笑い「よく勉強してきているようだ」と聞こえよがしに呟いた。その左隣の二監が重ねて尋ねる。

「検閲については？」

「知る権利と表現の自由の双方を侵害するものです。検閲はそもそもそれ自体が不当な行為と考えます」

「検閲対象が個人の人権やプライバシーと抵触するものであってもですか？」

「その場合の救済措置は、司法の受け持つべき問題です。前提として検閲が正当化されるべきではありません」

対策集には実際の救済措置の判例もいくつか挙げてあったが、正確に言える自信がなければ無理して言うなとあったので無理はしない。

「検閲に対するスタンスは我々も同じです」

二監の発言に郁の顔は怪訝になったのだろう、二監が苦笑しながら付け加えた。

「原則派と行政派は、図書隊の根本的な使命についてまで対立しているわけではありません。ただその使命の執行の仕方について各種のスタンスが異なっているだけです」

すみません、と謝りそうになったが途中で「そうなんですか」と言い換えた。派閥についてはあまり考えたことがないという建前が基本戦略だし、実際に郁は特殊部隊で原則派たることを強要されたことなどない。

「ただし、行政派は検閲対抗権は厳正に執行されるべきであるという基本的な考え方を持っています。一隊員の一存による見計らい権限の行使などは、行政派としてはあり得ない行為です。そうした意味で、あなたの教育期間中の見計らい問題は、非常に原則派的な姿勢に拠《よ》ったものです。原則派に共感する資質がもともとあったことは否定できないのではありませんか？」

「それは……」

　変化球に一瞬戸惑ったが、すぐ立て直す。

「自分ではよく分かりません」

「その資質が原則派の多い図書特殊部隊で助長されたということはありませんか？」

「それは周囲の方の判断にお任せするしかない部分だと思います」

　今のところは数十回書いた効果がよく出ている。問題は、

「先頃、検閲を憎むあまり一隊員が暴走してしまった残念な事件が起こりました」

　砂川がどのようにその事件について話したか、そこで郁の名前をどのような脈絡で出したか、それは推測がつかない。それだけに対策集もそこは内容が薄くならざるを得なかった。

「砂川一士のことだ。分かるだろう」

　煽《あお》る彦江には「隊内でも話題になりましたのでもちろん聞いています」とそつなく答える。

「話題になる前から知っていたはずだ」

「同僚の手塚一士の同室ですから、名前くらいは。でも話したことはあまりないので、基本的には大勢の同期のうちの一人としか思っていません」

　むしろ例のレビューのせいで嫌いな奴に入るが、それはわざわざこちらから言う必要もない。嫌うことができるくらいに交流があったと解釈されるのがオチだ。

　話し方が温厚な二監がまた話を引き取った。

「砂川一士は検閲を推奨するメディア良化法支持者の著書数十冊の隠蔽《いんぺい》を画策しました。本人は検閲を肯定するような論を野放しにしたくなかったと動機を語っています。これについてはどう思いますか」

ここは何とか対策でもカバーできている部分だ。

「砂川一士の気持ちは分かりますが、間違っています」

高校生通り魔の情報提供問題で図書館がマスコミに叩《たた》かれたとき、何でこんな偏向した媒体を提供せねばならないのかと郁は不満たらたらだったが、堂上は顔色一つ変えなかった。

その理由は今なら分かる。堂上や上官たちの姿勢が今まで郁に語ってきた。

「どんな情報も利用者は自分の目で見て判断する権利があります。図書館がその判断の機会を取り上げたり、特定の図書に否定的な示唆をして利用者に先入観を与えるべきではありません。たとえそれが図書館にとっては不都合な情報であってもです。図書館はすべての図書に最低限中立でなくてはなりません」

対策集にも書かれていたが、それは自分の言葉として自然と語れた。

あるひとつの思想に関する本を十冊入れるときは、それに対抗する思想の本も十冊入れる。図書館はそれほどまでに公正であることを自らに課してきた組織だ。

「検閲を憎む砂川一士の気持ちはすべての図書隊員が共感するものだと思います。でも、結果的に今回の砂川一士の行動は図書館側からの検閲です。図書館が検閲に手を染めるなど絶対に許されるべきことではありません」

この先は書かれてはいない。しかし、迷わず続けた。

堂上ならきっと言う。

「たとえ検閲を肯定するメディア良化法を擁護する図書であっても、図書館の蔵書であるからには他の図書と同様に守るべきです」

査問員たちが一様に意外そうな顔になった。事前に郁の身上調査はしているだろうし、そこから推測されているであろう人物像からすればこの発言は確かに意外に思えるだろう。

見計らい事件を起こしたころの自分なら、そうしなければならないと分かっていても検閲を擁護する本を守ると口にすることはきっとできなかった。

「……非常に公正な意見です。私も同じ思いです」

二監はそう引いた。後を受けたのは彦江だ。

「しかし、その君の名前を隠蔽事件の共謀者として砂川一士が出したのはどういう訳かね」

「分かりません」

これは少しだけ嘘だ。堂上は違うから気にするなと言ったが、郁としてはやはりレビューの件で揉《も》めたことは無関係とは思えない。最近のことだし、共謀者の名を出せば自分への追及が逸《そ》れるという状況に追い込まれたら、直近で揉めた奴の名前を出すのではないかと思う。

「もし何か交流があったのなら隠し立てすると君に不利になるぞ」

「顔を合わせれば話くらいはしますが、ランチも一緒に食べたことがないような間柄です」

これは本当のことなので堂々と答える。あんな奴とランチだとか遊ぶだとか冗談じゃない。

そこからまた砂川との関係を質す流れが続いたが、一方的に郁が嚙みついたその一件以外に何ら接点はないので、「分からない」の一点張りで凌ぐ。

「砂川一士が図書の隠蔽を実行したのは七月十八日」

根負けしたのか彦江が砂川の供述を説明しはじめた。砂川の情報については自分から尋ねず、相手が話し出すのを待てという指示が出ていたので、郁としては一山越えた感じである。

七月中旬といえば、ちょうどその頃砂川と揉めた——と思ったとき、

「第二閲覧室倉庫で隠蔽図書を梱包《こんぽう》し、閲覧室から最も離れた公共棟第三倉庫へ運び込んだ。その作業に笠原一士が協力し、その途中で口論となって決裂した、とのことだ」

動揺が多分まともに顔に出た。彦江が「覚えがあるようだな」ととどめを刺す。

「ま……待ってください」

倉庫の供述は揉めたときに砂川の荷物を運ぶのを手伝った経路そのものだ。あの揉めたこと自体を関与と偽証されたのか。それとも運んだ荷物は本当に隠蔽図書だったのか。

しかし、あのときは手塚もいたのにどうして手塚のことは出ていない？　手塚もいたことをこの場で言ってもいいのかどうか。

取り敢えずは自分のことに関してだけ答えようと判断する。自分から余計なことは言うな、原則は変わらないはずだ。それに後から証言を付け足すことより訂正するほうが難しい。

「確かにそうした経緯《いきさつ》ならありました」

「では関与を認めるという……」

「いいえ！」

彦江の台詞《せりふ》を途中でぶった切る。

「荷物を運ぶのを手伝ったのは、砂川一士の梱包作業中に行き合い運ぶのを手伝ってほしいと頼まれたからです。私が通りがかったときは梱包は既に終わっていたので、私は荷物の中身を知りませんでした。今知ってとても驚いています——すっごくびっくりしてます！」

「中身を確認しようとは思わなかったのかね」

「図書館員が荷物を梱包して運ぶのはすごく日常的な作業です。それをいちいち疑って中身の確認なんかしません」

「しかし、閲覧室倉庫から公共棟倉庫まで荷物を運ぶということ自体に疑いを持たなかったのかね？　しかも一番離れた倉庫だ」

「日頃からあり得ないことじゃありません。そんな程度で隠蔽なんか疑ってたら毎日巡回中に誰かしら疑うことになります」

「だが、持った感じで中身が本であることに察しはつかなかったのかね」

「だっから……」

いいかげん苛立《いらだ》って口が滑った。

「梱包済みの箱、持っただけで中身分かれとかあたしはエスパーか何かかっ！」

査問員の数人が吹き出し、彦江も追及に無理があることを認めてか不機嫌そうに黙り込んだ。

「……笠原一士は口を慎むように」

例の二監がたしなめ、郁も仏頂面で「すみません」と口先だけ謝る。副司令にも無茶な追及すんなって言えば、と内心では不満たらたらである。

「砂川一士は口論となって決裂したと証言していますが」

「……口論は確かにしましたけど、全然違う話題です」

「どういう内容だったか説明してください」

対策集のカバーしている範囲から外れた。ここは直球で勝負するしかない。

「砂川一士のやっていた『一刀両断レビュー』に関してです」

「いきさつを詳しく」

「公共図書館のサービスとして、本をけなすようなコンテンツはふさわしくないと思っていたので、その機会にそれを指摘して口論になりました」

「つまり、図書館の在り方について意見が決裂したということですね」

あっまずい。本能的にそう感じた。口論して意見が決裂した、という部分を肯定させられた。だが、二監の表現自体は間違ってはいない。くそ、こんなことならあんたの顔が嫌いとか全然関係ないことで喧嘩吹っかけとくんだった。

「……そういう言い方もできると思います」

「ところで先ほど君は砂川一士とほとんど面識がなく意識したこともないと言っていたが」

彦江がまた口を開いた。

「今の発言では、砂川一士を以前から認識していたことになるな」

――そう来たか！　郁はとっさに歯がみした。多分、査問会側の今日の狙いはここだった。郁が偽証した、とまではいかないまでも、証言が曖昧《あいまい》で信憑性《しんぴょうせい》がないという記録を残せたら、その後の展開が有利になる。

「『一刀両断レビュー』が問題になりはじめてからです！　それまでは全然っ……」

「では、顔を合わせれば話くらいはする、と言っていたのは嘘ですか？」

しまったこっちか！　すかさず入った二監の指摘は巧妙な二段階の引っかけだ。自分の発言はきちんと覚えておけと言われていたのに。

「嘘ではありません。全然、と言ったほうが口が滑りました」

何とか訂正はしたが、気持ちはもういっぱいいっぱいだった。これ以上は持ちこたえられる自信がない。つつかれればつつかれるだけ最初からなかったはずのボロが出そうだ。

と、部屋に威圧的なほどのノックの音が響いた。

査問員が許可を出す前にドアが開けられ、郁が振り向くと――堂上がそこに立っていた。

「失礼します」

言いつつ敬礼。その生真面目な表情を見て、郁の顔は泣き出す寸前まで歪《ゆが》んだ。慌てて戻す。

「十五時になりましたので、笠原一士を業務に戻らせて頂きます」

彦江の表情が露骨に忌々しげになった。二監が査問の終了を告げる。

「笠原、来い」

「はい！」

弾《はじ》かれるように立ち上がって数歩駆け寄り、慌てて査問員を振り向いて一礼する。

彦江は郁ではなく堂上を見据えており、

「上官が上官なら部下も部下だな」

その皮肉に堂上は会釈して「恐れ入ります」と返した。


司令部庁舎を出てからこらえかねてしゃがみ込んだ。膝《ひざ》を抱えて「……恐かったぁー……」と呟くと、堂上も待つように立ち止まった。

しばらくしゃがんで膝の震えが収まるのを待っていると、頭を軽く叩かれた。

「よく頑張ったな」

「今優しくしちゃイヤです……」

泣きそう、と呟いた声はもう潤んだ。

「泣いてもいいぞ」

「負けたみたいだからイヤですっ!」

強く頭《かぶり》を振り決然と立ち上がる。「この期に及んでまだ勝ち負けを言うか、お前は」と堂上が呆《あき》れた声を出した。

「だって行政派に泣かされたみたいじゃないですかっ」

クソ、何か別のこと別のこと。話を変えないとこの雰囲気のままでは泣いてしまう。

「そう言えば、」

見つけた話題はこれだ。

「あのー、あたしの王子様のことなんですけど」

堂上がぎょっとしたような顔で振り向いた。何その勢い、とこちらが逆に戸惑いながら言葉を続ける。

「もしかして、あたしを助けた後で査問に遭ったりしたんでしょうか」

「……何でいきなりそんなことが訊きたいんだ」

「いえ、あの、副司令に教育期間中の見計らいのこと言われて。過去にも原則派の三正が同じことして問題になったって言ってたので、もしかして王子様のことかなって」

「そんなこと俺が知るか」

突っ放すような言い方にいつもなら反発するところを、査問でへこんでいたので落ち込んだ。自然としおたれた口調になる。

「査問って緊張するし疲れるし、嫌味も言われるし、すごく嫌でした。王子様もあたしのせいでこんな目に遭ってたんなら悲しいなぁって」

堂上が答えないのでそのままずるずる愚痴ってしまう。

「あたし、教育期間中のこと対策集のとおり『反省してます』って言いました。王子様も反省してますって言わされたのかなぁって。反省しなきゃいけないようなこと、あたしのせいで」

「お前が気にする必要ない」

そんな言い方、とむくれた郁を振り返らずに堂上は続けた。

「お前は後悔してるのか」

唐突な問いを咀嚼《そしゃく》するのに少し時間がかかったが、理解した途端に即答していた。

「してません！」

あのときあの親子に本を取り返したことを、後悔なんかしていないし反省もしていない。

「何度同じことがあっても同じことします！」

「それはするな」

冷静に突っ込むところはさすがに隙がない。

「お前が後悔してないならそいつもきっと後悔してない。反省はしてるかもしれないけどな」

さっきまでと違う意味で涙が出そうになった。

「……堂上教官、ちょっと似てる」

「何がだ」

誰とだ、とは訊かないが否定の色を帯びた声は硬くなっていた。

「正義の味方みたいなとこ」

堂上が郁のほうを向かずにものすごく嫌そうな顔をしたが無視する。

「さっきも正義の味方みたいだった。考えてみたら、あたしが何かまずいことになったときに絶対堂上教官が来るんですよね。入隊してから今までずっと」

何を他人事《ひとごと》のように、と吐き捨てた堂上がいきなり郁の顔を指差した。

「お前が！　その考えのなさと信じられないような間の悪さで！　俺が出ざるを得ないような

状況に勝手に陥るんだろうが！」

　息を継ぐごとに叩きつけるような勢いで言い放たれ、郁も負けじと膨れた。

「ひどい、頭悪いのはともかく間が悪いのはあたしのせいじゃないのにっ！」

「頭も間も悪いことを自覚してるなら自重を覚えろ、いい加減！」

「そういう嫌味なこと言わなかったらせっかく正義の味方っぽいのに！」

「っぽくなくて結構だ、そんなもん！　俺は図書隊員であって正義の味方なんかじゃない！」

　言い捨てて先に歩いていく堂上に郁もぶうたれて従う。と、歩きながら閃《ひらめ》いた。

「あぁっ！」

　思わず叫んでしまい堂上が「何だ今度は！」と怒鳴って振り返る。その堂上に郁はやや興奮気味にまくし立てた。

「もしかして、査問の記録を調べたら王子様の正体って分かったりしません⁉　副司令、結構大きい問題になったみたいなこと言ってたし！」

「何を思いついたかと思えばっ……」

　堂上は最高潮に苛立った表情で俯《うつむ》き、それから雷を落とした。

「査問記録は正当な事由のない限り個人の閲覧は禁止だ、バカたれ！　上官と関係部署の判が三つは必要な閲覧申請書に、お前は何て理由を書くつもりだ！　私の王子様の正体を知りたいからです、か！　そしてそんなたわけた申請に俺の目の黒い限り承認印を押すとでも思ってるのかこのドアホウが！」

さすがの迫力に問答無用で撃沈した郁に、堂上は「戻るぞ!」と終了宣言のように怒鳴った。

事務室に戻ると隊長室で他の班員と玄田が待っていた。

「よし戻ったか。出せ出せ」

玄田の催促で郁が胸ポケットから出したのはUSBレコーダーである。

「巻き戻しどれだ」

受け取った玄田が適当に操作しようとしたのを、小牧がさりげなく横から取り上げた。その様子を見ながら郁としては微妙に不安な思いである。

「あのぅー、査問会でこんなの仕込んで大丈夫なんですか」

「何を言うか。たまたまお前が私物をポケットに入れたまま忘れてて、間が悪く録音スイッチが入っただけの話だ。査問会に録音機を持ち込んではいかんと明確に書いた規則なんぞないし、もし持ち込み禁止だとしても事前にボディチェックを怠った査問会側が悪い」

うーむ盗《ぬす》っ人《と》猛々《たけだけ》しい、と郁は唸《うな》った。玄田に関してはもはやそれが誉め言葉であることが隊の気質を表している。

仮にボディチェックがあったとしても、女性隊員に対して一番チェックしにくい胸ポケットに仕込んだのは完全に確信犯だ。玄田など胸の谷間に仕込めばどうだとまで言い出しセクハラ寸前、他の男性三人が口を揃えて「条件的に無理があります」と反対したのに至っては完全なセクハラで失礼千万である。あたしだって寄せて上げるやつなら谷間くらい、と思うも空しい。

「ていうかあたしの私物ですらないんですが……」

隊の備品だが、玄田が所属を書いたテープを引っぺがしたのである。

「細かいことは気にするな」

細かくない、絶対細かくない！　という反論はするだけ無駄なのでしないが。

録音を元に査問会の内容を細かく検証し、正確な議事録を作って次回の対策を練る、という計画である。

郁の記憶で話題の区切りをある程度つけながら録音を聴き、砂川の証言に差しかかって手塚の顔色が変わった。

「あのときの話じゃないか！」

郁に食ってかかられても困るのだが、驚愕《きょうがく》のぶつけ先がないのだろう。郁だって聞いたときは動揺した。

「何でこの展開で俺の名前が出てないんですか！」

上官たちもとっさに答えが出ないようで黙り込み、郁は説明を添えた。

「勝手に手塚がいたことを言ってもいいかどうか分からなかったので、取り敢えず自分のことだけ答えたんですけど」

「ん、それは別に言ってみてもよかったと思うけど……まあシナリオ外だったしね。次で様子を見ればいいし」

小牧の及第認定にほっと胸をなで下ろす。

「にしても、判断の悩ましいところだね。そのとき運んだのは図書だと思う?」

小牧が尋ねた相手は手塚で、二人のうちで記憶力が確かなのは手塚であるという位置づけはもう確立している。

「持ち重りがして中身の座りは良かったですから、図書だった可能性はあると思います」

「じゃあ二人が持たされたのは隠蔽《いんぺい》図書だったとしよう。査問会が追及してきた以上は運んだ先の倉庫から実際に隠蔽図書が発見されたはずだし、そこまでは事実だと思う。手塚の名前が出なかったのは、順当に考えれば温存だね」

首を傾げた郁に堂上が言い添えた。

「手塚の情報を敢えて伏せてお前の誘導か引っかけに使おうとしてるってことだ」

その答えに郁は大いにうろたえた。

「え、じゃああたし今日手塚のこと言ったほうがよかったですか!?」

「いや、自分のことを答えるだけで精一杯だったというのは別に不自然じゃないから構わん。充分テンパってたしな、お前」

堂上が言うと、ククッと小牧が笑った。「副司令に『エスパーか何かか!』はよかったね」

音源は一回そこで止めてある。郁は顔を赤くして俯いた。

「代わりに次回で先制する。始まったら初っ端でかませ」

その場に手塚もいたということをこちらから先に申告しろということだろう。

じゃあ続き聴こうか、と言った小牧に郁は肩を縮めた。そこから先は応対がぐだぐだである。

再生される内容は、自分の声が引っくり返っていて聴くのが辛《つら》かった。堂上の登場で査問が終了、あとはわずかな衣擦《きぬず》れの音しか聞こえなくなってほっとする。

「いや、でもまあよく防戦したよ」

小牧がまず口を開いた。

「最後の最後で証言が嘘じゃない、全然ってほうが口が滑ったってねじ込めたのは上出来」

ね、と小牧が同意を求めたのは堂上で、堂上も頷く。

「ああ。正直ここまでやれると思ってなかった」

「そ……そうでしょうか」

不安を振り切れない郁に「自信を持て！」と玄田がバンと背中を叩いた。咳《せ》き込む程の衝撃である。少しは手加減してほしい。

「俺なら三倍は失言が多かったぞ！」

「駄目でしょうその三倍は！」

突っ込むが気にする玄田ではない。堂上が無視して話を進めた。

「じゃあ、今回の議事を元に次の対策を作るぞ。呼び出しは最低三日は空ける規則があるから、練る時間は充分ある」

査問は同じ質問を何度も繰り返し、証言の齟齬《そご》や矛盾を引き出して追及するのが手だという。できるだけ毎回の証言の内容を統一し、追及の隙を作らないのが査問を受ける側の唯一の対策である。

「口論の内容については手塚が証言できるから、巧くすると数回で疑惑解消して終わるよ」

励ますように小牧が言ったが、郁は「数回かぁ～」と逆に消沈して机に突っ伏した。

と、

『……恐かったぁー……』

泣きそうな自分の声が聞こえて跳ね起きた。

『よく頑張ったな』

「キャ――――――――――――ッ!?」

とっさに悲鳴を上げてかき消そうとするが、全部は消えない。今優しくしちゃイヤですなどという自分の世迷《よま》い言が再生されたところで息切れし、堂上の受け答えが流れた。

「……何、このベタ甘の会話は」

「イヤ――――ッ聞かないで――――――！」

郁が思わず小牧に掴《つか》みかかったところで、完全に固まっていた堂上が血相変えてレコーダーを引ったくり停止の操作をした。

「アホか貴様はッ！　何で録音切ってないんだ！」

本気で腹の底から怒鳴られた。堂上のほうも動揺している剣幕である。

「わ、忘れてて……！」

「トリか貴様は！　ドアまで三歩で忘れたか！」

「そっちだって注意してくれてもいいじゃないですか！」

「自分の部下が人間じゃなくてトリだったなんて誰が思うか！　お前自分の脳味噌《のうみそ》がトリ並みだって疑われたいか！」

泥仕合になりかけた舌戦は、「別に俺たちがいるからってわざわざいがみ合わんでいいぞ」という玄田の一言で双方が撃沈して終わった。

＊

帰りは堂上との同行を指示されて、郁は堂上の業務が終わるのを少し待つことになった。

寮に戻るまでに何か説教でもされるのかと思ったら別段そんなこともなく、レコーダーの件が気まずくてお互い微妙に口数が少なかったが普通に帰り着いた。

と、寮の玄関で待っていたのは柴崎である。

「あれっ柴崎どしたの？」

柴崎は答えずやや苦笑気味に笑い、その柴崎に堂上が声をかけた。

「あと頼んだぞ」

お任せ、とおどけたような柴崎の返事に堂上はさっさと玄関に上がり、男子棟側に向かった。

一体何なのかと戸惑っている郁に柴崎が言う。

「さ、部屋戻る前に晩飯食べよっか」

「あ、うん……」

訳が分からないまま柴崎と一緒に食堂に入ると、

——あ。

それまでがやがやとざわついていた食堂が、極小の時間シンと静まった。

ニュース番組を点《つ》けてあったテレビのアナウンサーの声が一瞬とてもクリアに聞こえた。

すぐにまた元のざわめきが戻って騒がしくなるが、状況を察するのは難しくなかった。

「しれっとしてな」

柴崎の小声の指示に懸命にそんな様子を保つ。柴崎がぺらぺら喋りかけてくるのに受け答えしながら、会話の内容は喋る端から消し飛んでいく。今あたし何の話してんの。

食事を受け取るカウンターに向かい、並んでいる間にも見られている気配を感じた。

好奇心と疑惑のない交ざった、好意とは程遠い視線。

これから先、きつくなる。——堂上の予告の意味がやっと分かった。

そして、柴崎と落ち合わせてくれた気遣いのありがたさも。

料理は味がしなくて米は砂を嚙《か》むようだった。残したら何かに負けたようで、意地になって全部たいらげる。

食器を戻して部屋に帰るまで、通りすがる隊員たちは柴崎とは挨拶《あいさつ》や立ち話をしても郁には微妙な距離を取っていた。顔見知りの隊員は一応挨拶してくれるものの、それも腫《は》れ物に触るような気兼ねするような微妙な感じだった。

隠蔽事件で査問会に呼ばれた以上、潔白が証明されるまで迂闊《うかつ》に関わりたくないと思うのは当然だ。疑われもしているだろうし、あけすけな好奇心にも晒《さら》される。

部屋に戻ってドアを閉め、思わずしゃがみ込んだ。閉まったドアに背をもたせ、膝を抱える。

寮生活でその状況に陥るということがどういうことか。こんな僅《わず》かな時間で思い知らされて目の前が眩《くら》んだ。

「お疲れ」

柴崎の労《ねぎら》いは特別に優しくもなく気兼ねもなく、ただいつもと変わらない。その変わらなさに自然と言葉が漏れた。

「……ありがと」

「別にぃ。例によってあの人に頼まれただけだし？」

「うん。それも分かってる」

柴崎のその素っ気なさが分かりにくい優しさであることも。

「さ。へたれてないで風呂《ふろ》行くわよ」

柴崎が風呂の用意を始め、郁も着替えるために立ち上がった。

針のむしろという言葉を体感しながら風呂を終え、部屋に戻ってから柴崎が教えてくれた。

「正直、あんただったらあり得るって思われてるわ」

教育期間中の見計らい事件は基地内でかなり知られていたし、思い込んだら一直線の直情的で好戦的な性格も自他共に認めるところだ。良化特務機関に対する戦意の高さも。

検閲に反発するあまりの暴走——という構図は郁のキャラに嵌《はま》り過ぎた。郁を知っている者ほどそれはあり得ると思われ、郁の性格を知ったうえであり得ないと断じてくれるほど親しい友達はさすがに柴崎の他にはいない。

あの子ならあり得るかも、その風評が郁を直接には知らない者にもそう判断させる。

更に悪いことには、全国初の女性特殊防衛員である郁はその存在だけなら基地内で知らない者はいないのだ。

「同情的な意見もあるわ、でも……」

あの子がそんなことをするわけがない、という論調ではない。

もし本当だったとしてもきっと検閲を憎むあまりのことだからと庇《かば》う論調で、それは却《かえ》って郁への疑惑をもっともらしくさせる。

誰のせいでもない、それが入隊二年目を迎えた自分の結果だ。自分がどんなに弁明を叫ぼうと、周囲は郁を「検閲に反発するあまりの危うさがある」と思っているのだ。

非武装緩衝地帯である民間書店で見計らい権限を行使したことも、その危うさの論拠として数えられるのだ。

後悔してるのか。堂上の問いが改めて思い返される。——後悔はしない。反省も。しかし、それをするのがこういうことだということは理解した。

次は分かったうえでやる。王子様はきっと、規則違反も自分が負うものも全部分かったうえで目の前にいた郁を助けてくれた。

「取り敢えず、今まであたしに事情を訊きにきた奴には分からないって答えといた」

そこで「郁がそんなことするわけない」などとは言わない辺りが柴崎らしい。しかし、同時に帰ってきてから一向に「実際のところどうなの？」などとも訊かないのだ。

「明日からは『笠原は覚えがないって言ってる』って言っとくけど、たぶん査問が終わるまで全体の風向きは変わらないと思うわ」

こうなってくると査問が連日で行われないことが恨めしい。一週間でも二週間でもぶっ通しで続けてさっさと解放されたい。即決即断型の郁にはもともと持久戦は向いていない。

「砂川、服とか身の回りの物ほとんど持って帰ったみたいよ。布団以外なーんにも残ってないような状態だって」

さすがの耳の早さだがあまり希望の持てる情報ではない。それだけ長期で休む算段をつけているということだ。近年ではストレス社会への対応として公的機関は心の病に関する療養制度を取り入れているところが多く、図書隊もその一つだ。精神の病は治療に時間がかかることを考慮し、比較的簡単に数週間から数ヶ月の療養許可が下りる。

「診断が鬱《うつ》病に切り替わったりしたら二ヶ月やそこらは戻らないでしょうね。風邪の二、三日が鬱の二、三ヶ月に相当するって話だし。今の診断書でもそれくらいは余裕で引っ張れるわ」

「そんなに……？」

砂川の査問と交互に進行するなら全容の解明も早いだろうが、巻き込まれた郁の側だけでは早期解明は不可能だ。査問会側も原則派の失態を印象づけるためにできるだけ長引かせてくるだろう、ということは上官たちにも言われている。

「堂上教官たちはあんたが狙われたのどういう解釈してんの？」

「砂川が査問で誘導されたんだろうって……でもあたしが隠蔽図書を運ぶのを手伝ったことは事実みたい。手塚もだけど」

「どういうこと？」

「あたしと手塚で、砂川の荷物運ぶの手伝ったことがあるの。それが隠蔽図書だったらしくて。ほら、前にあたしが砂川に喧嘩売ったたって話したじゃん、あのときの」

柴崎も覚えていたらしく表情が険しくなった。

「嫌な争点になったわね……中身をあんたたちが知ってたかどうかって話か」

「今日のところはあたしのことしか言われなかったけどね。隠してる途中に口論して仲間割れしたんだろって方向に持っていきたいみたい。手塚もいたことは次回あたしから言う」

「あー、早いとこ言いなさい。あいつ巻き込んだほうが特殊部隊的にも何ぼか安心だわ。隊内に嫌疑者が増えるより郁が一人で査問を受けることのほうがリスクだと言外の断言だ。

「まあ、査問については堂上教官たちが対策してるんだろうけど……」

言いつつ柴崎がまっすぐ郁を見据えた。

「ギブアップすんじゃないわよ」

長引く査問に疲弊すると、処分の軽減と引き替えに嫌疑を認めさせられてしまう隊員も多いという。査問よりも隊内の風当たりで疲弊するのだと郁にも既に分かった。

「大丈夫」

命令でも約束でも。お前が守れるならどっちでもいいんだ。

怒ったように吐き捨てた鬼教官は、前にいると恐いが背中にいると誰より心強い。

それは初めて起こした見計らい事件のときからずっと知っている。

＊

二回目の査問で郁から手塚のことを申告したが、査問会からは手塚に対して一向に呼び出しがかからなかった。

発端の砂川が休職中で証言の再確認をできないためという理由で、ここで手塚を投入できるという隊の読みは大きく外されたことになる。

「あくまで各個撃破ってことか」

玄田が渋い顔で唸《うな》り、郁に「耐えてくれ」と言った。関与を否定しているにも関わらず査問の進行が一隊員に偏っていることで過度の精神的重圧を与えている、という抗議を稲嶺や組合など各方面から入れてくれているらしいが、成果は芳しくないらしい。

行政派としては重圧で郁を落とすことが目的なのだから聞き入れるはずもない。

堂上は毎回毎回きっちり査問終了時刻に郁を迎えに来る。大丈夫かと訊くのも毎回だ。

「大丈夫です」

毎回そう答えるのは強がりだと多分見抜かれている。しかし強がりたかった。

「もうけっこう慣れたんですよ。予想外の質問が来てもあんまり動揺しなくなったし」

きついのはむしろ。

寮内の空気はいたたまれないまま、もう一ヶ月を数える。砂川も帰ってくる気配のないまま季節はもう残暑を残すばかりの秋だ。

「今日とかけっこう変化球な攻撃だったんだけど、割りと巧《うま》く切り返せたと思います」

「そうか。どれほどのもんか聴くのが楽しみだな」

レコーダーの仕込みはバレていないのでずっと続けている。

「……堂上教官のときはどれくらいかかりましたか」

何が、と言わなくても査問のことを訊いたのは分かったらしい。堂上はやや答えを躊躇《ちゅうちょ》してから「二ヶ月だ」と返事をした。

「じゃああたし折り返し地点ですね、今」

堂上と同じ期間で済むかどうかは分からない。それは突き詰めて考えないことにした。

「実際のところどうなんだ、あいつは」

業務の合間に柴崎を摑《つか》まえて堂上が尋ねると、柴崎は軽く顔をしかめた。

「けっこうキテますよー、色々と」

その答えで寮での状況は概《おおむ》ね分かった。

「食事や風呂はできるだけ待ち合わせるようにしてますけど、それも毎回って訳にはいかないし。女子高生じゃないんだからトイレまで一緒とか無理ですし」

余計バカにされちゃう、と柴崎は肩をすくめて付け加えた。

「こういう問題が起こると女子のほうがきついですよ、やっぱり。良くも悪くもネットワークが強くて保守的なイキモノだし。あたしだって外面《そとづら》は中立保つのが精々です」

柴崎でさえ。それはシャレや強がりでは済まない。

くそ、と堂上は自分でも気づかないうちに呟いていた。

「何で何も言わないんだ、あいつ」

「やっだ、分かんないんですかぁ？」

柴崎がおどけた口調で堂上の肩を叩く。

「カッコつけたいからに決まってんじゃないですか」

意表を衝《つ》かれて堂上は目をしばたたいた。

「カッコって……そんな場合か」

「そんな場合でもカッコつけたいくらいなんだって分かりません？」

「何がだ」

怪訝な顔をした堂上に、柴崎は処置なしという表情をして見せた。

「そっちだけカッコいいのが悔しくて仕方ないんですよ、あのムスメは」

そんなわけあるか、と吐き捨てたところへまた不意打ちが入った。

「けっこうちゃんと憧《あこが》れてますよ、多分。王子様とおんなじくらい」

ぎょっとした堂上の前をしれっとすり抜けて、柴崎は閲覧室のほうへ戻っていった。


堂上が手塚から深刻な顔で相談を持ちかけられたのは、柴崎とそんなやり取りがあってから数日後のことである。

小牧もいるほうがいいとのことだったので、その日の晩に堂上の自室に集まることになった。少し砕けたほうが話しやすいかと用意しておいた酒類にもまったく手をつけず、手塚は神妙な顔で膝を崩さなかった。

「プライベートな話になりますが、いいですか」

その前置きがハードルだったらしい。不本意そうに手塚はそう切り出した。

「俺は上に一人兄がいます」

ああ知ってる、と口に出したのは小牧だが、堂上もそれは知っていた。

「協会で研究会を一つ持ってるよね。有能な人だって話はよく聞くよ。今、神奈川だっけ？」

「そうらしいですね」

その受け答えは前振りだろう。――折り合いがよくない、という。元々家族の話などあまりしない手塚だが、それでも協会長の父親や体が弱いという母親の話はたまにするのに、同じ道に進んでいる兄の話は一度もしたことがない。

「先日、五年ぶりだかで会いました」

何とも答えようがなくて曖昧《あいまい》に頷くと、手塚は重ねた。

「家はそれよりも前に出ています。それ以来、一度も家に顔を出したことはありません」

一体何を思ってそんな話を打ち明けはじめたのか、手塚の真意が分からず堂上は小牧と顔を見合わせた。そんなことは個人の事情で、手塚がまるで何かの過失を打ち明けるような風情になっているのも謎だった。

目で相談して踏み込むのは小牧になった。

「お兄さん、勘当か何かされてるの？」

「兄が父に見切りをつけて出て行きました」

ますます訳が分からない。が、

「兄は図書館の中央集権主義者です」

その一言で大体の事情が読めた。図書館中央集権は、地方行政に立脚することで国との対立を実現している現行の図書隊制度を真っ向から否定する思想である。

図書館を文科省組織に格上げし、中央集権型の組織に作り替えて財政基盤を確保することで図書館の社会的な根拠を安定させようという構想がその基本となっている。

「兄は現場レベルで検閲を争うことは根本的な解決にはならないという意見を持っていました。メディア良化委員会と同格の組織になって、そのうえで検閲の執行範囲を争うべきだと」

堂上はしばらく言葉を迷い、答えた。

「協会長としては応じられる意見じゃないな」

「そのとおりです」

文科省組織になるには現行の国の制度に準ずる必要があり、図書館は法務省の持つ検閲権を認めることになる。最低限、図書館法第四章の大幅な執行制限を譲らされることは確実だ。

「兄の持っている『図書館未来企画』もその構想のための研究会です。建前は可能性の一つとしての理論上の研究ということになっていますが」

「大胆な理論を持ったお兄さんだね。でも……」

巧く言葉を選んだ小牧の感想に堂上も繋《つな》げた。

「思想は個人の自由だ。俺たちには何とも言えん。——その話はどこに繋がるんだ」

兄の思想を「間違ってますよね」などと同意を求めるためではあるまい。

「笠原が狙い撃たれたのは俺のせいじゃないでしょうか」

一瞬飛んだように見えた話は手塚が自分ですぐに繋げた。

「兄は研究会に俺を欲しがっています。先日も勧誘を受けました。小牧教官の監禁場所を兄に尋ねたことで借りを作っていたので折れるんじゃないかと思ったようです」

「ソースはそこだったか」

情報元は言えないが確実な情報だ。手塚がそう言って報告した情報は、確かに正しかった。

手塚の兄はその構想を進める関係上、法務省側にも色々パイプを持っているのだろう。

そしてそのパイプを持っていること自体、手塚の兄が本気であることを悟らせずにはいない。

「借りがありましたが、俺は突っぱねました。だから兄は俺の周辺から攻略しようとしてるんじゃないかと」

「あり得ない話じゃないが、想像の域を出ない。他に根拠は？」

尋ねた堂上に手塚は即答した。

「砂川が『未来企画』に所属していました。兄にかなり心酔していたようです。それから砂川が診断書を取ってきた病院は、兄の友人が心療内科医として勤めています」

状況けっこう黒いな、と小牧が顔をしかめた。小牧にしては露骨な表情だった。借りが自分のことなのであまりいい気持ちがしないのだろう。

「俺は、砂川の起こした隠蔽事件自体が兄の示唆によるものだと疑っています」

堂上も懸念したことを手塚は身内ならではの率直さで口にした。

隠蔽自体が手塚の兄による攻略の一環とすれば、砂川は査問で手塚の名前を出さないように指示されているはずだ。査問会が手塚を召喚しないことにも説明がつく。

砂川に証言を確認できないというのは各個撃破の大義名分だと思っていたが、砂川が手塚のことを喋っていないのなら郁の申告は新証言ということになる。発端の砂川に確認を取るまで新証言については保留するのが自然だ。郁と手塚が口裏を合わせて砂川に責任を押しつけようとしている可能性は疑われて然《しか》るべきである。砂川の療養中に新証言についての検証を進めるのは砂川に不利であり、そうした意味では査問会は敵ながら公正だ。

「分かった。玄田隊長の耳に入れておく」

「笠原への査問を止められますか」

せっつくように尋ねた手塚の気持ちは痛いほど分かった。

身内の確執が他人へ、しかも同僚へ横滑りしたのではないかという想像は誰の身に置き換えても耐え難い重圧だ。

だが、

「難しい」

手塚も自分で分かっているはずだ。

「根拠が状況証拠でしかない以上、査問差し止めの正当事由にならない。『未来企画』と行政派に深い繋がりがあれば裏からつつくこともできるが、そうでなければ行政派にとっては協会の一研究会に過ぎん。それがいくら窮地に追い込まれようと痛くも痒くもない」

むしろ、原則派として追及を受けていた砂川が所属していた会なら、原則派の腹を探られる可能性が高いだろう。

「俺……笠原に何て詫びれば」

「笠原には何も言うな」

堂上は声をきつくした。

「証拠がある話じゃないし、これで査問がどうにかなる話でもない。今のあいつに余計な情報を入れて混乱させるな。お前が詫びてもお前が楽になるだけで笠原が楽になるわけじゃない」

すみません、と手塚が居住まいを正した。

「俺たちにできるのは笠原さんをバックアップすることで、手塚は充分貢献してるよ」

小牧が執り成し、堂上も声をきつくしたばつの悪さでややつっけんどんに口を添えた。

「そもそもお前に責任のある話じゃないだろうが」

「はい、意地っ張りの班長から謝罪一つ入りましたー」

おどけた小牧の口調に手塚もやっとぎこちなく笑った。

「せっかくだからちょっと飲んで帰れ」

勧めると膝もようやく崩れたが、手塚はそのまま床に強く両手を突いた。土下座でもしそうな勢いに堂上は思わず腰を浮かせた。

「頭なんか下げてくれるなよ」

「違っ……足、」どうやら痺《しび》れが切れたらしい。

意外とこんなときのお約束が好きな小牧が早速つつきに行って取っ組み合いが始まり、堂上は慌てて酒やつまみの乗ったテーブルを避難させた。

＊

郁が帰寮すると柴崎はまだ戻っていなかった。特に連絡は入っていないから、帰りが遅れているだけだろう。

自分の洗濯籠《せんたくかご》に洗濯物が溜《た》まっているのを見て、先に洗濯を済ませておこうかと一瞬考えた。だが廊下を渡っていく女子たちの笑い声に気持ちが日和《ひよ》る。

柴崎と食堂行くとき洗濯機に放り込んだら、お風呂上がるまでに終わるよね。洗濯場までは大した距離ではないのに、できる限り一人で部屋を出ることを避けてしまう自分がいる。

そんな意気地のなさを嘲《あざけ》るように放送がかかった。

『302号室の笠原さん。電話が入っていますので寮監室までお出でください』

うわ何だろこんなときに。知り合いなら携帯に掛かってくるので部外者からだ。セールスの電話などは寮監が百発百中で見抜いて断ってくれるので、繋がねばならない相手であることは確かだが、それにしてもそんな電話は滅多にないので間が悪い。

ぐずぐずしていたら二度目の放送が入ってしまう。郁は大きく息を吐《つ》いて顔を上げた。

部屋を出ると、廊下のざわめきが一瞬消えた。何度目になっても慣れない胸の冷える感覚だ。俯くな。自分に言い聞かせつつ小走りに階段へ向かう。電話を取りに行くのだから走っても不自然ではない。動くのにそこまで考えてしまうようになったことが情けなくて辛《つら》かった。

寮監室ではカード電話の受話器が脇に置かれており、寮監は自分の部屋に引っ込んでドアを閉めていた。会話を聞かない気遣いなのでこれはいつものことだ。あまり長電話になると注意しに出てくる。

電話台のメモ帳に走り書きされているのは、寮監の聞いた電話相手の名前だ。これもいつもどおりのルールである。

〔キョウカイ　ミライキカク　テヅカ氏〕

キョウカイというのは図書館協会のことか。ミライキカク、というのは覚えがない。手塚と同じ名前だなと思いながら受話器を取った。

「もしもし、お待たせしました。笠原ですが」

相手が分からないので探る口調になると、明朗な男性の声が「初めまして」と返ってきた。

ああ、初めての人なんだ、と逆に少しほっとした。査問が始まってからごくたまに、寮監室に掛かってくる郁宛ての電話が無言で切られることがある。

ほっとしたところに相手の二言目は不意打ちで入った。

「いつも弟がお世話になっています」

相手が手塚の兄らしい——ということに気づくまでたっぷり十秒近くかかり、その間相手は非常に辛抱強く待っていた。


帰寮して一息吐いていた堂上の携帯を鳴らしたのは柴崎だった。

今すぐ行くから班の全員と玄田隊長を集めておけ、と要求だけで一方的に切れ、取り敢えず小牧から先に電話を掛けたものの、「どこに集まればいいの」と小牧に訊かれて初めてそれに気づいた。

来るってどこへだ、と首を捻《ひね》ったときに部屋のドアがノックされて応じる前に外から開いた。

柴崎である。じろりと室内を見回し、堂上を睨んで「遅い！」と一喝。

「お——お前、ここをどこだと思って、」

ちょっと何、どうしたの、というのは携帯から小牧の声である。

「ええと、柴崎がこっちに」

「は？」

「取り敢えず隊長と手塚捕まえて俺の部屋に来てくれ」

それだけ頼んで一方的に携帯を切り、結局は集合を頼んできた柴崎と同じことをした。

柴崎は待ちかねたように口火を切った。

「今すぐっつったでしょう、何をぼさっとしてるんですか！」

「無茶言うな、お前の電話から二、三分のもんだろうが！　そもそも何考えてるんだ、こんなとこ入って来やがって！　誰か止めなかったのか！」

「あたしが『ごめんなさい、どうしても急用なの』って微笑んで通れない場所が男子寮に存在するとでも？」

ふふんと鼻で笑われて、堂上は言葉に詰まった。男子棟の寮監ですら陥落するであろうことは認めざるを得ない。実際突破してきたのだろう。

いろんな意味でこいつは確かに笠原の友達だ、と堂上は苦々しく内心で吐き捨てた。出来がいい分ある意味では郁より質《たち》が悪い。

「乗り込みご苦労様だけど、ここじゃ用件が何であろうととても話せないよ」

後ろから声をかけたのは駆けつけたらしい小牧である。

堂上と柴崎が振り向くと、小牧が開けっ放したドアの向こうに人だかりだ。

「自分の影響力も考えるべきだったね、男子寮に高嶺《たかね》の花が乗り込んできたとあっちゃ野次馬が散るわけない」

あら、と柴崎が笑った。

「あたしとしたことが見落としてたわ、すみません」

これほど図々《ずうずう》しい発言もそうは聞けない。

お前ら、一体どこがよくてこれを。堂上は野次馬の群れに向かって本気で思った。

結局場所は共有区画の会議室に移され、柴崎は全員揃うやテーブルの上にメモを出した。叩きつけるように置かれたそれを見て、真っ先に顔色が変わったのは手塚である。

〔手塚のお兄さんに会ってきます。研究会の勧誘だそうです。門限までには帰ります。〕

「『未来企画』が仕掛けてきたってことですよね、これは」

柴崎の発言に堂上はぎょっとした。手塚の兄と『未来企画』の話は郁以外の三人の他は玄田にしか話していない。

「お前、どこからそれッ……！」

「その話出てから何日経ったと思ってるんですか、三日目で摑んでます」

「今俺は本気でお前が恐ろしいぞ！」

「そんなことより笠原をどうしてくれるんですか！」

堂上をたじろがせる勢いで怒鳴り、柴崎はすっと沈静化した。

「……部外者からはこれだけ言わせて頂くとして、後はお任せしました」

優雅なほどの会釈で微笑し、柴崎はさっさと退室した。戸口で一度振り向き、

「多分、場所は接待御用達《ごようたし》のあの店です。門限で戻れる範囲内で人目を気にせずに話ができるのはあそこだけだわ」

それだけ言い残す。後には複雑な表情の男四人が残された。

「……幹部がよく使ってる店ですよね。俺行きます」

蒼白《そうはく》な顔で名乗りを挙げた手塚に、小牧が待ったをかけた。

「乗り込んでその場で喧嘩にならない自信はあるの。幹部の御用達店だから揉め事起こしたら問題になるよ」

とっさに返事に詰まった手塚を小牧が「行くとしても手塚は駄目だ」と切った。

「どうする、堂上」

訊かれた堂上も言葉に詰まる。

一連の問題が手塚を『未来企画』に取り込もうとする手塚の兄の仕掛けたことだという推論は、あくまで推論の域を出ていない。

建前はあくまでも協会の一研究会としての勧誘である。それを妨害する権利はないし、郁が話を聞きたいと出向いたのならそれを止める権利もない。

「……隊長の判断は」

玄田はむっつりとしたまましばらく無言だったが、やがて腰を上げた。

「笠原はお前の部下だ。お前が判断しろ」

新人のとき以来、実に数年ぶりに味わう突き放された感に戸惑っているうちに、玄田は部屋を出て行った。甘さや隙の一切ない背中を見ているだけで顔が俯きそうになる。

「小牧はどう思う」

補佐役に意見を求めるのは甘えではないはずだ。だがそれを言い訳のように心の中で唱えている自分に気づいて舌打ちしそうになる。

小牧は軽く溜息を吐《つ》いてから答えた。

「手塚慧《さとし》の思惑はあくまで推測の域を出ない。建前としては『未来企画』への勧誘として笠原さんを呼び出したわけだから、それを妨害する権利は誰にもない。笠原さんが話を聞きたいって出かけたならなおさらだ」

班の案件として補佐役としての小牧に訊けば正論しか返ってこない。そんなことは分かっていたはずで、答える前の小牧の溜息もそれ故だろう。

訊く意味がない。

誰も口を開こうとせず静まり返った殺風景な部屋に、時計の秒針の音だけが響く。

それを何周数えただろうか。

「――笠原が戻るのを待つ」

「堂上二正！」

明らかに非難する調子で声を上げた手塚を堂上は頭から怒鳴りつけた。

「笠原を連れ戻すことは隊の正当な行動基準を逸脱する！」

「しかし」

「お前が二度言わすな！」

奴でもあるまいし。飲み込んだ言葉尻《ことばじり》が苦かった。


気まずい空気で解散し、堂上と同じ階の小牧が別れる前に足を止めた。

「いいのか？」

部屋に入りかけていた堂上が振り向くと、

「今訊いたら俺、答えが違うかもしれないよ」

一瞬せめいだ気持ちを振り切るように堂上はドアを閉めた。

くそ、と知らず呟きが漏れる。どいつもこいつも。

俺にどうしろって言うんだ。

伏せた顔を上げると、本棚の一角に目が行った。

そこに挿した一冊の雑誌を思い出し、それを置いていった人物を思い出し、表情が歪んだ。

＊

手塚にそっくり。

食前酒を舐《な》めながら郁は窓際の席で向かいに座った手塚慧の顔を窺《うかが》った。手塚が三十くらいになったらこんな顔になるんだろうな、という顔だ。

何か変な感じ。

将来の手塚みたいな顔した男の人とこんな店にいるなんて、と郁は居心地悪く身じろぎした。慣れている人には落ち着いていると思えるであろう店の雰囲気は、郁には分不相応すぎて緊張するばかりだ。隊内でも有名な幹部御用達店である。

ちょっとキレイ目の格好で来てもらえるといいかな。

電話でそう言われていたのでそこそこのレストランかなとは思ったが、慧がここに入ろうとしたときには一悶着《ひともんちゃく》あった。

無理です、あたしここで割り勘とかできません！

割り勘でなければ呼び出しに応じるつもりはなかったのだが、結局は慧に押し切られた。弟のガールフレンドだからご馳走《ちそう》する、という理屈で、その前提だけは同僚に直してもらった。

手塚の耳に入ろうものならえらい目に遭う。

あたしがガールフレンドとかぶっ殺されますから手塚に！

面白い子だな君、と慧はおかしそうに笑ったが、郁には笑い事ではない。

「手塚にお兄さんがいるなんて知りませんでした」

「うん、最近は俺も家を出てるし、あまり顔を合わせてないからね」

男の子が家を出るとそんなものだということは自分の兄たちを見ていたので分かる。弟の話をしてほしいという慧のリクエストも近況を知りたいのだろうと自然に受け止めた。

あんまりバカな話をすると後でバレたら怒られるだろうしな、と適度に笑える話をいくつか披露する。それでも慧には大いに受けた。

「俺の知らない間に随分くだけたみたいだな、あいつ」

うわやば、手塚が聞いたら怒るかも。慌てて「本人には言わないでください」と口止めなどをしながら、頼んだコースも中盤を過ぎた。

「あのぅ」

メイン終わったから後はデザートとコーヒーだけだよな、とメニューを思い出しながら窺う。

「お話、いいんでしょうか」

慧が協会で持っている『図書館未来企画』という研究会への誘いという話だった。郁のことは手塚から知ったらしい。電話で話したときに郁の話題が出て、郁の意欲の高さなどを認める手塚の発言が慧の記憶に残り、会に誘ってみたいと思ったという。

自分の知らないところで手塚が自分を認める発言をしていたことは、意外だったが嬉《うれ》しくもあった。——特に今の状況では。

あいつに口止めされたから君を誉めてたのは内緒だけどね。もちろんあいつの話でこうして誘ってるのも内緒だよ。電話でそう笑った声にも親しみやすさを感じて出てきたのだが、その話は一向に出ていない。

と、慧は不意に問いかけた。

「笠原さんは検閲についてどう思う？」

「絶対反対です」

返事はパブロフの犬並みの反射で飛び出した。

「検閲は社会からなくなるべきだと思わないか」

「思います」

大きく頷いた郁に、慧は笑った。

「どうしたら社会から検閲がなくなるか、そういうことを考える研究会なんだよ」

へえ、面白そう。一気に興味がそそられた。

メディア良化法が施行されたのは三十年以上前なので、郁は検閲のある社会しか知らない。検閲のない社会ってどんなふうだろう。本が狩られない世界。読みたい本が自由に読める世界。本屋さんが検閲にびくびくしなくていい世界、そして――

図書館が武装しなくていい世界。

それってすごいかも！　想像しただけで気持ちが高揚した。

「不可能じゃないはずなんだよ。三十数年前の日本には検閲がなかったんだから」

「……そうですよね！」

盲点を衝かれたように郁は声を弾ませた。自分の生まれる前だから覆せないような昔のことのように思っていたが、よく考えてみれば自分の両親が子供の頃には検閲はなかったのだ。

現在は検閲といえば能動的にしろ受動的にしろ拒否するか受け入れるかの二択で、郁もそれしか考えたことはないが、検閲という概念自体が選択肢に入っていない時代があったのだ。

たった三十数年前に。

「社会から検閲を駆逐できる現実的な構想を『未来企画』では考えてるんだ」

「えっ、聞きたい聞きたい！」

思わずタメ口になったのは一番上の兄が慧とちょうど同じくらいの年頃だからだ。気づいて慌てて「聞きたいです」と言い直す。

「まず、検閲を根源的に撤廃するためには、図書館がメディア良化委員会と同格の組織になる必要がある。つまり国家機関に昇格しなくちゃならない。図書館ならその性質上、文科省組織になることが妥当だ」

え、でも、と郁は首を傾げた。

「地方行政に立脚してることが図書隊が国の検閲と戦える根拠ですよね？」

図書館抗争、検閲抗争といつも一口に言うが、正確には国家機関であるメディア良化委員会による検閲を政府の地方行政への過介入として退け、そのために広域地方行政機関である図書隊の武力を活用している、ということになる。

「そうだね。でも、国家公務組織と地方公務組織が武力闘争をしている現状自体が歪んでると思わないか。外国から見たらはっきりと内乱状態だよ、この国は」

きょとんとした郁に慧は続けた。

「内政干渉になるし局地闘争だから外国は表立っては口を出してこないけど。学生運動が盛んだった時代と似たようなものだと解釈してるみたいだね、治安維持部隊としての自衛隊が出てないってこともあるし。でも事実上は火器まで使用した内戦だし、民主社会としてはちょっとカッコつかないよね、この状況は」

咀嚼《そしゃく》しようと努力してみたが、いきなり内乱だの内戦だのと言われてもピンと来ない。理屈としては確かにそうなのだが、現状が先にある世代の郁には実感がまったく湧かない。図書館抗争では実弾を使った交戦範囲は厳密に設定されているし、民間人を巻き込まないための封鎖措置もメディア良化委員会に厳しく課せられている。

その抗争さえ避ければ治安は世界でも程々に安定しているほうだ。

郁としては警察だって銃撃戦になることあるよねえ、くらいの感覚で、それは現代の一般的な感覚でもある。抗争も警察が殺し合いを前提に発砲しないのと同じような認識だ。

しかし、同時に現状に内戦を指摘する慧の思考が卓越しているということも分かった。ああ、やっぱ手塚のお兄さんだけあって頭いいんだな、などと間の抜けた感想を抱く。もしかしたら郁以外の人たちはその歪みを内包したうえで現状に向かっているのかもしれないが。

ていうかあたしの周りの奴らってどいつもこいつも頭良すぎんのよ、と内心膨れる。

その間に慧の話は別の方向へ向かっていた。

「そもそも、検閲を根源的に駆逐するためには現行の図書隊制度は適してないんだ。検閲抗争は対症療法に過ぎない」

図書隊を否定する論法には条件反射で引っかかるが、やはり検閲の存在しない社会は魅力的なのでそこで話を切る気にはなれなかった。

「じゃあ、根本的解決って何ですか？」

そう来なくちゃね、と慧は笑った。人好きのする笑顔で、そんな表情は強情そうな手塚との性格の違いを感じさせる。

「図書館がメディア良化委員会と同格の国家公務組織に昇格し、そのうえで法務省と文科省の政治的駆け引きに持ち込むことだ」

「え、でも……」

違和感に気づけたのは、入隊二年目に入ってさすがに周囲の教育がそろそろ身についている。特に堂上。

「相反する法律を持った組織が同じ政府の中に並び立てるんですか」

というか、メディア良化委員会がそれを許すと思えない。

「もちろん、図書館が国家公務組織に昇格する際に図書館法第四章の大幅な制限を加えられるだろうね。そのときは図書隊の権限をどう残すかが争点になると思う」

「要するに、『図書館の自由法』がいろんな意味で削られるんですよね？」

まあそれはね、と慧はさらりと認めた。

「でも、譲った権限は後で取り返せばいい。その駆け引きが正当にできる足場を獲得することが重要なんだ。今の図書隊制度じゃ国と地方の意地の張り合いにしかならない」

そろそろ頭が飽和してきて郁は頭を抱えた。誰か通訳呼んでー。

「政治的な駆け引きで長期的に検閲という制度そのものを取り払っていくことが必要なんだよ。今の図書隊制度は検閲があることを前提とした制度であって、検閲そのものを根絶するための制度じゃないんだ。逆説的に言えば、図書隊は検閲があることを許容したうえで成り立ってる制度であるとも言える。だとすれば、検閲を根絶するためにはどこかの段階で一度図書隊制度を捨てることが必要なんだ」

急激かつ極端なパラダイムの変換を突きつけられ、郁は大いに困惑した。検閲が存在しない社会、それは最も望ましくて正しい。でも。

「あの、すみません、もすこし平たく……」

ギブアップ宣言に慧はまた面白そうに笑った。

「つまり、虎穴《こけつ》に入らずんば虎児《こじ》を得ず、ってこと」

子供の頃に『まんがことわざ辞典』などを読み込んでいたクチなのでやっと納得いった。

「虎児が検閲の根絶で、虎穴に入ることが『図書館の自由法』を縮小して国家組織に昇格するってことですか」

そうそう、と慧は生徒を誉める先生のような顔で穏やかに頷いた。

「どんな物事にも必ずリスクは存在する。検閲を根絶するにはそれくらいのリスクが必要だ。その後は敵とのリスクマネジメントの勝負になる。そして俺はそれに勝てると思っているよ。そのための研究会だ」

もちろんまだシミュレーションの段階だけどね、と付け加え、慧はいたずらっぽく笑った。

「笠原さんは性格的に肌に合うんじゃない？　『虎穴に入らずんば』は」

「う、言えてる……かも」

「じゃあ参加してもらえるかな」

気軽な調子の誘いに、しかし郁の口は重くなった。

検閲そのものが存在しない社会。まだ見たことはないが近い昔にあった社会。もしかすると取り戻せるかもしれない社会。

それはものすごく魅力的で、ものすごく輝かしくて、ものすごく正しくて、——取り戻そうとすることはあまりにも当然で、
でも。

「その構想が実現したとして、検閲がなくなるまでどれくらいかかるんですか？」

ほとんど無意識にその質問は滑り出た。

慧は一瞬虚を衝かれたように黙り込んだが、すぐに気軽な調子で答えた。

「長丁場になるのは確かだね。十年か二十年か、あるいはそれ以上……でも一度成立した制度を変えようとするなら、それくらいは覚悟しないと。メディア良化委員会の権限はかなり強固に根付いているしね」

分かりました、と郁は頷いた。

「あたし無理です。他の人誘ってください」

異なことを聞いたように慧はまじまじと郁を見つめた。その不可解そうな顔に少したじろぐ。

「……図書隊制度では検閲はなくならないんだよ」

確かめるように言われて、郁もやや戸惑いながら頷いた。

「分かってます。でも……」

ああもう、何であたしこんな頭悪いんだろう。今だけ柴崎の頭とか借りたい。言いたいことが巧《うま》く言葉にならない。自分に苛立ちながら郁はゆっくり言葉を探した。

「……何十年かしたら検閲がなくなるから、それまで検閲を我慢してろって、あたしは他の人に言えない」

やっと言いたいことのシッポを捕まえた。

「読みたいのは今なんだもの。何十年か後の自由のために今ある自由を捨てろとか言えない」

慧の返事もゆっくりになった。まるで郁に噛んで含めさせるように。

「それは、構造そのものが歪んでいる今の社会を容認して、根本的な解決にはならない歪んだ戦いを続けていくってこと？」

違う。こんな社会を認めたりなんか。こんな社会は違うし嫌だけど。

「だって、もうこんな社会なんだもの。こんなの嫌だけどそれはもう仕方ないし、だったら今残されてる自由が大事です。もっといい未来のために今我慢できる人もいるかもしれないけど、だから全員に我慢しろって言うのは違うし、今残されてる自由を捨てたくない人を責めるのも違うと思う」

読みたいのは数十年後の未来じゃなくて今だ。正しい未来のために自分の自由を捨てられる人は崇高だと思うし尊敬する。でも、それができない人を貶《おとし》めるのは違う。

「より良い未来のために自由を捨てるのは、すごく立派な権利です。すごく尊敬します。でも、それを義務にして他の人たちにも押しつけてたら、あたしたちはメディア良化委員会と同じになっちゃう。捨てる権利も捨てない権利もあって、選ぶのはみんな自由だから」

「なら笠原さんは今の社会を変えるにはどうしたらいいと思う？　今の社会でいいと思ってるわけじゃないんだろ？」

「それは……」

そういうの考えるのはあたしの役割じゃないのに、と恨みがましく慧を睨む。でもここには柴崎も手塚も小牧も、――堂上もいない。

「例えば政治家の人とか……」

「政治家が自発的に動いてくれるのを待つの？」

「市民運動とか、」

食い下がった郁に慧は気の毒そうに笑った。ほとんど労っているかのような。

「市民は動かないよ。自分に切実な不利益が降りかかってこない限り、行動する人はわずかだ。不満はあってもそれが致命的な不利益に繋がらない限り、多くの人間はそれに順応する。愚痴をこぼしながら順応したほうが楽だからだ。残念な話だけど、本が自由に読めないことや表現が規制されることで致命的な不利益を感じる人は君が思ってるより少なかったんだよ。だからメディア良化法が当たり前のように施行されているこの社会が成立してる」

慧の話は実に正しくて、それは郁には到底引っくり返せない。だから郁は引っくり返すことを放棄した。

「あたしバカだから難しいこと分かんないんです」

いっそ堂々とそう言い切る。

「だけど、あたしは図書隊が今ある自由を守るために戦ってるのは正しいと思うし、図書隊で戦うことに誇りを持っています。だからお兄さんの考え方には同意できません。だから『未来企画』へのお誘いもお受けできません」

慧はしばらく無言で郁を見つめ、それから喉の奥でくつくつおかしそうに笑った。

「――参った。だから感覚派って苦手なんだよな、最後にこれが来るから」

首を傾げた郁に慧は笑いながら言い足した。

「どれだけこっちが理を尽くして説明しても、最後は『よく分かんないけどイヤだからイヤ』で全部引っくり返しちゃうんだよな、君みたいな子は」

……何かすごくバカにされてるような。むうっと唇を尖らせると、慧が郁に身を乗り出した。

「よし、じゃあこっちももうちょっと俗なところから平たく攻めてみよう」

まだ何かあるのか、と郁は慧が乗り出した分だけ少し身を引いた。苦手意識を出した仕草を気にした様子もなく、慧は口を開いた。

「正直に言うと、別に君が欲しかったわけじゃないんだ。俺が欲しいのは光《ひかる》だよ」

光、という名前を手塚のことだと認識するのに数秒かかった。

「あいつもなかなか強情で、俺の誘いに乗ってくれなくてね。だから、あいつの友達から攻略したら少しは態度が軟化するんじゃないかと思ったんだ。同室の子から釣ってみたんだけど、あんまり効果がなくってね。どうやら君のほうがあいつと仲がいいみたいだから、君を釣ってみた」

ああそうか。

「あたしを呼び出した口実もウソなんですね」

あいつが電話で君を誉めてたのは内緒だよ——そんな仲の良さそうなことを慧は言ったが、本当はこの問題を巡って反目しているのだろう。それも深刻に。

「そこはあながちウソでもないかもな。少なくともあいつにとっては砂川君より君のほうが餌として効果があるようだし」

「……けっこう平たくいろいろ失礼ですよね、その発言」

「平たく攻めるって言っただろう？　俗にも行くよ」

俗ってどんなふうに。郁に考える時間を与えずに慧は次の手を打った。

「あいつに伝えてくれないか。『お前がなびいてくれたら笠原さんへの査問を止めさせたうえで潔白を証明して解放する』」

——頭の中が真っ白になった。

そんなこと、と呟いたのは声になっていたのかいないのか。

「できるわけないと思う？」

からかうような口調に返事もできない。

「手の内ばらそうか。光にこの取り引きを持ちかけるためにうちで仕掛けたんだよ、最初から。砂川君は『未来企画』の会員で、全部研究会の指示を受けて動いた。君と光に隠蔽図書を運ぶのを手伝わせるところからね」

いつでも如何様《いかよう》にでも事態の始末をつけられる算段もしてあるということだろう、それは。

体が震えた。

「……ひどい」

「申し訳ないと思ってるよ、君には。でもそこまでしても光が欲しいんだ、俺は」

「違う」

ひどいのはあたしにじゃない。郁は顔を伏せた。――手塚にだ。

小さい頃から喧嘩三昧《ざんまい》の兄たちを思い浮かべる。憎らしくてむかついて、取っ組み合いでも手加減ひとつしてくれなくて投げっぱなしジャーマンも余裕でアリ、でも、――この世で一番遠慮の要らない、手放しで信頼できる、郁が上京してから一度も「家に帰ってやれ」なんて親の肩を持ったことのない兄たち。

その兄たちの誰かにこんなことをされたら、郁は絶対兄を許せない。だが同時に確信できる、絶対に嫌いにもなれないのだ。

そんなに欲しい弟に、どうしてそんなひどいことするの。

「君も今辛い状況なんだろう？」

憤りがぐらりと傾《かし》いだ。

今となっては帰るのが苦痛になってしまった寮。自分が通りがかる度に一瞬静まるざわめき、窺う視線は好奇か軽蔑《けいべつ》のどちらかで、公正な人や優しい人にはそっと目を逸らされる。柴崎の他に誰も空疎な挨拶《あいさつ》以外は喋ってくれようとしない。洗濯場に行くのも柴崎の帰りを待って、廊下を歩くにも人の目を気にして。

辛くない、なんて言えるわけがない。

「証拠はないから君が査問会に訴えても無駄だ。そして査問はいくらでも長引かせられるよ」

じゃああたし折り返し地点ですね、今。

堂上にはそう強がったが、堂上のときにはこんな策略が裏にあっただろうか。なくて二ヶ月ならあたしは。

「君は光に伝えるだけだ。何の責任もない。判断するのは光だ」

詭弁《きべん》が傾いだ気持ちを揺るがす。伝えるだけなら。手塚の決断がどちらでも恨んだりしない、一緒にそう言えば。

窓際に映えるように灯《とも》されたグラスの中のキャンドルが、小さな炎を揺らめかせた。まるでそれは揺らぐ自分の気持ちのような、
駄目だ、流れるな、考えろ。あたしじゃなくて他の人なら今どうする？　――例えば、それを思ったとき、窓が大きな音を立ててびくりと郁はそちらを向いた。

外から窓を叩いた相手が、——正に今思った相手が肩で息をしながら口を開いた。

「今行く。」

そう読めた。そして同時に郁の背筋は伸びた。慧に向き直る。

「言いたかったら自分で言ってください。あたしは言えません」

慧は別に困ったふうでも不愉快なふうでもなく、ただまっすぐに郁を見返した。

「お兄さんにこんなひどいことをされている手塚に、あたしが重ねてひどいことできません。だって、手塚は仲間だから」

店の入口でドアベルが鳴った。

「仲間への負い目でなびけなんてひどいこと、お兄さんからだなんて、友達に伝えられません。自分で言ってください。そのほうが手塚はまだ傷つきません」

律動的な足音が近づいてくる。

「考え方が違うのは仕方ないけど、手塚を必要以上に傷つけないでください。あたしは、自分の友達が傷つく手伝いなんかしたくありません」

足音が郁の真横で止まった。見上げると制服姿の堂上が慧を睨むように見据えていた。まだ上がっている息で、

「俺の部下だ。返してもらう」

慧は興味深そうに堂上を眺めた。そして呟く。「君が堂上二正か」——堂上は答えず、郁を見下ろした。

「帰るぞ」

郁の手を強く引いて席を立たせ、出口に向かう。制服のポケットから摑みだした札をボーイに渡し、残りは連れが払うと言って店を出た。——色合いからすると一万円札が二枚。

早足で帰り道をしばらく歩いたところで、郁は音を上げた。足元がパンプスなので訓練速度の堂上についていくのは辛かったし、何より。

「堂上教官、手が痛いです」

堂上はやっと気づいたようにきつく握っていた郁の手に目を落とし、振り払うように離した。足も止まり、堂上はしばらく郁の前で立ち尽くした。

どちらからとも口を開きかねる気配があって、郁から全然どうでもいいことを言ってみた。

「何で制服なんか着てるんですか」

入隊のときに自己負担で買わされる、公式行事などでしか着用しない制服だ。

堂上は仏頂面で「プレスしたワイシャツが残ってなかった」と答え、「普段着じゃ入れないような店に連れ込まれやがって」とお門違いに郁を責めた。

やがて、

「何、言われた」

探る口調は、堂上が全部知ったうえで迎えに来ていることを悟らせた。

「断りました。全部聞いてから」

堂上はしばらくしてから気が抜けたように、「そうか」と答えた。

「わざわざ迎えに来なくてもちゃんと断って帰ったのに」

郁は嘯《うそぶ》いた。

「自分の部下が信用できないんですか、自分で育てたくせに」

何か皮肉が来るかなと思ったら、堂上は仏頂面で目を逸らした。

「俺が迎えに来たかったのは俺の勝手だ」

うわぁ、――ずるい今そんな、

「お前、今いろいろきついから心配して当たり前だろう。俺はお前の上官なんだから」

くそ、泣きそう。懸命にこらえる。ここで泣いたらせっかく今まで強がってきたのが台無しだ。カッコつけたかったのに。

余計なお世話です。だって。辛くなったら言うって約束したじゃないですか。

心の中では鮮やかに言ってのけたのに、口に出した声は涙でよれてヘロヘロだった。

「よくやった」

堂上の手が頭を撫《な》でようとして、面白くなさそうに「お前、なに踵の高い靴履いてんだ」と、いつもより腕を伸ばした気配で郁の頭に手が乗った。

＊

郁への査問はその後二回ほどして唐突に終了した。

隠蔽への関与は現時点では断定できないとして、砂川の復帰を待って再度状況を確認するということで、限定的ながらも一応は潔白らしき身の上になった。

未《いま》だに寮での風当たりがあるにはあるが、それも少しずつ収まりつつある。柴崎が積極的に女子に広報してくれていることが後押しになっているようだ。少なくとも、郁が部屋から出たとき廊下が露骨に静まり返るようなことはなくなった。

手塚は兄とどんな話をしたのか探りを入れてきたが、しれっと「話は聞いたけど、ちょっとあたしには受け付けない考え方だったから断っちゃった」と答えた。

「お兄さんに会ったらごめんなさいって言っといてね」

巧《うま》くしらを切れたかどうかは分からないが、手塚は微妙に納得いかなさそうに納得した。慧のことはやはり敢えて突っ込みたくはないらしい。

そんなある日、寮に帰ると郁宛てに書留が届いていた。

寮監から受け取った書留封筒を見て郁は眉《まゆ》をひそめた。

神奈川県の住所から。差出人は――『未来企画』手塚慧。

廊下で開ける訳にもいかず、小走りに部屋まで帰る。柴崎は今日は遅くなるという話なので無人の部屋に入って電気を点《つ》けた。最近は食堂でも顔見知りの隊員のところに入れるくらいに状況が回復しているので、柴崎と一緒じゃなくても食事は辛くない。

ハサミを探すのももどかしく、郁は封筒を手で破いて開いた。中には一万円札が二枚と便箋《びんせん》。

札の枚数の理由は、先日堂上が店で置いてきたものに対してだろう。
便箋を開くと、流れるような達筆で数行の文面があった。
〔弟の友人に敬意を表して。〕
これは恐らく、査問が急に終了したことについてだろう。
そして次の文章は、
〔先日の食事はこちらが持つ約束だったので、堂上二正に返しておいてください。〕
あのときのお金は相談して郁と堂上で半分ずつ負担していたが、返してくれるというなら別に断る理由もない。向こうにも面子《めんつ》があるだろう。
そして最後の行だ。
〔高校生以来の憧《あこが》れの王子様が上官の女子になんかちょっかいを出すものじゃないね。お陰様でいい面の皮でした。ではお元気で。〕

――――――――頭の中が真っ白になった。

それはもう、
先日の慧の計略を聞かされたときの比ではなく、
憧れの王子様が上官ということはつまり、

「え、え、え、えええ――――――――――――――――――ッ⁉」

鍛え上げた腹筋から叩き出した腹式呼吸の悲鳴は、噂によると男子棟にまで響いたという。

＊

近くの公園に呼び出した朝比奈はいつもどおりに爽《さわ》やかで軽やかだった。

「お待たせしました」

にこりと笑って「どこ行きますか？」

柴崎も笑った。

「ここで済ますわ」

朝比奈の表情が素になった。相手も察したのだろう。

「もう会わない。――弾《はじ》く理由が見つかるまでって約束だったわね」

黙ったまま見つめる朝比奈に、柴崎は完璧《かんぺき》な微笑を仮面のように保った。得意な表情だ。

――弾く理由はもう見つかっている。

「法務省の若手高級官僚と付き合えるほどあたし育ちが良くないの。身分違いの恋って不幸の元よ？」

元々そんなものはなかったことを精々当てこする。朝比奈は何かを諦めたような空しい表情で紳士的に開き直った。

「もう全部お見通しですか？」

全部なんてそんな、と柴崎は謙遜《けんそん》した。

「例えば法務省の一部の派閥と『未来企画』の繋がりとか？」

朝比奈が答えないので柴崎は勝手に続けた。

「隠蔽事件の揉み消しにもしあたしが乗ってたら、どんなシナリオになってたのかしらね？　隠蔽の証拠を揉み消しって記事に差し替わったのかしら、それともそれを弱味に『未来企画』に入会させられたのかしら」

「――話を聞いてもらえますか」

「どうぞ？　最後だから言いたいことは全部ぶちまけたほうがスッキリするわよ」

朝比奈は傷ついたような顔をした。傷ついたのか単なる振りなのかはもうどちらでもいい。見極めたところで意味がない。

「法務省の中にもメディア良化法に反対している人間はいます。決して多数派ではありませんが。その一派と『未来企画』でメディア良化法を無効化する長期的な構想を持っています。僕はその一員です。――検閲を憎む志は柴崎さんと同じだと信じてください」

「あたしの志には騙《だま》し討ちは入ってないの。敵に対してしか」

その切り返しに朝比奈が更に傷ついた表情を深くする。

「僕は騙し討ちには反対でした」

こちらが少し強気でカマをかけただけで騙し討ちのシナリオを認めてしまう正直さはやはりバカっぽくて、そんなところはやはり郁に似ているとこんなことになってもまだ思う。

あんたさぁ、と内心苦笑する。シナリオなんか存在してなくてあなたの勤める館を救いたいあまり自分の得た情報を流しました、くらい図々しくウソ吐かなくちゃ。

話を持ちかけたときの朝比奈の泣き笑いの顔を思い出す。あの表情を盾に言い張れば相手によっては騙しとおせるかもしれないのに、はいそうですと素直に認めてしまうようではこんな駆け引きには向かない。

もっとも、ふてぶてしく取り繕えず、あのとき動揺した柴崎に付け入りきれなかった朝比奈だからこそ今まで保《も》ったとも言える。

「柴崎さんが断ってくれてよかった、と思ったことは本当です。あのときにはもう、あの話に乗らないような柴崎さんを好きになっていたので」

その台詞からしばらく待った。だが、朝比奈から二の句は来ない。充分に待ってから柴崎は軽く息を吐《つ》いた。失望というほど重くはない、クジが外れた程度の。

ねえ。あたし、あんたと会うのけっこう楽しかったこともあるんだけど。

それでもあたしにとどめを刺させるの。

「ねえ。だったらどうして、あたしが図書隊で構想実験中の情報部候補生だから接触してきたってことを言わないの？」

朝比奈ははっきりと刺された顔をした。

気持ちはきっと嘘ではないのだろう。でも、――柴崎に完全に誠実になるよりも、その構想の利益のほうが大事なのだ。

その葛藤《かっとう》も何も全部まとめて刺した。

「謝っても取り返しはつきませんか？　検閲のない社会を一緒に作れたらと思っていました」

「残念ながら、あんたたちあたしの逆鱗《げきりん》に触れたのよ」

――二ヶ月近く。二ヶ月近くもだ。

郁はずっと針のむしろに座らされた。女子の集団生活でその状況はこれ以上の最悪はないというほど苦しく、そして柴崎はその状況に何ら手出しできなかった。

それどころか。

『未来企画』が欲しかったのはまず手塚慧の弟である手塚――そして情報部候補生の肩書きを持つ柴崎で、落ちなかった二人への見せしめのように郁は陥れられたのだ。

あたしのせいであの子が。その怒りは今までのかすかな情を揺るぎなく潰えさせた。それはもう朝比奈個人を斟酌《しんしゃく》させる段階ではなく、彼の属する陣営そのものへの反発として。

「あんたたちの志を否定しようとは思わないわ。でも、あたしの思うところとは違う。だから、お互い信じるところでベストを尽くしましょうって、そんだけのことよ。平和的な手打ちだと思うけど？」

朝比奈はそれ以上一言も言わなかった。ただ、柴崎に向かって四十五度の礼をして、そして黙って立ち去った。

朝比奈が完全に見えなくなってから、柴崎は植え込みに向かって声をかけた。

「もういいわよ」

物陰から出てきたのは手塚である。迷彩を狙ってか服装は全身黒い。

「悪かったわね、ボディーガードまがいのことさせて」

「いや……俺のことでもあるから」

郁が自分たちの身代わりになった、という自責を共有している立場だ。

「それと情報ありがとね。お陰で相手の確定早かったわ」

朝比奈にメールアドレスを渡した晩に入ったメールだ。朝比奈さん？　と郁に訊かれて友達と答えたそのメールは手塚からのものだった。

深入りするな。法務省の人間だ。

それをきっかけに手塚には柴崎の身分も明かし、情報を共有するようになっている。

「……うちの兄貴の人脈に同じ名前の奴がいたなって。朝比奈ってそんなありふれた苗字《みょうじ》じゃないし、名前が俺と同じじって聞いて間違いないと思って。お前を巻き込んじゃ悪いと思ったんだけど、結局巻き込んじゃったな」

「巻き込まれたわけじゃないわ、あたしからも仕掛けたんだから。変な引け目持たないでよね、あたしに失礼よ」

「……負ける、お前」

手塚は呟いて苦笑した。

「常に有能でありたい女なのよ、あたしは」

ふふんと笑って柴崎は朝比奈の去った方向を眺めた。

「もうちょっと泳がせてもよかったけど、江東館長と連携取られたら面倒だしね」

江東は『未来企画』の中枢会員であることが実験情報部の調べで判明しており、情報部長を兼任している稲嶺に報告が上がっている。『未来企画』の中枢会員は、その半数ほどが正式な会員とはならずに関係性を秘匿しているのが特徴的で、それは手塚慧が本気で図書隊の実権を奪取しようとしていることを思わせる。

「朝比奈さんが武蔵野第一の館員と馴染《なじ》みきったら館員の取り込みにかかっただろうし。館長が協力者なら攻略情報なんかだだ漏れだもの、ここらが潮時」

砂川も館長の手引きがあったからあんな大胆な行動に及んだのだろう。いくら手塚慧に傾倒していたとはいえ、どう見ても小物であった砂川が単独で隠蔽計画を実行できたとは思えない。隠蔽の発覚が江東の経歴に疵《きず》がつかない演出になったことも納得だ。

「今が切るタイミングだったと思うわ」

冷静に結論づけた柴崎に、手塚はしばらく答えなかった。ややあって、

「俺、先に帰ろうか」

一瞬、何を気遣われたのかまったく分からなかった。どうやら泣くことを気遣われたらしいと気づいて虚を衝かれ、逆に心が緩んだ。

その控えめな気遣いに少しだけ乗りたくなり、柴崎はくるりと手塚に背を向けた。

「ちょっとだけ愚痴に付き合う気、ない？」

手塚は黙ったまま、しかし立ち去る気配はなかった。

去らない気配に同じ引け目のあるよしみで甘える。

「あたしさぁ、昔この顔のせいでいろいろあって。まあどこにでもありふれてるような話なんだけど。そんで恋愛とかすっごくしにくい体質になってんのよね。絶対あたしに興味なさそうな人にしか興味持てなくて、でも興味を持ったら恐くなって、すぐおどけて告白みたいなことしてみて、断られて可能性を潰《つぶ》さないと安心できないの。だから」

軽く顔を上げて空を見上げる。星は見えない。

「あんたが気を遣ってくれるほどあたしこたえてないのよ、ホントに。朝比奈さんと会うのも少しは楽しかったし、多少は情も湧いたけど、絶対恋愛にはならない自信があった。いつでも切れると思ってたし実際切ったし」

手塚に同行を頼んだのも念のためとはいえ結局は朝比奈を信用していなかったからで、そこにそれまでの情は一切絡んでいない。柴崎を陥れようとしたときの泣き笑いの顔に苦しかっただろうなと他人事《ひとごと》みたいに同情できるほどだ。

「仕事のために恋愛ごっこみたいなこと、平気でできるのよ。これからも、何度でも。自分で言うのも何だけど、適性あると思うわ情報部。寝る必要あったら寝られると思うし」

ねえ、と初めて背中の手塚に声をかける。

今年も本がワッショイ！ワッショイ！
本
発見！
角川文庫
祭

おみくじ

運勢｜犬吉

運気

いつかは、必ずあがる。
読書して待て。

待人

思わぬかたちで来る。
読書して待て。

失物

あきらめた頃に見つかる。
読書して待て。

運命の一冊

「再生」
石田衣良

「仕事でハニートラップまがいのことが平気でできるあたしのこと、知ったら笠原は、あたしのこと軽蔑すると思う？」

正義の味方なんか本気で信じていて、そして昔正義の味方だった堂上に気づいていないくせにもう一度まともに惹《ひ》かれ直しているようなバカ正直で純粋なあの子は、

こんなあたしのことを知ってもあたしを嫌わないでいてくれるのかしら。

手塚は無言で、柴崎も返事は期待していなかった。こんなことをいきなり吐き出されても、答えようがないだろう。――やがて。

「……俺の想像だけど」

手塚は言葉を迷っている様子でそう切り出した。

「笠原が知ったら、きっと怒ると思う。お前に、自分のこと大事にしろって怒りそうじゃないか？　そんなことまでお前がする必要ないって」

同意を求めた切り返しには答えられなかった。今、声を出せば堰《せき》が切れる。誰の前であろうと泣くなどということは柴崎の主義に反する。

「俺も一つ愚痴言う」

勝手に宣言して手塚も話しはじめた。

「俺、けっこうすごいブラコンなんだ。昔の兄貴ってすごい出来がよくてかっこよくて、俺も兄貴みたいになるってずっと思ってて、兄貴にこんなことされてんのに、何度も失望させられてんのに、まだどっかで期待してるんだよな」

しばらく言葉を切った手塚は、笑うなよと前置いて白状するような口調になった。

「堂上二正って、昔の兄貴に似てるんだ。雰囲気とかちょっと」

笑うなと言われていたが反射で高く笑い声が漏れた。お陰で声の湿りは吹き飛んだ。

「笑うなって言っただろ！」

怒った手塚にごめんごめんと詫《わ》びながら振り向くと、目の前に剝《む》き身の時計を突き出された。

一見して手塚の年齢では分不相応だと分かるほどの品だ。

「これ、捨ててくれないか」

真剣な手塚の顔に取り敢えず時計を受け取ると、手塚は続けた。

「昔、兄貴にもらったんだ。突っ返そうとしたんだけど、いつか和解することがあったら使えって受け取らされた。ずっと捨てられなくて家に置いてあったんだけど、お前が朝比奈を切るって言うからこないだ家から取ってきた。俺も負けてられないと思ったんだけど……やっぱり自分じゃ捨てられないんだ」

「あたしが勝手に処理していいの？」

頷いた手塚に柴崎は悪い笑みを浮かべた。

「今から質屋行かない？　このモデルだったら剝き身でもそこそこ値がつくわ。憂さ晴らしの飲《の》み代《しろ》くらいにはなるわよ。ちょっとした小料理くらい行けるわ」

さすがにそう来るとは思ってもみなかったのか、手塚がぽかんと間抜けに口を開《あ》いた。手塚には珍しい顔である。

「女の場合だとね、男と別れたらそいつからの金目のプレゼントはとっとと売っ払ってパーっと使っちゃうに限るのよ」

「お……男と別れたのと一緒にする気かお前、人の身内の葛藤を」

「似たようなもんでしょうが、カッコつけんじゃないわよ」

言い募ろうとした手塚が、途中で気が抜けたように笑った。

「いいよ、お前に任せた時点でそんなもんだ」

「オッケ、決まりね。高値で取ってくれるとこ知ってるの、一駅動くけどいいわよね？」

何でそんなの知ってるんだと呆れた様子の手塚に、柴崎はまた悪く笑った。

「女が集団生活してたら基礎教養よ、こんなの」

「……女に夢も希望もなくなるな」

うそ寒そうに呟きながら手塚は歩き出した柴崎の横に並んだ。

＊

「……で、何で人が遅くなった日を狙い澄ましたようにぶっ倒れてんのよ、あんたは」

ほろ酔い加減で門限ギリギリに帰ってきた柴崎は、呆れたように伏せった郁を眺めた。郁は柴崎の視線を避けるように寝返りを打った。

「ほっといてよ、いつ具合悪くしようとあたしの勝手でしょ」

あたしだってまさか昔のメロドラマじゃあるまいしショックで熱が出るなんて思わなかったわよ。というのは口が裂けても言えない。

「何か食べた？」

「ううん……」

一気に上がった熱でベッドに潜り込むのがやっとで、晩飯どころではなかった。

「何か買ってこようか？　ゼリーとかアイスとか」

「いい、要らない……」

気を遣ってくれた柴崎に力なく頭《かぶり》を振り、郁は布団の中で丸まった。

高校生以来の憧れの王子様が上官の女子になんかちょっかいを出すものじゃないね。

寝込む前にこれだけはしまい込んだ慧の手紙の文面がぐるぐる回る。

慧の嫌がらせと思いたかった。そもそも何で慧が郁の個人的な事情など知っているのかとも思う。しかし、逆に慧ならどこからどんな情報を探り出しても不思議ではないだろうし、その不躾《ぶしつけ》な指摘は考えれば考えるほど符合ばかりが見つかる。

王子様に対する堂上の異常なまでの頑なさや、特別訓練のときに聞いた若い頃に研修で関東近県を回ったという話。郁の実家も茨城だ。

王子様の見計らいは大きな問題になったらしいし、堂上の査問経験もそれとすれば話は合う。

査問履歴を調べられないかと言った郁をこっぴどく叱ったのも、自分の正体を知られたくないからだとすれば。考えてみればあんなに怒るほどのことではなかったと思う。

そして何より、似ていると思った部分や雰囲気がすべて違和感なく重なった。慧曰《いわ》く感覚派、物事すべてを本能で判断する郁にとってはそれが一番重大だった。

もう王子様は堂上の顔でしか思い浮かばない。

こうじゃないだろ、普通！

郁は見えない何かを思わず呪った。

憧れの王子様との再会はもっとこう、ロマンチックで甘酸っぱいもんだろ普通！

何が悲しくて相手の背中にドロップキックだの返す刀で腕ひしぎだのセメントから始まって、いがみ合うだけいがみ合って！

五年前に一回会っただけだけど、あたしは今でもあの人に憧れてるし尊敬してるし、あの人が好きです。


「キャ――――――――――!?」

思い出した台詞に素で悲鳴が上がった。

「ちょっ、何!?」

さしもの柴崎が度肝を抜かれたように血相を変える。

「何でもないっ！」

「何でもないってあんたね、」

「夢見た夢！　悪夢！」

「寝てなかったじゃないのよ！」

「一瞬にして見た！」

言い張って追及をかわし、頭まで布団に潜り込む。

堂上に今まで言い放った台詞が端から思い返され、その一つ一つに一々悲鳴が上がりそうになる。

「違う！　断じて違う！」

「だから何！　怒るわよ！」

柴崎には答えずますます布団に潜る。――違う、
あたしが憧れてたのはあくまで高校生のときの王子様であって、別に今のあの人がどうとかそういうことでは、
っていうか。――教官は？

王子様王子様と事あるごとに騒ぐ郁をうるさそうにいなしていた堂上のことに思い至り、胸がざっくり切られたような気持ちになった。

……すごく、迷惑そうだった。

直近では査問履歴のことを訊いて叱り飛ばされたことが思い返される。あんなに怒るほど郁

に自分が王子様だと気づかれたくないということは、それは。

迷惑だとしたら、嫌われているとしたら、——やばい、あたし辛い⁉

それに気づいて更に動揺が複雑に迷走する。

あたしは堂上教官をどう思ってるの。

堂上教官はあたしをどう思ってるの。

どちらを追っても答えは捕まらない。

っていうか！　はたと気づいた。

明日からあたしどうするの⁉　どんな顔して会えばいいの⁉

いや落ち着け、相手はこちらが気づいたことには気づいていない。しかし、気づいていない素振りをこれからも通すことは自分に可能なのか。既にして柴崎を相手に挙動不審だ。これが本人となったら。

「どうしよう明日……」

呟いた声は柴崎に届いたらしい。熱下がらなかったら休めば？　と実に真っ当なアドバイスが返ってきた。

……To be continued.

単行本版あとがき

『図書館戦争』発売後、図書館界の方からいろいろな反響を頂きまして、突拍子もない話であるにも関わらずその多くが好意的に受け取ってくださって、本当に感謝しております。シリーズ化が決定しましたので数冊の間お付き合い頂ければと思いつつ平によろしく申し上げます。

さて、今回はタイトルが『図書館内乱』となりました本書ですが、実はこれに多少の仕掛けを予定しております。

本書で架空のタイトルとして『レインツリーの国』という本が登場しましたが、実はこの本が実際に出版されることになりました。

九月下旬、新潮社よりの発売となります。

『図書館内乱』である種の事件を引き起こした『レインツリーの国』をどうしても私が書きたくなったという事情がありまして、これに新潮社さんが手を挙げてくださいましたことで実現した企画です。新潮社さんとメディアワークスでちょっとしたコラボレーション企画をやってみた、ということになるでしょうか。

さて、本編ではあんなことになったりこんなことになったりだった『レインツリーの国』ですが、実際にはどんなお話であるのか、またご興味持って頂けましたらと思います。

社団法人全日本難聴者・中途失聴者団体連合会の皆さんを始め、新潮社の担当さん、メディアワークスの担当さん、またその各営業さんといろんな方のご協力を頂きまして実現した企画です。読者の皆さんが楽しんでくださったらこれに勝る悦《よろこ》びはありません。

さて、『図書館』側ではゲストキャラや新キャラが登場しましたが、家族という括《くく》りをすげぇ都合良く解釈する家族っているよなぁ、そういう奴に限って甘え上手でワガママで周りの奴は損するんだよなぁとか考えてました。普通は損するのは長子タイプなんですが、あの兄弟は何か役回りが逆転してますね。そこら辺、弟は胸襟を開けたらお母ちゃん縛りがきつい郁《いく》とは話が合うかもしれませんが、絶対開かなさそうだ。柴崎《しばさき》には少し開くかもしれませんね、少しね。

そこいらの微妙な人間関係なんかも今後どう動いていくか楽しみにして頂ければと思います。取《と》り敢《あ》えずお前は明日っからどうする気なのか笠原《かさはら》郁。

とか、「（あとがきで）ちょっとキャラ話とか書いてくれないと寂しいよ～」と担当さんが言うのでほどほどに書いておきました（エエー）。

それでは皆さんがこの本を少しでも楽しんで頂けますように（純粋な祈り）。

『レインツリーの国』にも少し興味を持ってくださいますように（やや下心付き怨念《おんねん》含み）。

というわけで次の本でお会いできることを楽しみにしております。

有　川　浩

文庫版あとがき

この巻で登場する手塚《てづか》の兄、手塚慧《さとし》は『図書館戦争』執筆時点ではまったく私の予定にないキャラクターでした。

小説の設計図であるプロットをきちんと立てるタイプの作家を「プロット派」と呼ぶとした場合、プロットを立てずにぶっつけ本番で小説を書くタイプの作家を「ライブ派」と呼ぶ、というのは電撃文庫で活躍している川上稔先生に教わった分類ですが、非常に分かりやすい定義なので私もよく使わせていただいています。

私は典型的なライブ派ですが、ライブ派の作家には「作者が物語の展開を予測できない」ということがしばしば起こります。その現象の非常に顕著な例がこの手塚慧でした。

弟の手塚光《ひかる》のことは『戦争』時からやけに頑《かたく》なキャラクターだなぁ、と思っていましたが、この巻になって突然「実は俺には兄が」というようなことを言いはじめて、誰よりもまず私がびっくり。

兄は作者の予定になかったキャラクターでしたが『危機』、『革命』まで出張り続ける重要人物になってしまいました。

今から思えば手塚慧が存在しない『図書館戦争』シリーズはあり得なかったというくらいのキーパーソンの一人ですが……何で『戦争』時点で存在してなかったんだろう、とそれがこのシリーズで最大の謎です。

　多分私は小説を書くことでキャラクターと知り合っているんだろうなぁ、と思います。手塚は非常に警戒心の強いキャラクターですが、『戦争』の時点では作者に対しても警戒している状態だったんだろうなぁ、と。

『内乱』でようやく警戒を緩めて身の上を教えてくれたわけですが、一度気を許すとその後は何もかもだだ漏らしの分かりやすい奴に変貌《へんぼう》しました。単に気を許すのに時間がかかるタイプでしたね。

　ちなみに郁《いく》は最初ッからすべてをだだ漏らしで預けてくる分かりやすい子で、堂上《どうじょう》は頑なに見えるけど人懐こい性格じゃないだけで別に作者に気を許していないわけではないらしいです。柴崎《しばさき》は韜晦《とうかい》しているように見えますが、激昂《げっこう》するとところどころで漏れる人で、口では色々かわいげのないことを吹いていますが、頑張って韜晦していることが分かります。

　小牧《こまき》は柴崎に比べると楽々韜晦、毬江《まりえ》ちゃんさえ絡まなければ大体平然としている、というのは作中でもそのままですね。

　玄田《げんだ》は他人のことはあまり気にしていません。大らかに我が道を突き進んでいます。当然、作者がどこをどう覗《のぞ》こうがおかまいなし。

　——という各キャラクターの傾向と対策は、執筆当時はまったく気にかける暇がありませんでしたが。

ライブ派にもいろいろタイプがあるかと思いますが、私の場合は書いているときは「透明なカメラ」として作品世界を撮影している感じです。キャラクターは作者の意向に関係なくそれぞれの人生を生きていて、カメラはキャラクターの動きに干渉しないようにその様子を撮影しています。カメラがいつ回されようが、いつ撤退しようが、そんなことは彼らの知ったことじゃない。

もっとも、透明で干渉されないからといっても見せてくれるかどうかはキャラクターの性格によるわけで、馴染《なじ》みやすいキャラクターと馴染みにくいキャラクターの差はそこから来るのかなぁ、などと思ったり。手塚みたいに警戒心の強いキャラクターだといろいろ見せてくれるようになるまで時間がかかるわけですね。

以上、インタビューなどで何度かお話ししたことがある内容ですが、改めてここでまとめてみました。

そして、作中で登場した『レインツリーの国』ですが、こちらも『図書館戦争』シリーズに先駆けて新潮社で文庫化しております。

単行本の『内乱』ではカバーイラストに『レインツリーの国』が登場していましたが、文庫版ではどうなるかな？　それは現時点で私も知りません。

多分どっかに入るんではないかと楽しみにしています。

しかし今にして思えば、デビュー版元以外の出版社から初めて出る本でコラボとか、無茶なことを企んだものです。

協力してくださった関係各位には改めてお礼を申し上げます。

さて、今回のショートストーリーは書き下ろしです。

きっとこれが正真正銘・最後の『図書館戦争』シリーズ書き下ろしになります。小牧と毬江のお話です。

すぐページをめくるか、完結巻を読むまで置いておくか、どのタイミングでお読みになるにしろ、本編ともども楽しんでいただければこれに勝る喜びはありません。

有川　浩

ロマンシング・エイジ

＊

良化特務機関の査問会から奪還された小牧《こまき》は一日休みを入れただけで衰弱から回復し、業務に復帰した。

復帰早々の晩に酒持参で堂上《どうじょう》の部屋を訪れたほどで、防衛方は日頃の鍛え方が違うと誇れる部分だろう。

「一昨日はどうもね」

「タフだな、お前も」

言いつつ堂上は財布を出した。酔ってからでは忘れることがあるので、酒やツマミの割り勘は飲みはじめる前に済ませておく習慣だ。

だが、その日は小牧が手振りで財布を出した堂上を止めた。

「今日は俺の奢《おご》り。世話かけたからね」

「世話も何も……」

お前だって仲間が連行されたら同じように必死になるだろう。そう言うと小牧は笑った。

「他にもいろいろ、予想外のところで背中押してもらった感じだから。できれば俺がいない間のこと教えてくれるかな」

　う、と堂上は後ろめたく身じろぎした。

「……酒代、俺が全部持つから勘弁してくれっていうのは……」

　小牧が笑顔のままで「却下」と退けた。

　小牧は連行されるときに実家に知らせるなと言い残した。

　それは同時に毬江《まりえ》に知らせるなということであり、むしろそちらに重きを置いた頼みだったことは堂上が一番承知している。

　そして小牧が尋ねているのは、あのときあの現場に毬江が同行した事実に他ならない。

　郁《いく》と柴崎《しばさき》が強引に毬江を連れてきたことを吐いてしまえば楽になれるが、どちらにしろ毬江を噛《か》ますことを上申したのは自分だ。女性陣の暴走を止められなかったことも事実なのでここで二人を盾にするのは憚《はばか》られた。

「その……お前の探索が難航してて」

　歯切れ悪く言葉を探す堂上に、小牧はあっさりと言ってのけた。

「お前の発案で毬江ちゃんを引っ張り出したとは到底思えないんだけど」

「いや、俺の責任だ。奴らは悪くない」

「うん、まあ笠原さんか柴崎さんか二人ともか、その辺りだと思ってたよ」

「奴らを抑えられなかったのは俺だ」

　と、小牧が缶ビールを直飲みで苦笑した。

「俺、誰も責めてないけど。むしろ感謝してるよ」

「いや、でもお前、実家に伝えるなって……」

「うん、確かにそう言ったけどね。あの子に伝わってほしくなかったから」

小牧はそれまで曖昧《あいまい》にしていた部分をはっきり口にした。

「でも、やっぱり耐えられたのはあの子のことだったからなんだ」

あの子に関わることじゃなかったら途中で折れてた、と呟《つぶや》く口調はいっそ清々《すがすが》しそうだった。

小牧が怒っていないのなら——感謝しているというなら、その功績は郁のものだ。ようやく堂上は口を割った。

「毬江ちゃんに知らせるべきだと最初に主張してたのは笠原《かさはら》だ。人権侵害容疑の当事者なら、毬江ちゃんもそうじゃないのかって……毬江ちゃんに容疑自体を否定してもらえたらすぐ解決するんじゃないかって」

「笠原さんにしては頭が回ったね、それは」

小牧も誉めているのかけなしているのか。

「で、堂上はどうせ烈火のごとく怒って却下したんだろ」

当たっているので間が悪い。堂上はごくりと一口ビールを飲み込んだ。

本人に何ら謂れのない問題の責任を問うつもりか。

あの子のせいで小牧が連行されたとでも言いたいのか。

そう怒鳴った堂上に、郁は負けじとばかりぶち切れて反駁《はんばく》してきた。

「……好きな男が自分を理由にされて窮地に落ちてるのに黙ってられる女なんかいるわけない、助けに行きたいに決まってるってな」

そう、と小牧は微笑した。

何ソレ心配かけたくないとか男のプライド⁉　あんたらそんな傍《はた》迷惑なもん捨てちまえっ！

そう啖呵《たんか》を切られたところまで話すと、小牧が思いきり吹き出した。

「耳が痛いね」

堂上はむっつりと黙り込んだ。確かに耳が痛かった。

そんなものは男の自己満足だ、そう糾弾されているようで。

何で俺がこんな耳が痛いものを一人で受けなきゃならない。途中で一方的に怒鳴りつけて席を立った。敵前逃亡と言われても仕方がないことは認める。

「……お前、毬江ちゃんのこと好きなのか」

郁に小牧と毬江は付き合っていないのかと訊《き》かれ、到底あり得ないこととして返事をするとオジサン呼ばわりで「頭かたーい！」ときた。精神的にかなりよろめいた。若さを盾にされると微妙な年齢だ。

堂上は中学生の頃からの毬江を知っている。だから絶対あり得ないと思っていた。

だが、小牧はもう何かを吹っ切っているようにあっさりと頷《うなず》いた。

「好きだよ」

「それは……その、」

「女性としてって意味だよ、もちろん」

恋愛対象としてか。そう訊こうとした先を制するように畳みかけられ、堂上の内心はぐらりと傾《かし》いだ。郁のオジサン呼ばわりに揺るぎなく裏付けがついてしまった。

「俺は……その、お前が毬江ちゃんを大事にしてるのは、妹分だからだと……」

それはさ、と小牧はちょっと意地悪そうな顔で笑った。

「五年前の高校生を忘れられなかったお前とおんなじ。もう高校生じゃない彼女見て、子供と思える？」

「ガキだろ、奴は」

「はい、そこで欺瞞《ぎまん》に逃げない。俺は女性に見えるか見えないかを問うてるんだけど？」

堂上は黙り込んで乾き物を齧《かじ》った。小牧はとどめを刺すのは容赦してくれたようだ。

「俺、三年前にカノジョと別れたろ」

「ああ……遠恋になるからって話だったな」

「実はそれ理由が違ってさ。ふられたんだよ、ホントは。俺がカノジョに」

「……初耳だ」

「初めて話すからね」

小牧はしれっとそう答えた。

毬江が突発性難聴を患い、それから小牧は毬江につきっきりになった。彼女が後回しになるのは当然の成り行きだったが、それが原因だという。

「それは……ちょっと大人げないんじゃないか、毬江ちゃん中学生だっただろ」

「いや、カノジョのほうが大人だったよ。俺よりずっと大人だった」

俺も今のお前と同じこと言って引き止めようとしたよ、と小牧は笑った。

「災難に遭った中学生の妹分に嫉妬《しっと》なんかしてくれるなってね」

だが、彼女は諭した小牧を逆に諭したという。

あなたはこれから先もずっとあの子に何かあったらあの子を優先する。——あの子が子供に見えなくなって困るようになるまであと三年だ。

反論できなかった、と小牧は苦笑した。

「俺はきっとカノジョと結婚してもあの子に何かあったらほっとけない。でも俺がカノジョと結婚してる頃にはきっともうあの子も大人で、言い訳がつかなくなってるんだ」

子供だから。妹分だから。その言い訳がなくなったら——後には何が残る？

「あの子、あと一年で高校生の記号が外れちゃうんだよね。制服着てくれてたらいいんだけど、私服だったりするとね。もう子供に見えないんだ。服だって自分で選んで買うようになってて、お母さんがこぼしてたよ。最近はもう私が買ってきたものは子供っぽいからって着てくれないって」

今までずっと気づかないふりしてた、と小牧は溜息《ためいき》を吐《つ》いた。

「今だけだって。あの子が恋だと思ってるものは錯覚だって。いつかほかに好きな奴ができるからそれまでだって」

「毬江ちゃんの気持ちに気づかないふりしてたってことか？」

「残念、半分ハズレ」

小牧は苦笑した。

「あの子が離れていったら俺が痛いんだ。大人のふりであの子のまっすぐな気持ちかわして、でも本当にあの子が他の誰かを好きになったら、俺はきっと勝手に失恋したような気分になるんだよ。今回のことで思い知った」

小牧は缶を呷《あお》ったがもう空だったらしい。まあもう一本、と新しい缶を堂上が勧めると小牧は素直に受け取った。

「俺は他の誰のためにもあんな理不尽で横暴な査問には耐えられない」

実際はそんなことはない、と堂上は思う。恐らく小牧はどんな状況であっても仲間が居場所を突き止めるまで保《も》った。

ただ、そのためにはきっと毬江という支えがいるのだろう。人当たりは柔らかいくせに融通の利かない正論、それが誰のためのものか。それくらいは堂上にも分かる。

志を折られて救出されたとしたら、きっと小牧が一番合わせる顔がないのは毬江なのだ。それでいいのだと思う。仕事の理想に殉じるなど、実際には難しい。大切な誰かに恥じない自分でいるために人は歯を食い縛れるのだ。思う相手は人それぞれだろうが。

無理だと思ったら辞めろ、と玄田《げんだ》はよく言う。命より大事な仕事などないと。揺らいだときは自分の人生を優先しろと。

どんな職場でもお前らの人生の責任は取ってくれん。引き際は自分で決めろ。それは特殊部隊だけではなく、防衛方全体の通念だ。逆に言えば、揺らいだ奴に残られると仲間を危うくするということでもあるが。

堂上は昔の自分が受けた査問のことを思い出した。所詮《しょせん》は同じ図書隊の中での派閥争いだ、小牧が今回受けたものとは比べ物にならない。

それでも当時はやはり苦しかった。その苦痛を耐える支えにしていたのは——

「……いいと思うぞ。十歳差が何だ、お前は早生まれだから言い張れば九歳差だ。あと十年もしてみろ、人も羨《うらや》む幼妻だ」

小牧がまるで珍しいものでも見たような顔で堂上を見る。

「何だよ」

「いや、他人事《ひとごと》だと頭柔らかいんだなぁと思ってさ」

「うるさい」

うわ、オジサン！　頭かたーい！　——微妙なお年頃の男を能天気にざっくり斬りやがって。

「それにあいつらお前と毬江ちゃんが微妙な関係だって見抜いてたみたいだしな。周りからはお似合いに見えてるってことじゃないのか」

柴崎などはかなり前から気づいていたらしい。郁も毬江に初めて会ったとき、野次馬丸出しで堂上に小牧と毬江の関係を訊きにきた。

「女ってのはこと恋愛沙汰《ざた》になると何であぁ敏《さと》いんだか」

「笠原さんまでかぁ。自分のこと以外なら察しがいいのは堂上と同じだね」

「……どういう意味だ」

「別に？　とにかく俺が色んな意味でお前と笠原さんには特に感謝してるってだけだよ」

小牧は息を抜くように笑った。

「あのとき、毬江ちゃんを連れてきてくれてありがとう。もうこれ以上ごまかしても仕方ないってよく分かったよ。うまくいかないかもしれないなんて、始まる前に年の差を気にしたって意味がない。将来どうなるか分からないなんてそんなのみんな一緒だ」

だから年の差はもう気にしないことにした、と小牧は宣言するように言った。

「制服脱ぐまで約束しかできないのが辛《つら》いとこだけどね」

「我慢も楽しみのうちだろ、精々大事にしとけ」

「そんなわけで我慢する必要がないたった五歳差の誰かさんたちは進展する予定はないの？」

「……今から俺とセメントでもやりたいのか？」

気圧の下がった堂上に、小牧は「笠原さんのことだと冗談一つ通じないんだね、うちの班長は」と笑った。

＊

毬江が制服を脱ぐ日がやってきたのはそれから約一年後である。

毬江の通う高校の卒業式の日、小牧の予定表には有休の二文字があった。

式が終わり、教室での卒業証書の受け渡しと最後のHRも終わった。

毬江は同級生と簡単な挨拶《あいさつ》を交わして教室を出た。中学で休学したので一歳年上、そのうえ聴覚のハンデも持っている毬江はもともとクラスで微妙に浮いた存在で、その立ち位置に今更寂しさなどは感じない。同級生は一応気を遣ってかこの後の打ち上げに誘ってくれたがそれも辞退した。そうした場に毬江が出ると、気疲れするのはお互いだ。

それよりも、今日来てくれるとは期待していなかった人が来てくれたことのほうが毬江には大事だった。

逸《はや》る気持ちを抑えて昇降口まで歩き、外に出てから毬江は走り出した。

小牧は校門を出たところで待っているはずだった。

「卒業おめでとう」

待っていた小牧から花束を手渡された。こんなに花束が似合う男の人なんかほかに知らない。ただ、その花束がいかにもかわいらしげなピンクのガーベラやチューリップをメインに使っていたことが少し不満だった。何だかまだ子供扱いされているような気がする。

だがこんなことで拗《す》ねても仕方がない。今日のために仕事をやりくりしてくれたことくらい分かっている。

「ありがとう、小牧さんに来てもらえるなんて思ってなかったから嬉《うれ》しい」

「式はお母さんと一緒に見たよ。お母さんは先に帰るってさ」

母には最初からそう根回ししてあった。

「この後どうする?」

一緒に食事に出かける約束だが、制服のまま行くなどあり得ない。一度帰って着替えたいと言うと、小牧は毬江の支度が終わった頃合いで迎えにくることになった。


家の前で一旦《いったん》別れる。小牧は「ゆっくりでいいよ」と笑いながら帰った。

ゆっくりなんて。忙しい仕事の恋人をいつも待っている側には到底無理な相談だ。

玄関を閉めるまではせいぜい落ち着いているふりをして、それから框《かまち》に駆け上がった。

「お母さん! これ小牧さんにもらったお花! 生けといてね!」

リビングにいた母親に問答無用で花束を押しつける。

「私、小牧さんとごはん食べてくるから!」

「はいはい」

いつのまにやら小牧が「お兄ちゃん」ではなくなっていることに気づいていたらしい母親は、苦笑しながら花束を受け取った。

二階の自分の部屋に上がって制服を脱ぎ捨て、クローゼットのドアに掛けてあった服を取る。

小牧が式に来てくれることになってから買った服だ。春らしい色のアンサンブルにスカート、これに派手すぎない柄入りのストッキングを合わせる。

そしてもちろん化粧も少し。最近の高校生は化粧くらい基礎教養である。ただし若いうちはあまり厚塗りをしないで肌の若さで勝負したほうがいい——というのは従姉《いとこ》のアドバイスだ。その代わり紫外線対策と肌の手入れは怠るなと厳命されている。

姿見で確認した自分は、もう高校生にはまったく見えない。

……見て、びっくりしてね。

毬江は深呼吸して部屋を出た。


迎えに来た小牧の反応は、毬江の期待したものではなかった。「似合うね」と笑ってくれたが、そんなことはいつも言ってくれるのだから変わり映えしない。

卒業したら何かが劇的に変わるような気がしていたのに——やっぱりまだまだ届いてないのかな、と少ししょんぼりした。

小牧が連れていってくれた店は、二名から個室が取れる落ち着いたレストランだった。毬江の耳を気遣って、小牧は静かな店をあちこちに見つけてくれている。

こんなに大事にされているのだから大人扱いしてくれないと拗ねるなんてわがままだ。不満に蓋《ふた》をして食事を楽しむ。そうでなくても小牧とゆっくり過ごせる時間は少ないのだ。

「浪人することにしたんだってね」

その情報はおそらく母親経由で漏れたのだろう。

いつまで経っても慣れないナイフとフォークと格闘しながら毬江は頷いた。お箸《はし》ください、なんて小牧の前で言ってたまるか。

「滑り止めは受かってたんだけど……本命に届かなかったから。悩んだんだけどやっぱり本命のほうが聴覚障害のケアとかしっかりしてて。家でも相談して、やっぱりそういうところ妥協しないほうがいいってことになって」

「そうだね、四年間のことだから」

でも予備校は無理だよね？　そう訊いた小牧に毬江は頷いた。聴覚障害者に対応した予備校は通える範囲にない。

「だから家庭教師つけてもらうことになったの」

小牧はわずかに毬江から視線を逸《そ》らした。

微妙にきまりが悪そうな表情になっているのは何故だろう、と思った矢先に謎が解けた。

「……その家庭教師って、男？」

思わず顔がほころぶ。

「女の人だよ」

小牧はきまりの悪そうな顔のまま「ごめんね」と溜息を吐《つ》いた。かっこわるいなぁ俺——というのは聞かせるつもりはなかったようだが唇で読めた。

ううん、かっこわるくないよ。むしろ——

かわいいよ、なんて言ったらどんな顔をするだろう。

と、小牧が空いた皿を下げに来たウェイターに「お箸ください」と頼んだ。それから「毬江ちゃんもいる？」と尋ねる。コースはそろそろメインディッシュでナイフとフォークの難易度が高くなる。お箸だと楽だな、と毬江が思ったタイミングで小牧は「じゃあ二本」と注文した。

お箸もらおうか、などと訊かれていたら絶対に頷かない。自分は別に不自由していた様子もないのに箸を二本もらってくれた小牧は、やっぱり毬江がかわいいと言うなんておこがましい。

箸はやっぱり楽で料理を味わうことに集中できたが、ちょっぴりへこんだ。


夕飯に間に合うように家に送られた。

別れ際、いつもと違うことが起きないかなと期待したが何もなかった。せっかく卒業したのだから何かしてくれたらいいのに。

そのまま基地に帰るという小牧を玄関先で見送って家に入る。

「ただいまー」

玄関には小牧のくれた花束が生けてあった。

基調はピンク、その中に――一本だけ。

「お母さん、一輪挿しどこー!?」

台所では小牧が言った通り、母親がご馳走《ちそう》を作るのに奮闘中だった。

「あんたはもう、幹久《みきひさ》くんの前じゃなかったらまだまだお子様だこと！　お母さんのこの姿を見て何かかける言葉はないの？」

「お疲れさまですありがとう後で手伝う。それで、一輪挿しどこ?」

「リビングのサイドボードの上よ」

「しばらく借りるね」

一方的に宣言して一輪挿しを確保し、洗面所で水を入れる。

そして玄関に戻り、生けられた花の中から一本だけのその花を抜いて一輪挿しに移した。

花束になっていたときはピンクに埋もれて見えなかった。

可憐《かれん》な色合いの花束の中に一本だけ紛れ込ませた真紅。薔薇《ばら》。

女の子なら誰もが憧《あこが》れる花言葉。

一輪挿しを持って自分の部屋に上がり、机の上に大事に載せた。


——あなたを愛します。


小牧の声で聴こえるようだった。

毬江はとっておきの気合いを籠めた今日の服を脱ぐ前にメールを打った。

期待してたのになんてがっかりしてごめんなさい。大人扱いしてくれないとしょげたことも。

お箸いらないと意地を張るのじゃなくて、ナイフとフォークがきれいに使えるようになりたいから教えてって今度言うから、今だけ背伸びさせて。

あなたのくれた言葉に釣り合う言葉を返させて。

——私も愛します。

fin.

図書隊について

■図書隊の職域について

職 域	図書館員	防衛員	後方支援員
部 署	図書館業務部	防衛部	後方支援部
主な業務	・通常図書館業務	・図書館防衛業務	・蔵書の装備 ・戦闘装備の調達整備 ・物流一般

※図書隊総務部は図書館員と防衛員から登用するほか、行政からも人員が派遣される。
※総務部人事課は図書基地にのみ置かれ、管区内の全人事を統括する。
※後方支援は一般商社にアウトソーシングするため、正隊員は管理職以外配属されない。

■図書隊員の階級について

特等図書監	一等図書監	二等図書監	三等図書監

	一等図書正	二等図書正	三等図書正

図書士長	一等図書士	二等図書士	三等図書士

※他、臨時図書士、臨時図書正、臨時図書監の階級があるが、これは後方支援部のアウトソーシング人員に対応したもの。臨時隊員の権限は後方支援部内に限定されている。

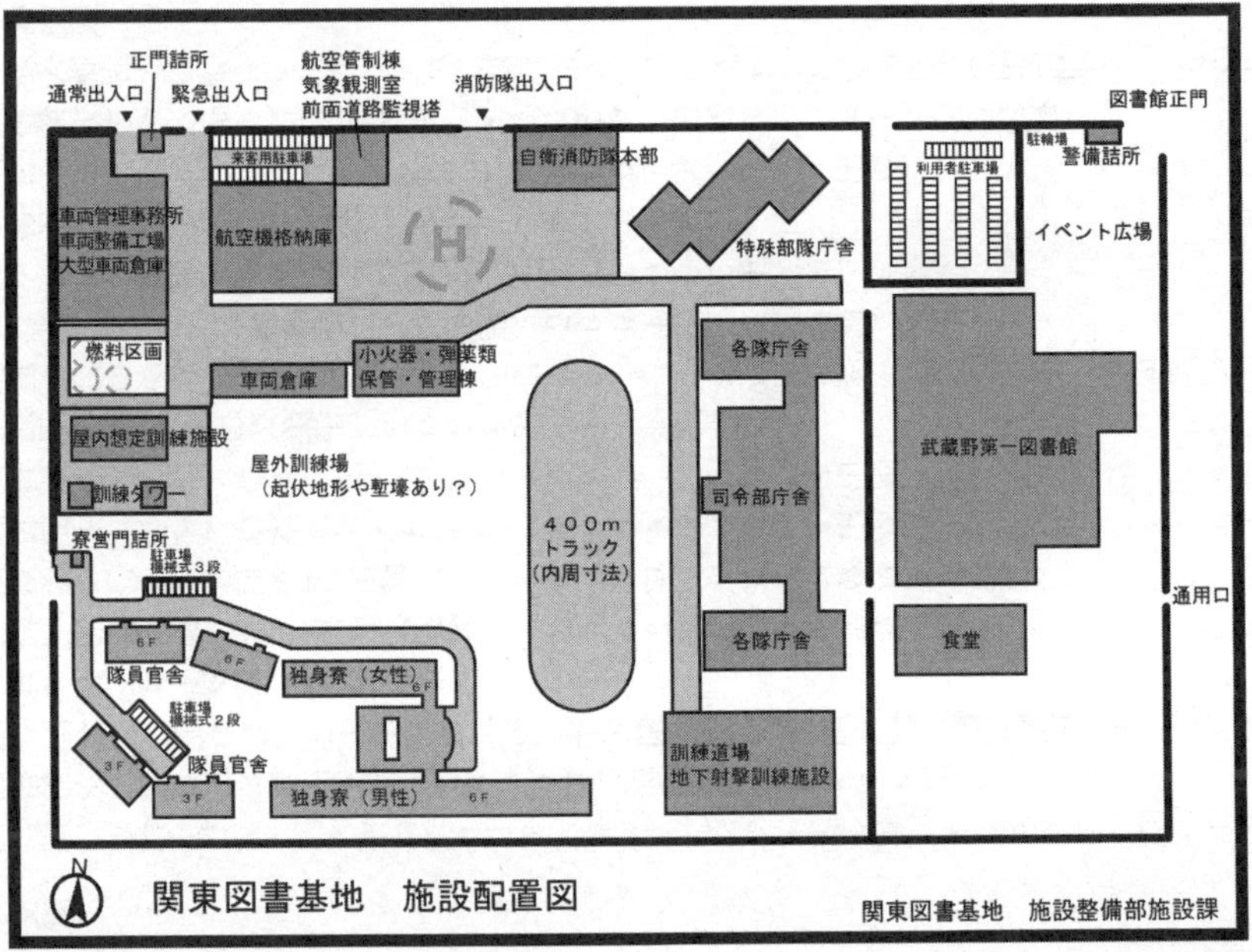
正門詰所
通常出入口
緊急出入口
航空管制棟
気象観測室
前面道路監視塔
消防隊出入口
図書館正門
来客用駐車場
自衛消防隊本部
駐輪場
警備詰所
利用者駐車場
車両管理事務所
車両整備工場
大型車両倉庫
航空機格納庫
特殊部隊庁舎
イベント広場
燃料区画
車両倉庫
小火器・弾薬類
保管・管理棟
各隊庁舎
屋内想定訓練施設
屋外訓練場
（起伏地形や塹壕あり？）
武蔵野第一図書館
訓練タワー
400m
トラック
（内周寸法）
司令部庁舎
寮営門詰所
駐車場
機械式3段
通用口
6F
6F
隊員官舎
独身寮（女性）
6F
各隊庁舎
食堂
駐車場
機械式2段
3F
隊員官舎
3F
独身寮（男性）
6F
訓練道場
地下射撃訓練施設
N
関東図書基地　施設配置図
関東図書基地　施設整備部施設課

イラスト　白猫

参考文献

「図書館の近代—私論・図書館はこうして大きくなった」（東條文規　1999年　ポット出版）
「図書館をつくる。」（岩田雅洋　2000年　株式会社アルメディア）
「国立国会図書館のしごと—集める・のこす・創り出す」（国立国会図書館編　1997年　日外アソシエーツ株式会社）
「司書・司書教諭になるには」（森智彦　2002年　ぺりかん社）
「図書館の自由とは何か」（川崎良孝　1996年　株式会社教育史料出版会）
「図書館とメディアの本　ず・ぼん9」（2004年　ポット出版）
「図書館とメディアの本　ず・ぼん10」（2004年　ポット出版）
「書店風雲録」（田口久美子　2003年　本の雑誌社）
「報道の自由が危ない—衰退するジャーナリズム—」（飯室勝彦　2004年　花伝社）
「「言論の自由」vs.「●●●」」（立花隆　2004年　文藝春秋）
「よくわかる出版流通のしくみ'05〜'06年版」（2005年　メディアパル）
「図書館に訊け！」（井上真琴　2004年　筑摩書房）
「図書館とメディアの本　ず・ぼん11」（2005年　ポット出版）
「図書館力をつけよう」（近江哲史　2005年　日外アソシエーツ株式会社）
「中途失聴者と難聴者の世界　見かけは健常者、気づかれない障害者」（山口利勝　2003年　一橋出版）

文庫化特別対談　有川浩×児玉清（俳優）

『図書館戦争』そして、有川浩の魅力　～その2

小説をこよなく愛する俳優・児玉清と、『図書館戦争』シリーズの生みの親・有川浩の対談は、主人公・笠原郁のキャラクター性、国民性に基づいた男女の関係へとひろがってゆく――。

まっすぐで、まっとうで「正しさ」を表に出せる人

児玉　『図書館戦争』のヒロインである、笠原郁さんについてお伺いしたいんです。彼女は本当に魅力的なんですよ。この人が『図書館戦争』に登場したことで、道が開けたみたいな感覚もおありなんでしょうか？

有川　そうですね。実は、初めて書いたタイプのキャラクターだったんですよ。それまでに書いていた3冊（『塩の街』『空の中』『海の底』）は、結構、物わかりのいい女の子がヒロインだったんですね。『図書館戦争』を書くにあたって編集さんから、ひとつだけ条件がきまして。「次はいわゆるいい子なタイプではない女の子を主人公にして書いてみない？」と。「分かり

ました。じゃあ、バカな子書きます！」っていう。
児玉　でも、すごく、いい子よ？
有川　はい（笑）。無鉄砲なんです。
児玉　言ってしまえば、突っ走り屋。とっても心が開けっぴろげというかね、「正しさ」をてらいなく表に出せる人なんだな。僕としてはね、有川さんと郁さんが重なって見えるところがある。
有川　私自身は、あまりできた人間ではないんです。
児玉　そうなんですか（笑）。
有川　打たれ弱いし、いろいろイジけるし、心に弱いところばっかりある人間なんですけれども、それだけに、まっすぐで、まっとうで、ちゃんとした人っていうのは、ものすごく眩《まぶ》しく見える。私がそういうものを持っていない人間だからこそ、持っている本人達が気付かない輝きとか、素晴らしさっていうのを見られるんじゃないかなあと思っています。
児玉　そういった輝きを、登場人物から引き出して、読者に見せる。それは有川さんの、作品全体を通じて行われていることじゃないですか。どの作品にもありますよね。しかもそれを、ひけらかして的なね、提示の仕方をするのではなくて。
有川　こうであったらいいな、という感覚で書いている部分がありますね。まっとうさが、ちゃんと通用する世の中であればいいな、と。
児玉　人間っていうのは、社会への不満とかね、企業の不正に対する怒り、いろんなものに対する不満とか、怒りとか持っているんだけど、それはなかなか表に出せない。でもそれを、あなたの本を読ませて頂いていると、なんだか知らないうちに、気持ちの中で、解決できるようなね。とってもよりどころになる本である、と思うんですよ。しかも、面白い！　面白くなければこれはまた、話が違ってくるんですけどね（笑）。

有川　ありがとうございます（笑）。

児玉　あなたは、そういった魅力的なヒロインを生み出した。そのうえでね、上官である堂上と郁の恋愛模様が実に素晴らしいですよ。お互いに信頼はしているのだけれど、こと恋愛感情という面では、自分の心が分からない、相手がどう思っているのかは分からない、反発し合う。そういう形で話が進んでいくだけに、読者は「先行きどうなるのかな？」って、強烈に引っ張られますよね。

有川　信頼関係が恋愛に変わるというよりは、「いつ気付くんだ、お前達は！」という感じですよね（笑）。

児玉　読者はとっくに気付いてるんですよね、ふたりがお互いに恋していることは（笑）。当人達が気付くまで話を引っ張っていく、そこを引っ張っていけば引っ張っていくほど、読者の興味は燃え上がります。これは計算ですか？

有川　さきほど話に出た「ライブ派」というのは、もともと計算がきかないタイプなんですよ。2巻目の『図書館内乱』で、5年前に郁が出会った「王子様」の正体が分かっちゃって、「さあこの人は、どうやって自分の混乱にオチを付けるのかな？」と。私自身も、郁の混乱とか恋心を一緒になって追い掛けてるような、そういう感じでした。

児玉　有川さん自身も面白がって、引っ張られて見ていたわけだ。面白いなあ。

女は待たず、男が待つ時代

児玉　これは僕自身、外国の文学を読むようになってから気が付いたんですが、１０００年も前に、日本では既に『源氏物語』みたいな素晴らしい物語が生まれていた。あれだけ男女の心の機微ってものをね、言葉に表せるすごさ。でもね、中国は別として、その時代に、同じような物語はどこにもないんですよ。例えばドイツなんかは、言葉の統一の問題もありますけれど、18世紀に入ってぐらいから。ゲーテとか、シラーとか。フランスにしても精々、16世紀ですか。そう考えると、日本の物語文化っていうものは極めて特殊だし、世界に誇れるものだと思う。

有川　物語の豊かな国ですよね。言葉にこだわる民族性があるのかな、と。

児玉　おっしゃる通りだと思います。それでね、有川さんがお書きになられているものの中にも、男と女の機微が描かれている。そこでお伺いしたいのは、今の世の中、男女の恋愛、男女の心の通い方っていうのが、ちょっと歪《ゆが》んじゃってますよね。例えばの話ですが、私はあるラジオで、テレフォン人生相談のメディエーター役をどういうわけか、絶対僕は合ってないって言い続けているんですが、やめられなくて今もやっているんですが（笑）。今、リスナーから相談されることっていうのは、夫婦のこと、恋愛のことが大部分なんです。ひとつ典型的な例としては、かつては男が浮気をして出て行く、女性がそれを待っている。「いずれは帰ってきますから」という解決の仕方が、実際に機能していたんです。ところが今はまったく逆転してね、女性が家を出て行って、男が待っている。しかしこれにはもうね、実りはないんですよ。女性が出て行った場合は、帰ってこない！

有川　はい（笑）。

児玉　テレビ番組に、渡辺淳一さんがゲストで出ていらしたことがあります。その時に、渡辺さんは男女の心の機微を、性愛を含めて書かれていらっしゃいますけど、これはと膝《ひざ》を打つ名言をおっしゃったんですよ。『父帰る』という小説は過去にあった、しかし、『母帰る』という小説はないんだ」と（笑）。とにかくね、まずもって今は、男は待っている。そんな話に象徴されるようにね、今は男性が圧倒的に、女性に手足を縛られちゃっているみたいな状態があるんじゃないか。経済的な面も大きいでしょう。今の時代、男性は、パートナーである女性に対して、容易には経済的な保証ができない。そこでまず、男性の側が萎縮《いしゅく》した。しかも、女性が働く力を持っている。これ自体はとってもいいことですよ。しかし、そこで新しくできてきた男と女の関係に、男性は今、戸惑って身動きが取れなくなっているんじゃないか、という気がしてならないんです。ところがですね、『図書館戦争』に描かれている男女の関係は、とても爽《さわ》やかでスカッとしてるんですよ。健全さというかね。その秘密を、お伺いしたかったんです。

有川　まず、経済力に関して男性が主導を取れなくなったとしても、女性がその部分にだけ頼りがいを求めているわけではないんですよね。精神的な支えっていうものを求めているので、男性と女性が、ちゃんと対等に向かい合える余地は十分に残っている。それから、「男女平等」ということが言われている今の社会ですけれども、私の書く小説ってわりと、乱暴な女の子でも、女の子は女の子らしく悩んでたりするし、男の人は男らしくかっこよかったりする。

児玉　そこですね！

有川　そこのところを「いい！」と言って下さる読者さんがいるってことは、なんだかんだ言いつつ内心ではみんな、まっとうな関係に立ち返りたいと思っているんじゃないかなと。

児玉　男らしさ、女らしさというものが、かつてはとても問われたんだけど、終戦後しばらくしてからだんだん消えていって、「人間らしさ」という言葉で全部、くくっちゃうんだよね。でも、そういうものはあるんじゃないのかと、僕はずっと思っているんです。ところが、同世代の連中にそんな話をしても、訳知り顔で否定されてしまう。今、同志を見つけた気持ちです（笑）。

心根としての男らしさ、女らしさ

児玉　男は男らしくならないといけないし、女性は女性らしくならないといけない。いや、そうあらねば「いけない」というよりも、これは当たり前のものなんですよ。ところが今の時代は、男が男らしさを失い、女性が女性らしさを失う。それがなくなったら、健全な恋愛は生まれないって感じはしますよね。

有川　そうですね。気性的な問題はともかくとして、身体的に、向いてること向いてないことっていうのはやっぱり、あるじゃないですか。ジェンダーを取っ払って全部が全部、男女平等で……ってやるのは、私はちょっとおかしな話だと思います。「男女平等だから、男子も女子もおんなじ教室で着替えなさい！」ってなったら、それはちょっとまずかろうと。

児玉　男は喜ぶかもしれないけどね（笑）。最近は嫌がる男もいるみたいだけれども。

有川　でも、これは私が女性だから思うのかもしれないんですけど、「男の子はいざという時、かっこよくあってよ！」って思うんです。

児玉　「頼りになってよ！」っていうね。『図書館戦争』の堂上とか小牧っていう人は、それを具現してるじゃないですか。それぞれの個性の中で、男であるってところをしっかりと、見せてくれますよね。そして、図書隊という組織の中で、同じような男らしさを問われる、郁の辛《つら》さというものもあるわけで。そこにまたひとつ、ドラマが生まれますよね。そして、郁に負けてしまう男の辛さ、というドラマも生まれる。

有川　郁も男勝りの女の子なんだけれど、揺れる心はちゃんと女の子だったりする。男の子がいざという時、かっこよくいてよって思うのと同時に、私は女の子に対しても、「女の子はいざという時、かわいくあってよ！」って、両方に思ってるんです。

児玉　男らしさ、女らしさ、そこにこそ人間本来の姿が表れているというのは、間違いないと思いますね。そこが欠けてる場合はね、つまらないものになってしまうというのか、大変味気ないものになってしまう。今ふっと、バートランド・ラッセルというイギリスの哲学者のことを思い出しました。彼は１９３３年という、偶然私が生まれた年に書かれたものの中で、かつては男性が１００％幸せで、女性が１００％不幸だった、と。ところが男女同権になってから、お互いに不幸になった、と（笑）。この言葉が何を意味するのか、思い当たる節がなくもない。不幸だった女性達が耐えてきたもの、これは一体何なのか。なぜ徳川幕府が３００年も続いたかというと、女性の口に蓋《ふた》をしたからだ、という意見もあるわけですね。

有川　自然に男性らしく、女性らしくということが、通用する社会が来たらいいのになって思います。今の社会では、仕事をしている女性って、女性らしいところを見せたらつけ込まれるからと、肩肘《かたひじ》張って、ジェンダーを振り捨ててるようなところがあるじゃないですか。それもちょっと、無理してるよね、っていうのはすごく思うんですよ。

児玉　不自然だよね。そこの肩肘の張り方というのが、歪みを生じているところもありますよね。

有川　作法としての男性らしさ、女性らしさというよりも、心根としての、男性らしさ、女性らしさ。そこを大事にしていけたらいいな、と。

児玉　心根としての、ですか。いい言葉だなあ。

有川　愛し方も、やっぱり男性と女性とで違うじゃないですか。

児玉　まったく違いますよね！　僕が若い頃に見た『グレン・ミラー物語』っていう映画があります。僕ね、ジューン・アリソンという女優が好きで好きで。彼女がジェームズ・スチュワートと夫婦役で出ていた映画なんですけれども、その夫婦の会話の中で、「あなたはいつも、私のことをどう思ってるか話してくれないのね」と言う。それに対してジェームズ・スチュワートが、「いや、僕がどう思ってるかなんてことは、分かってくれてると思ってた」と。その後、こういう台詞《せりふ》があるんです。「女は言葉で欲しいのよ」。20歳ぐらいでその映画を見てね、「女性ってのはそういうものなのか！」って思いましたよ。

有川　そういうものです（笑）。「分かってても言え！」と。「言わなくても分かるだろう」というのは、ないんです。

児玉　特に日本の男の人は、「心の中で思ってるんだから言わなくてもいいじゃないか、俺の思ってることぐらい分かるだろう」という人が、圧倒的に多いですよ。ところが、そうじゃない。このあたりのところにも、悲劇の種がありますよね。

権利を主張する人
義務をおろそかにする人

児玉　社会のゆがみは、男女の歪みですからね。社会が歪んでいるがために、今の若い人達は、あえいで生きている。さて、ではこれから、どういう男女の社会というものを構築していくべきか。

有川　私は、古風というか、昔ながらの男女関係を、意識して書いているつもりなんです。ごく素朴に人が思い合ったりする、ベタといえばベタと呼べるのかな、そういう関係を。『図書館戦争』に関して言えば、女の子はちょっと元気ですけれども（笑）。

児玉　なにしろ熊に殴り掛かっちゃうくらいですからね（笑）。ああ、でもやっぱりそういうところは意識なさっているんだね。

有川　そうですね。そこに反応してくれる人がこれだけ多いっていうことに、私は光を見いだしたいなって思っています。

児玉　今ね、心の中で悲鳴を上げてる人はたくさんいるんですよ。その人達が有川さんの本を読んで、そういう心の叫びをふっと拾ってもらうようなね、そういう人がたくさんいると思いますよ。みんな心の中に本当は持っている、思いやりだとか、人間としての優しさだとか、あるいは男らしさ女らしさね。当然それがなくては生きていけないものであるにもかかわらず、今やどんどん拒否されている、健全さのようなものを、有川さんの本は掬《すく》いあげている。それは全編を通じてありますよ。

有川　世間がものすごく狭量になってきている、と思うんです。もうちょっと寛容な社会であってほしいな、と。

児玉　寛容さ。僕も今それを、申し上げようと思っていたんですよ。僕らが若い頃はね、社会がとても寛容だったんですよ。だからね、無銭旅行なんかができたんです、世知辛くないから。浮気だって、１度するくらいどうってことなかった、らしいです（笑）。それはあまりに些末《さまつ》な例だけれども、社会ってものが寛容だったんですよ。ところがね、どんどんどん、厳正であろうとしてきた。実に生きにくい社会です。だって人間っていうのは、間違いを犯す動物ですよ。しかし、今の社会は、人間は間違いを犯さないものである、というふうに最初から決められちゃってるから、実に厳しいものがありますよ。

有川　間違わない生き物であることを前提にしたルールっていうのは、人を絞め殺していますよね。私は今、『三匹のおっさん』の続編を書いているんですけれど、第二話で、本屋さんの万引きの話を扱ったんです。

児玉　『図書館戦争』でも、万引きの話が出てきますね。それで？

有川　本屋さんの話を聞いていると、今は、万引きが見つかって「こら！」って店主に小突かれたりとか、そういったことはもうなくて、問答無用で警察を呼んじゃうそうなんです。じゃないと、例えば万引きの人を摑《つか》まえようとしたら、「暴力を振るった」って逆に本屋さんの方が怒られちゃうみたいなんです。

児玉　同じような話は、いろいろな場面で聞きますよね。例えば、今の学校の先生と生徒の関係。「お前、何やってるんだ」でガツンとやったら、生徒の親に訴えられちゃいますから。

有川　世間がものすごく狭量であると同時に、個人がものすごく身勝手にもなってきているなと思うんです。権利を主張する人は増えたんですけれども、権利に付随する義務をおろそかにする人が、一緒に増えてきていて。権利と義務はセットだよ、というごく当たり前の、まっとうな感覚ってありますよね。そういうものが通用する社会であってほしいなと思います。そうじゃない社会の中で一番追いつめられちゃうのは誰かっていうと、きちんと生きようと思っている人で、それって相当おかしな状況ですよね。

児玉　そのあたりの議論というのは、『図書館戦争』の中にもとてもうまく出ているなと思いますね。メディア良化委員会と図書隊との「戦争」の中で、実に見事に描かれている。そこには有川さんの、今お話を伺ったような思いが込められている？

有川　寛容さがある社会であってほしいなあという、願望はにじんでいると思いますね。

児玉　有川さんの本を読むと、心が正されるんですよ。人間っていうもののあったかさを、感じ直すことができる。そこにはね、キザな言葉を使えば、未来に対する輝きみたいなものがある。人間ってのはやっぱり素晴らしいものなんだなあというのを、読んでいる人達がキャッチできるんですよ。

（取材・構成　吉田大助／二〇一一年三月収録）

※特別対談は、角川文庫『図書館危機　図書館戦争シリーズ③』に続きます。

この作品は二〇〇六年九月、メディアワークスより刊行されました。
『ロマンシング・エイジ』は書き下ろしです。
オリジナル編集は徳田《とくだ》直巳《なおみ》氏によります。
文庫化にあたり、加筆、訂正をしています。

図《と》書《しょ》館《かん》内《ない》乱《らん》

図書館戦争《としょかんせんそう》シリーズ②

有《あり》川《かわ》　浩《ひろ》

角川文庫　16778

平成二十三年四月二十五日　初版発行
平成二十四年七月　二十日　七版発行

発行者—井上伸一郎
発行所—株式会社角川書店
東京都千代田区富士見二—十三—三
電話・編集　(〇三)三二三八—八五五五
〒一〇二—八〇七八
発売元—株式会社角川グループパブリッシング
東京都千代田区富士見二—十三—三
電話・営業　(〇三)三二三八—八五二一
〒一〇二—八一七七
http://www.kadokawa.co.jp
印刷所—旭印刷　製本所—BBC
装幀者—杉浦康平

定価はカバーに明記してあります。

あ 48-6　ISBN978-4-04-389806-0　C0193

角川文庫発刊に際して

角川源義

第二次世界大戦の敗北は、軍事力の敗北であった以上に、私たちの若い文化力の敗退であった。私たちの文化が戦争に対して如何に無力であり、単なるあだ花に過ぎなかったかを、私たちは身を以て体験し痛感した。西洋近代文化の摂取にとって、明治以後八十年の歳月は決して短かすぎたとは言えない。にもかかわらず、近代文化の伝統を確立し、自由な批判と柔軟な良識に富む文化層として自らを形成することに私たちは失敗して来た。そしてこれは、各層への文化の普及滲透を任務とする出版人の責任でもあった。

一九四五年以来、私たちは再び振出しに戻り、第一歩から踏み出すことを余儀なくされた。これは大きな不幸ではあるが、反面、これまでの混沌・未熟・歪曲の中にあった我が国の文化に秩序と確たる基礎を齎らすためには絶好の機会でもある。角川書店は、このような祖国の文化的危機にあたり、微力をも顧みず再建の礎石たるべき抱負と決意とをもって出発したが、ここに創立以来の念願を果すべく角川文庫を発刊する。これまで刊行されたあらゆる全集叢書文庫類の長所と短所とを検討し、古今東西の不朽の典籍を、良心的編集のもとに、廉価に、そして書架にふさわしい美本として、多くのひとびとに提供しようとする。しかし私たちは徒らに百科全書的な知識のジレッタントを作ることを目的とせず、あくまで祖国の文化に秩序と再建への道を示し、この文庫を角川書店の栄ある事業として、今後永久に継続発展せしめ、学芸と教養との殿堂として大成せんことを期したい。多くの読書子の愛情ある忠言と支持とによって、この希望と抱負とを完遂せしめられんことを願う。

一九四九年五月三日